Tous Continents

Collection dirigée par
Anne-Marie Villeneuve

De la même auteure

Adulte

Une jeune femme en guerre, Tome 3, Jacques ou Les Échos d'une voix, Québec Amérique, 2009.

Une jeune femme en guerre, Tome 2, printemps 1944 – été 1945, Québec Amérique, 2008.

Une jeune femme en guerre, Tome 1, été 1943 – printemps 1944, Québec Amérique, 2007.
FINALISTE AU GRAND PRIX LITTÉRAIRE ARCHAMBAULT

Les Jardins d'Auralie, Québec Amérique, 2005.

Mary l'Irlandaise, Québec Amérique, 2001, compact, 2004.

Au Nom de Compostelle, Québec Amérique, 2003.
PRIX SAINT-PACÔME DU ROMAN POLICIER

Azalaïs ou la Vie courtoise, Québec Amérique, 1995, compact, 2002.

Les Bourgeois de Minerve, Québec Amérique, 1999.

Guilhèm ou les Enfances d'un chevalier, Québec Amérique, 1997.

Jeunesse

Un Avion dans la nuit, Hurtubise HMH, 2010.

Les Combats de Jordan, Hurtubise HMH, 2009.

Le Chevalier Jordan, Hurtubise HMH, 2006.

La Funambule, Hurtubise HMH, 2006.

Le Triomphe de Jordan, Hurtubise HMH, 2005.

L'Insolite Coureur des bois, Hurtubise HMH, 2003.

La Chèvre de bois, Hurtubise HMH, 2002.

Jordan et la Forteresse assiégée, Hurtubise HMH, 2001.

Prisonniers dans l'espace, Québec Amérique Jeunesse, 2000.

La Revanche de Jordan, Hurtubise HMH, 2000.

Jordan apprenti chevalier, Hurtubise HMH, 1999.

Une terrifiante Halloween, Québec Amérique Jeunesse, 1997.

Une jeune femme en guerre

Tome 4

automne 1945 – été 1949

roman

Catalogage avant publication de Bibliothèque et Archives nationales du Québec et Bibliothèque et Archives Canada

Rouy, Maryse,
Une jeune femme en guerre : roman
(Tous continents)
Sommaire: t. 4. Automne 1944-été 1949.
ISBN 978-2-7644-0734-9 (v. 4)
1. Guerre mondiale, 1939-1945 - Romans, nouvelles, etc. I. Titre. II. Titre: Automne 1944-été 1949. III. Collection.

PS8585.O892J48 2007 C843'.54 C2007-941286-6
PS9585.O892J48 2007

Nous reconnaissons l'aide financière du gouvernement du Canada par l'entremise du Fonds du livre du Canada pour nos activités d'édition.

Gouvernement du Québec – Programme de crédit d'impôt pour l'édition de livres – Gestion SODEC.

Les Éditions Québec Amérique bénéficient du programme de subvention globale du Conseil des Arts du Canada. Elles tiennent également à remercier la SODEC pour son appui financier.

L'auteure remercie le Conseil des Arts du Canada pour son aide financière.

Québec Amérique
329, rue de la Commune Ouest, 3e étage
Montréal (Québec) Canada H2Y 2E1
Téléphone : 514 499-3000, télécopieur : 514 499-3010

Dépôt légal : 4e trimestre 2010
Bibliothèque nationale du Québec
Bibliothèque nationale du Canada

Projet dirigé par Anne-Marie Villeneuve
Révision linguistique : Claude Frappier et Chantale Landry
Mise en pages : Karine Raymond
En couverture : Denis Nolet, *L'Inattendu*, 20 x 30 pouces, 2010.
Conception graphique : Célia Provencher-Galarneau

www.quebec-amerique.com

Imprimé au Canada

Maryse Rouy

Une jeune femme en guerre

Tome 4

automne 1945 – été 1949

roman

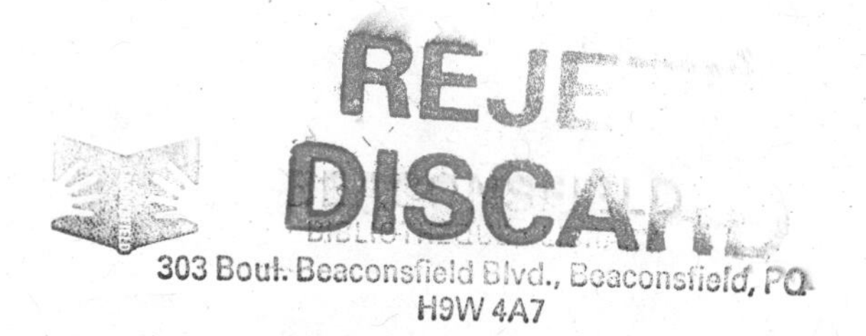

QUÉBEC AMÉRIQUE

Prologue

Lorsque Lucie Bélanger entra dans le bureau de maître Berland, elle la trouva au téléphone. Elle allait ressortir, mais l'avocate lui fit signe de rester. En attendant qu'elle soit libre, Lucie s'approcha de la fenêtre. Il y avait eu un redoux pendant la nuit et la belle neige de la veille s'était transformée en boue. Les passants aux bottes crottées pataugeaient et glissaient. Le ciel était gris, les arbres noirs, la ville sale et laide. On n'était qu'à la mi-février, le printemps était encore loin.

Denise Berland conclut sa conversation en disant :

— C'est d'accord, je t'envoie Lucie demain. Je te rappelle plus tard pour te donner l'heure de son arrivée.

Puis elle demanda à sa stagiaire, qui était aussi son amie :

— Tu as déjà rencontré Yvon Gadbois, n'est-ce pas ?

— Oui. Il est venu à une réunion de la Ligue nous parler de syndicalisme.

— En effet. C'est un vieil ami. Nous avons fait nos études de droit ensemble. Il était l'un des rares à ne pas penser que je devrais plutôt tricoter des bas pour les soldats. Après ses études, il est retourné vivre à Asbestos d'où il est originaire.

— Il exerce comme avocat, si je ne m'abuse.

— C'est ça. Lui non plus ne s'enrichit pas: quand il y a un conflit entre les ouvriers et les patrons, il est toujours du côté des premiers. Les mineurs de l'amiante sont en grève depuis dimanche soir. Tu es au courant?

— Oui. *Le Devoir* en a parlé.

— Alors, tu sais que le gouvernement vient de déclarer la grève illégale. Selon Yvon, il n'est pas impossible qu'il y ait des incidents, et il voudrait un reportage de fond qu'il pourrait utiliser dans le cadre d'éventuelles actions en justice. Ce serait, de toute façon, une trace des événements à mettre dans les archives du syndicat. Pour le réaliser, il a pensé à toi.

— À moi? Comment est-ce possible? Je n'ai pas fait de reportage depuis mon retour d'Italie, il y a plus de quatre ans.

— Quand il est venu à la Ligue, il a vu ton travail. Tes photos commentées de nos actions l'ont beaucoup impressionné.

— Là, je suis passée à autre chose. Je vais être avocate.

— Qu'as-tu prévu à la fin de ton stage?

— J'avais espéré qu'après l'examen…

— Tu pourrais faire tes premières armes avec moi? J'aimerais ça, mais soyons réalistes: l'ouvrage ne manque pas, c'est l'argent qui manque. Je ne défends pratiquement que des femmes et la plupart d'entre elles n'ont pas les moyens de me payer. Si je te verse un salaire - un petit salaire -, il ne m'en restera pas assez pour faire l'épicerie. On sera deux à mourir de faim.

— Je ne me doutais pas que c'était à ce point.

— C'est à ce point. Et crois-moi, je le regrette, parce que tu es une excellente assistante. Vu le contexte, à moins que tu puisses continuer de travailler gratuitement, ce qui serait stupide, il faut que tu trouves autre chose. Je suis désolée, Lucie, je n'avais pas réalisé que tu avais mal évalué ma situation financière.

Comme la jeune femme restait coite, Denise enchaîna:

— Dis-toi que cette affaire tombe bien: elle va te permettre de prendre du recul. Depuis que tu t'es inscrite à la faculté de droit, tu n'as pas levé la tête de tes livres ou de mes dossiers.

— Il me reste les derniers examens. Il ne faudrait pas que j'échoue faute d'avoir eu le temps d'étudier.

— Mets tes manuels dans ta valise, tu auras des moments creux. Mais quand il se passera quelque chose, tu seras sur place pour en rendre compte et donner le point de vue d'une femme. Au retour, tu penseras à ton avenir professionnel. Évidemment, ajouta-t-elle, Yvon ne peut pas te rémunérer lui non plus. Il paiera le train et t'hébergera chez lui. Sa femme est charmante, tu verras.

Denise était convaincante et Lucie devait s'avouer qu'elle ressentait une certaine excitation à l'idée d'exercer de nouveau un métier auquel elle n'avait pas renoncé de son plein gré, seulement elle avait des réticences dont elle ne pouvait pas faire part à son amie.

— Je ne suis pas sûre d'en être capable, prétendit-elle.

— Capable, tu l'es, insista Denise. Et Yvon t'attend. Je me suis engagée pour toi parce que je n'aurais jamais imaginé que tu puisses dire non.

— Laisse-moi le temps d'y penser.

— En tout cas, penses-y vite. Il se passe des événements importants qu'il ne faut pas rater. Prends l'après-midi, va marcher, réfléchis et appelle-moi avant cinq heures pour que je l'avertisse de ton arrivée ou de ton refus.

Lucie quitta le bureau un peu sonnée. Le Rolleiflex calé dans sa main au fond de la vaste poche de son manteau, elle s'engagea dans la rue Sainte-Catherine, tiraillée par ses contradictions. Ce qu'elle n'avait pas avoué à Denise, c'était sa peur d'aller à Asbestos parce qu'elle avait vu la signature de Richard Morin au bas d'articles sur la grève. Bien que l'on fût en 1949 et que beaucoup de temps ait passé depuis ce qu'elle se refusait à évoquer, elle ignorait si elle était devenue assez forte pour vivre au même endroit que lui, le croiser, lui parler.

PREMIÈRE PARTIE

automne 1945 – été 1946

C'était Jacinthe qui était revenue la première, bien avant Richard, un dimanche de l'automne 1945. Lucie et Jacques venaient de commencer leurs études et fréquentaient tous les deux l'Université de Montréal. Elle, la faculté de droit, où les femmes étaient accueillies à contrecœur, lui celle de médecine, où il avait également du mal à se sentir à sa place. Avec ses vingt-sept ans et ses années de guerre pour bagage, Jacques Bélanger était très différent du reste des étudiants cinq ou six ans plus jeunes que lui. Sans le conflit, il en serait à faire son internat alors que là, il n'avait même pas encore commencé l'étude de la médecine proprement dite, puisqu'il devait d'abord passer par le PCB, une année de préparation axée sur la physique, la chimie et la biologie. Créé pour suppléer aux carences du cours classique dans ces matières, le PCB, en lui permettant de réapprendre à fréquenter l'école quittée six ans plus tôt, lui était doublement utile. Si après toutes ses années à l'armée il supportait sans difficulté d'être traité en ignorant, sa vie de soldat ne l'ayant pas habitué à être valorisé, il avait du mal à rester assis pendant des heures à écouter les professeurs. Il avait envie de se lever, de bouger, de courir. Prenant soudain conscience de sa distraction, il s'efforçait de se concentrer, mais le soir, en revoyant ses notes, il y découvrait des manques. Pour canaliser son trop-plein d'énergie, en sortant de l'université il allait nager jusqu'à épuisement au bain Généreux, voisin de l'appartement qu'il avait eu la chance de trouver dans la même maison que celui de Richard Morin occupé par Lucie. Ce logement s'était libéré à la suite du décès de sa précédente locataire, et Jacques, hébergé par sa sœur, avait saisi l'occasion. En ces temps de pénurie que les retours de guerre avaient encore aggravée, c'était une aubaine. Il s'entendait bien avec Lucie, mais voulait être indépendant, d'autant plus que le journaliste finirait par revenir et récupérer son appartement. Il préférait ne pas avoir à trouver une solution dans l'urgence. Sa mère avait tenté de le convaincre de s'installer dans la maison familiale. Il avait résisté, car il savait qu'elle ne pourrait s'empêcher de le traiter en enfant, ce qu'il ne supporterait pas, non plus que de voir tous les jours son père infirme. En outre, après la promiscuité de l'armée, il aspirait à l'intimité. Son appartement, semblable à celui de Richard Morin, comprenait une pièce dont il avait fait son bureau et dans laquelle il avait mis, lui aussi, un lit d'appoint. Ainsi, il pourrait à son tour dépanner sa sœur si elle devait restituer les lieux à l'improviste, ou quelqu'un de son entourage qui en aurait besoin.

⁂

Jacinthe était arrivée à la gare Bonaventure avec un groupe d'infirmières et d'ambulancières, et la foule des parents et amis avait eu du mal à reconnaître celle qu'ils attendaient parmi tous ces uniformes et voiles blancs qui, de loin, les rendaient pareilles les unes aux autres. La famille de Jacinthe était au complet : il y avait son père, qui tentait de juguler son émotion, sa mère, visiblement bouleversée, François, la bouche marquée du pli amer qui s'y était incrusté, et Ann, sa jeune femme anglaise au visage triste. Il y avait aussi Lucie et Jacques. Tous ses proches étaient là pour accueillir l'héroïne et fêter son retour. Louise la première reconnut Jacinthe sur le marchepied du wagon. Elle cria *Jacinthe ! Ma petite fille !* d'une voix stridente qui parvint à couvrir la cacophonie ambiante, fendit la foule, la prit dans ses bras et la serra à l'étouffer. Puis elle la conduisit vers le groupe qui attendait.

Ils virent tout de suite que Jacinthe avait changé. La jeune fille exubérante qu'ils avaient connue existait peut-être encore, mais elle n'était pas sur ce quai de gare. Celle qui revenait à sa place paraissait plus âgée que ses vingt-deux ans. Elle avait les traits tirés et n'arrivait pas à sourire tandis qu'elle passait de bras en bras pour des étreintes qu'elle ne rendait pas. Il y eut un malaise que Louise refusa de prendre en compte.

— Tout le monde à la maison, lança-t-elle à la cantonade, on va faire la fête.

François et Ann se dirigeaient vers la voiture de Jacques pour laisser Jacinthe avec ses parents. Voyant cela, elle s'accrocha à la veste de son frère pour le supplier :

— Je t'en prie ! Toi, va avec eux. Moi, je ne peux pas.

Il allait protester quand Ann l'entraîna :

— Ce sera plus facile pour elle avec ses amis.

Une fois assise à l'arrière à côté de Lucie, Jacinthe lui dit avec une volubilité fiévreuse :

— Je ne vivrai pas avec eux. Tu as entendu ma mère ? Elle m'appelle sa *petite fille*. Je suis sûre que mon ours en peluche m'attend sur le lit. Ce n'est pas possible. Je ne veux pas. Je ne peux pas.

La voix montait dans les aigus et Lucie s'empressa de proposer :

— Viens habiter avec moi. Je suis toujours dans l'appartement de Richard. Jacques a le sien et j'ai une chambre libre.

Jacinthe lui serra la main avec emportement :

— Merci, tu me sauves.

La réception au domicile des Ménard fut pénible. Plus Jacinthe se taisait, plus sa mère parlait. Dès qu'ils eurent bu une coupe du champagne que monsieur Ménard avait ouvert en grande pompe, Lucie prit l'initiative de couper court, ce qui soulagea tout le monde.

— Jacinthe est lasse, dit-elle. Il faut qu'elle se repose.

— Bien sûr, s'empressa Louise. Viens, ma chérie, j'ai préparé ta chambre.

Jacinthe chercha le regard de son amie, qui acquiesça d'un hochement de tête, et déclara :

— Je vais m'installer chez Lucie.

Le silence se fit dans le salon. Louise, devenue pâle, bredouilla deux ou trois mots incompréhensibles, et monsieur Ménard, habituellement débonnaire, prit une voix autoritaire pour lui intimer d'arrêter ses caprices. Ann chuchota quelque chose à son mari, qui lui lança un regard fâché, et Jacques, qui était près d'eux et avait saisi leur échange, dit lui aussi un mot à François. Celui-ci, pressé de part et d'autre, finit par intervenir :

— Je crois qu'elle a besoin d'une transition. Il faut la laisser respirer un peu, elle viendra plus tard.

Monsieur Ménard, qui avait coutume d'éviter les discussions domestiques, abandonna aussitôt, se contentant de grommeler :

— De mon temps, les jeunes obéissaient à leurs parents.

Personne ne fit remarquer que les temps avaient changé. Si lui n'avait quitté le toit familial que pour se marier, ceux qui l'entouraient l'avaient fait pour aller à la guerre, ce qui les avait prématurément mûris et détachés de la dépendance parentale. Il y avait bien François qui s'était installé chez eux avec sa femme, mais c'était en raison de son état de santé. Il n'avait pas eu le choix, sa blessure de guerre l'ayant laissé trop affaibli pour faire des études ou avoir une activité professionnelle. Il en ressentait d'ailleurs une évidente amertume. Lucie eut pitié de Louise, qui avait un air égaré, et pendant que chacun récupérait son manteau, elle la serra dans ses bras pour la réconforter.

— Ne vous inquiétez pas, je m'en occupe. Au retour, on est un peu perdu, c'est normal. Elle a besoin de se réhabituer à la vie civile. Vous verrez, très vite, ça ira mieux.

La mère inquiète s'accrocha à l'amie de sa fille :

— Tu m'appelleras ? Tu me tiendras au courant ?

— Je vous le promets.

⁂

Quand ils furent arrivés rue Sherbrooke, Jacques quitta les jeunes femmes.

— Je vous laisse vous installer. Si vous avez besoin de moi, vous n'avez qu'à monter à l'étage, je serai là en train d'étudier. Et ce soir, on pourrait aller manger ensemble quelque part.

Lucie jeta un regard en coulisse à Jacinthe tandis que celle-ci remerciait Jacques de son intervention auprès de François et acceptait sa proposition. Elle se demandait quels étaient les sentiments actuels de son amie pour celui qui avait été son grand amour. L'expression du visage de Jacinthe ne lui en donna aucune indication : elle était amicale, ce qui ne prouvait rien.

Elles pénétrèrent dans l'appartement, et Jacinthe, après avoir jeté un regard autour d'elle, s'étonna que Lucie, qui vivait là depuis des mois, n'y ait rien changé.

— Je sais que nous sommes chez Richard, mais je suis surprise que tu n'aies pas ajouté quelques touches personnelles.

— Au début, je croyais être là en attendant de me marier ; c'était un peu comme vivre à l'hôtel. Ensuite, après la rupture avec Edmond, je n'ai pas eu envie de faire quoi que ce soit et maintenant, même si je le souhaitais, je n'aurais plus le temps.

— Quand même, tu pourrais au moins accrocher quelques-unes de tes photos.

— Peut-être, on verra.

Puis elle la conduisit à la chambre d'appoint.

— Voilà. Tu seras bien.

Il y avait effectivement un lit, mais aussi des livres sur une étagère et, surtout, une table encombrée de la panoplie de l'étudiant : notes de cours, manuels, crayons…

— C'est ici que tu travailles ! Je ne veux pas te déloger.

— Peu importe : je m'y suis installée parce qu'elle était vide. Quand Jacques vivait dans cet appartement, mon bureau était dans ma chambre et cela ne posait aucun problème.

— Tu en es sûre ?

— Certaine. Je suis si contente de t'avoir auprès de moi !

Pour que la discussion soit close, elle ajouta:

— Aide-moi à transporter la table, on va s'installer tout de suite.

Elles placèrent le bureau devant la fenêtre de l'autre pièce.

— Tu vois, là c'est parfait: il y a de la lumière et j'aperçois les arbres du parc Lafontaine. Je vais déménager les livres pendant que tu vides ta valise.

Lucie réorganisa son lieu d'étude, puis elle se rendit dans la cuisine faire chauffer de l'eau, disposa les tasses dans le salon et appela son amie. Celle-ci, qui avait fermé la porte, ne répondit pas. Lucie eut envie de frapper, mais y renonça. Peut-être que Jacinthe, fatiguée par le voyage, s'était endormie. Elle retourna dans sa chambre et se mit au travail.

Deux heures plus tard, Jacinthe n'ayant pas donné signe de vie, Lucie se décida à frapper. N'obtenant pas de réponse, elle entra. La jeune femme était assise sur le lit, dos au mur, et regardait fixement la cloison vide en face d'elle.

— Jacinthe! Ça va?

Son amie tourna la tête dans sa direction et, l'espace d'un instant, sembla hésiter à la reconnaître. Puis, comme s'il n'y avait rien eu d'anormal, elle répondit en se levant:

— Je prendrais volontiers une tasse de thé.

Jacinthe bombarda Lucie de questions sur l'université et sur la Ligue sans lui laisser l'occasion de l'interroger à son tour.

— En semaine, précisa Lucie, je suis absente toute la journée. J'aimerais te tenir compagnie, sauf que je ne peux pas me permettre de rater les cours.

— Ne te soucie pas de moi. Je me débrouillerai.

— Par contre, les fins de semaine, nous pourrons passer du temps ensemble. Je vais à la Ligue tous les samedis après-midi. Tu viendras avec moi: je te présenterai tout le monde. Je suis sûre que tu les aimeras.

Jacques téléphona pour leur demander si elles étaient toujours d'accord pour manger au restaurant avec lui. Lucie consulta Jacinthe qui confirma avec empressement sa précédente acceptation. Elle crut d'abord que c'était pour voir son frère, cependant elle comprit à son attitude pendant le repas qu'elle voulait surtout ne pas être seule avec elle. Quand la conversation languissait, Jacinthe posait une question pour la relancer, les incitant à parler des films et des spectacles qui se donnaient à Montréal. Absorbés par leurs études, ils n'avaient ni l'un ni l'autre eu le temps de les voir, mais ils en avaient quand même eu des échos. Ainsi, ils échappèrent aux silences, et l'arrivante put éviter de parler d'elle-même. Durant tout le repas, ils s'en tinrent à des banalités, de sorte que rien ne fut dit sur la guerre. Lucie, supposant que Jacinthe avait vécu des choses qu'elle préférait taire, résolut de ne rien lui demander: les confidences viendraient en leur temps, lorsqu'elle serait prête.

Le lendemain matin, Jacinthe attendit que Lucie soit partie à l'université pour quitter sa chambre. Elle s'observa dans le miroir de la salle de bains et se demanda comment les autres la voyaient. Laide et flétrie, probablement. Dans sa vie d'avant, elle avait détesté ses joues et son corps trop ronds, mais sa maigreur actuelle ne lui allait pas mieux, au contraire: elle avait troqué un air de santé pouvant séduire contre une allure de chat affamé qui devait faire peur. Le désarroi et la peine dans les yeux de sa mère et leur gêne à tous étaient assez explicites. Quant à Jacques… que pourrait-il lui trouver d'attirant?

Tous ces gens, elle voulait les voir le moins possible et ne voulait surtout pas répondre à leurs questions. Pour ne pas éveiller leur curiosité, il lui fallait donner le change et tout d'abord, feindre la joie du retour. Sa seule tenue civile, qu'elle avait portée la veille au restaurant, était défraîchie. *Comme moi*, pensa-t-elle. Elle n'irait pas chercher les vêtements laissés chez ses parents. Elle en achèterait de nouveaux. Non qu'elle eût des velléités de coquetterie, mais pour éviter de voir sa mère. Elle avait gagné de l'argent, elle pouvait s'habiller de neuf.

Elle sortit avec l'intention de se rendre chez Dupuis Frères, le magasin le plus proche du domicile de Lucie. En chemin, elle passa devant un magasin de la Commission des liqueurs. Elle hésita, continua sa route, puis fit demi-tour. Au diable les robes neuves ! À la place, elle acheta de l'oubli et retourna à l'appartement.

*

Pendant la journée, Lucie pensa souvent à Jacinthe. Elle ne reconnaissait pas son amie chez qui rien ne subsistait de la jeune fille qu'elle avait été. Ses traits s'étaient épurés, sa silhouette amaigrie lui donnait une allure différente et ses grands rires avaient fait place à des silences lourds. Jacques n'étant pas lui non plus fort disert, le repas avait été morne, et Lucie, comme plus tôt chez les Ménard, avait écourté la soirée.

Durant les leçons, elle s'aperçut à plusieurs reprises qu'elle n'écoutait pas les professeurs et fit son possible pour chasser Jacinthe de son esprit. Elle ne pouvait pas se permettre d'être inattentive, car personne ne lui prêterait ses notes si les siennes étaient incomplètes. Elles n'étaient que deux filles dans sa promotion, ce qui aurait dû les rapprocher, or ce fut le contraire qui se produisit. Lorsque Lucie s'était présentée à Henriette Courchesne, le premier jour, celle-ci lui avait froidement déclaré qu'elle la considérait comme sa rivale et n'avait aucune intention d'avoir des relations cordiales avec elle. L'attitude de sa vis-à-vis avait stupéfié Lucie qui n'aurait jamais imaginé que deux filles seules au milieu d'hommes hostiles pussent ne pas être solidaires.

Du côté des gars, il n'y avait rien à espérer non plus, ce qui n'avait pas été une surprise. Ils arrivaient du cours classique et étaient donc un peu plus jeunes qu'elle, mais surtout, ils n'avaient jamais quitté leurs parents, n'avaient pas connu la guerre, ni traversé l'Atlantique, ni… ni… Elle avait le sentiment d'avoir vécu une vie de plus qu'eux. Ils étaient à peine sortis de l'adolescence et pourtant, alors qu'ils n'avaient encore rien prouvé, ils se croyaient infiniment supérieurs à elle. Lorsqu'elle en parlait à Jacques ou à une amie, c'était sous le terme générique de « fils à papa » qui illustrait parfaitement leur prétention et leur insignifiance. Elle avait pris le parti de les ignorer et son indifférence les agaçait : ils auraient préféré qu'elle réagisse pour pouvoir se moquer d'elle, mais elle les regardait comme s'ils étaient transparents et ne leur répondait jamais. Quoi qu'ils fissent, en matière de mépris, ils n'arriveraient jamais à la cheville des militaires qu'elle avait côtoyés en Italie : elle était immunisée.

Henriette, par contre, répondait à chacune de leurs piques pour leur plus grande joie. Ils étaient cruels avec elle. Faute de pouvoir s'en prendre à ses performances, qui étaient inattaquables, ils la brocardaient sur son physique ingrat, prétendant entre eux, assez haut pour qu'elle l'entende, qu'elle en était réduite à étudier parce qu'elle n'avait pas la moindre chance de trouver un mari. Au sujet de Lucie, après quelques semaines, ils ne disaient plus grand-chose, dépités qu'elle réussisse aussi bien que sa consœur et qu'en plus, elle soit jolie. Leur espoir était que l'ostracisme dont elles faisaient l'objet les pousserait à abandonner. Non seulement elles n'avaient, selon eux, rien à faire là, mais elles les obligeaient à travailler très fort pour ne pas se laisser distancer. Les deux étudiantes, sachant par avance que les professeurs ne leur pardonneraient aucune faiblesse, étudiaient d'arrache-pied depuis le jour même de la rentrée. Les gars, qui avaient commencé mollement, avaient eu la surprise déplaisante de se voir dépassés par des filles quand on fit connaître les premiers résultats. Et même s'ils s'étaient mis au travail et si plusieurs d'entre eux les avaient rattrapées, elles étaient toujours dans le peloton de tête.

⁂

Lorsque Lucie entra dans l'appartement silencieux, la porte de Jacinthe était fermée. Elle alla écouter, n'entendit rien et tourna la poignée. Jacinthe gisait comme une morte en travers du lit. Lucie, affolée, se précipita pour vérifier son pouls. Quand elle posa la main sur elle, son amie bougea et se mit à ronfler. Rassurée, elle regarda autour d'elle et découvrit la bouteille de gin vide et le verre qui s'était brisé en tombant. Jacinthe était ivre morte. Elle ramassa les débris, puis déshabilla son amie et la fit glisser sous les draps. Elle déposa ensuite une carafe d'eau et de l'aspirine sur la table de nuit. C'était tout ce qu'elle pouvait faire. Jacinthe ne se réveillerait probablement pas avant des heures.

Munie d'une tasse de thé, Lucie s'installa à son bureau où elle eut du mal à se concentrer. Elle s'interrogeait sur les raisons qui avaient poussé son amie à se mettre dans cet état. Elle-même avait déjà fait des excès d'alcool, mais dans le cadre de soirées avec des compagnons, pour fêter quelque chose. Il y avait une grande différence entre se laisser entraîner à prendre quelques verres de trop lors d'une fête et s'enivrer seule face à un mur jusqu'à s'écrouler. Est-ce que Jacinthe avait agi ainsi parce qu'elle avait mal vécu les retrouvailles de la veille ? Lucie en doutait, car la quantité d'alcool ingurgitée semblait dénoncer l'habitude. Qu'est-ce qu'elle essayait d'oublier ? Son amour malheureux pour Jacques ? Ses souvenirs de guerre ? L'ancienne correspondante de presse qui, plus d'un an après, voyait encore dans ses cauchemars le pied du soldat arraché par un mortier sur les rives de l'Arno, pensa qu'il n'était pas impossible que Jacinthe se jette dans l'alcool pour effacer l'image obsédante de l'atrocité des combats.

Dans la soirée, lorsque le pas de Jacques qui rentrait résonna dans l'escalier, elle faillit aller le retrouver, mais se ravisa, car il lui serait difficile d'expliquer l'absence de Jacinthe et elle ne voulait pas la trahir. Plus tard, elle entendit la porte de la chambre s'ouvrir, puis celle de la salle de bains. Vinrent ensuite des bruits de vomissements. Elle attendit que son amie ait réintégré la chambre pour la rejoindre. Les yeux injectés de sang, le visage bouffi, les cheveux ternes tombant en paquets humides, son amie était pitoyable. Lucie, le cœur serré, la prit dans ses bras. Jacinthe la repoussa d'un geste épuisé.

— Je sens mauvais, éloigne-toi.

Et avec une élocution que l'ivresse rendait difficile, elle l'avertit :

— Ça se reproduira souvent. Ne te sens pas tenue de le supporter. Je peux chercher à me loger ailleurs.

— Il n'en est pas question : tu es ici chez toi. Je suis ton amie.

Jacinthe replongea dans un sommeil comateux et Lucie quitta la chambre. Elle voulait savoir si Jacinthe était encore amoureuse de Jacques et si c'était à cause de lui qu'elle buvait. Au risque de se faire rembarrer, elle lui posa brutalement la question le lendemain.

Jacinthe eut un ricanement de dérision.

— Oui, je l'aime et je l'aimerai toujours. Mais je n'ai aucune chance d'être aimée de lui, parce qu'il n'existe pas. Le Jacques qui est dans mon cœur, celui que j'avais décidé d'épouser dès la petite enfance, n'a aucun point commun avec l'homme qui habite au-dessus. Souviens-toi : quand nous étions jeunes, nous ne nous parlions jamais. Comment aurais-je pu le connaître ? François et lui étaient toujours ensemble et ne nous accordaient aucune attention. Ils ne daignaient s'apercevoir de notre existence que lorsqu'ils avaient besoin de partenaires pour jouer au tennis. Au sujet de Jacques, je m'étais inventé une histoire et j'y croyais assez fort pour avoir envie de mourir quand j'ai découvert qu'elle n'aurait jamais de réalité. Tu sais, même si j'avais vingt ans, je n'étais qu'une petite fille à l'époque. Ne t'en fais pas à propos de Jacques : j'ai pour lui les mêmes sentiments que pour mon frère.

— Mais alors… ?

Elle fit de la main un geste désinvolte et sortit en disant qu'elle allait prendre l'air.

Jacinthe avait menti : ses sentiments pour Jacques n'étaient pas fraternels. En le découvrant sur le quai de la gare, son cœur avait bondi. Le mince adolescent devenu un homme était plus séduisant encore que dans ses souvenirs. Il semblait avoir grandi, ses épaules s'étaient élargies et le blond de ses cheveux avait légèrement foncé. Même ses yeux étaient différents parce qu'il avait maintenant dans le regard un fond de tristesse qui donnait envie de le consoler. Elle s'était dit qu'elle avait eu raison de revenir, qu'ils s'aideraient mutuellement à remonter du gouffre. Dans ses bras les cauchemars disparaîtraient. Elle cesserait de chercher l'oubli dans l'alcool pour le trouver auprès de lui. Les lettres de Lucie lui avaient appris, sans donner de détails, que la mort d'une jeune fille aimée l'avait plongé dans le désespoir. Sauf qu'il y avait un an et demi de cela, et il avait dû accepter cette perte, comme elle-même avait fini par surmonter celle de John, cet amant si joyeux qu'elle avait pris à Londres pour qu'il l'aide à effacer ses chimères enfantines, et qui y était parvenu, croyait-elle, avant qu'il ne s'abîme dans la Manche une nuit où il revenait d'une mission de bombardement. Cet espoir de consoler Jacques qui lui avait donné le courage de rentrer au pays avait disparu dès ce repas au restaurant où elle avait compris qu'il n'avait rien d'autre que de l'amitié à lui offrir. Il faudrait qu'elle survive seule. Ou qu'elle ne survive pas.

⁂

Lucie ne parla à personne des plongées de Jacinthe dans l'enfer. Seul Jacques était au courant. Il l'avait découvert par hasard, alors qu'il passait proposer aux jeunes femmes d'aller au restaurant avec lui, comme il le faisait une ou deux fois par semaine. Avant que Lucie n'ait eu le temps d'inventer un prétexte et de le refouler, Jacinthe était sortie de sa chambre, hagarde et titubante, pour gagner la salle de bains.

— Lorsqu'elle dormira, monte me voir, dit-il à sa sœur.

Il avait compris tout de suite que ce qu'il avait découvert fortuitement n'était pas accidentel.

— Elle boit toujours seule ? demanda-t-il.

— Oui. Je la trouve ainsi en rentrant de l'université.

— Tous les jours ?

— Non, heureusement. Quand elle émerge, elle est honteuse et elle s'excuse, mais elle n'explique rien et ne promet rien. Elle me répète seulement que je ne suis pas obligée de la supporter et qu'elle peut s'en aller ailleurs. Que crois-tu qu'il lui soit arrivé ?

— Oh, tu sais, la guerre… Aucun de nous ne sera plus jamais le même.

Ses yeux se perdirent dans le vague, et Lucie devina qu'il pensait à Adrienne, la jeune Française qu'il aurait épousée si les Allemands ne l'avaient pas assassinée, et à tous ces gens du village de Fontsavès qui ne guériraient pas du chagrin d'avoir perdu tant des leurs. Il se secoua et déclara d'un ton ferme :

— Il faut l'aider.

— C'est ce que je me répète tout le temps, mais je ne sais pas comment.

— Le problème, c'est qu'elle reste seule pendant des heures. On doit lui trouver un emploi, ou du moins une occupation, pour la période de la journée où tu n'es pas là.

— Ça ne va pas être facile : elle n'a aucune formation, à part celle d'ambulancière. Et des ambulancières, on n'en a plus besoin.

— Par contre, on manque de personnel dans les hôpitaux d'anciens combattants. Elle a sûrement appris des choses qui pourraient servir.

— Tu ne crois pas qu'il faudrait plutôt l'éloigner de tout ce qui touche à la guerre ?

— Je n'en sais rien. Tu as peut-être raison. Il n'y aurait pas moyen de l'occuper à la Ligue ?

— On fait du bénévolat. Ce n'est pas ce qu'il lui faut : elle doit se sentir obligée à l'assiduité.

Ils se séparèrent en se promettant de réfléchir, et Jacques recommanda à sa sœur de ne pas hésiter à l'appeler en cas de nécessité.

⁂

Le samedi était le jour de détente de Lucie, contrairement au dimanche qu'elle passait à étudier, ne sortant que pour se rendre à l'église. Après l'éclipse italienne, elle était retournée à la messe comme si cela allait de soi. Tout le monde le faisait et il eût été mal vu de s'en abstenir. Jacques lui-même, qui lui avait confié n'avoir pratiquement jamais assisté à un office pendant les années de guerre, avait renoué avec la fréquentation dominicale de l'église. Leur mère aurait souhaité qu'ils reprennent leurs habitudes dans la paroisse où ils avaient été élevés, mais il était exclu pour Lucie d'affronter tous les dimanches le curé Lebel, mademoiselle Landreville et la vieille madame Langevin, sans compter les anciennes compagnes avec qui elle confectionnait des colis aux soldats, maintenant mariées pour la plupart, qui la jugeraient dévergondée, ou pour le moins originale, de ne pas vivre chez ses parents alors qu'elle était célibataire. Elle trouvait plus simple de fréquenter Saint-Louis-de-France qui était proche de son domicile. Jacques n'ayant pas envie d'être considéré comme un parti possible par les quelques jeunes filles à pourvoir de son quartier d'origine s'accommodait mieux lui aussi de cette église-là.

Si Lucie prenait congé le samedi, elle ne se permettait pas de passer la journée complète sans étudier. Elle y consacrait quelques heures tôt le matin, puis elle allait retrouver Giuseppe au *Studio Rossi*. Ce n'était plus dans le but de l'aider, comme autrefois, elle venait seulement pour bavarder avec lui. Pendant qu'ils échangeaient les dernières nouvelles entre deux clients, elle développait ses propres photos, beaucoup moins nombreuses depuis la rentrée. Si elle avait gardé l'habitude d'être toujours munie de son appareil, y compris à l'université où il était caché dans son sac d'étudiante, elle s'en servait peu. Il eût été amusant de fixer sur la pellicule certaines poses des fils à papa ou les envolées de manches des professeurs les plus imbus d'eux-mêmes. Il n'en était évidemment pas question.

Elle faisait essentiellement des portraits, de son frère ou de ses amies, de sa mère également, qui avait repris vie depuis que ses enfants avaient oublié ou pardonné son adultère et lui manifestaient leur affection. Plus personne ne prenait garde au Rolleiflex qui semblait le prolongement de sa main. Il y avait cependant quelqu'un qu'elle ne photographiait jamais : son père. Elle l'avait fait une seule fois, alors qu'il était sous l'érable, une couverture sur les genoux, et que sa mère essuyait la bave lui coulant sur le menton. La scène correspondait si bien à ce qu'elle avait imaginé lorsqu'elle avait appris sa paralysie à Rome que la prise du cliché avait été un geste automatique. Cette photo, elle l'avait rangée au fond d'un tiroir afin de l'oublier.

Quand elle arrivait rue Stuart, après avoir quitté le *Studio Rossi* vers midi pour partager le repas de sa mère, elle retrouvait souvent Jacques qui préférait s'y rendre en même temps qu'elle, car à trois, il était plus facile d'empêcher la conversation de prendre un tour personnel. Jacques, ne voulant pas de la compassion de sa mère parce qu'elle serait trop dure à porter, ne lui avait pas fait de confidences. Si Julienne se doutait que son fils avait vécu un drame, elle ignorait lequel. Elle avait essayé d'en savoir davantage par l'entremise de Lucie qui avait tenu la promesse faite à son frère de ne rien dire.

Par contre, celle-ci avait confié à Julienne les motifs de la rupture de ses propres fiançailles. Le soulagement de sa mère lui aurait confirmé, si elle en avait douté, qu'elle avait pris la bonne décision.

— Je sais que tu souffres, lui avait-elle dit, mais il vaut mieux cela que de regretter toute sa vie un engagement qu'on ne peut pas rompre.

Julienne Bélanger pensait-elle uniquement à sa fille en prononçant ces mots ? Lucie supposait que non. Sa mère n'avait pas été heureuse avec l'homme qu'elle avait épousé ou, si elle l'avait été, cela n'avait pas duré longtemps. Du plus loin qu'elle se souvînt, elle voyait le notaire Bélanger accabler sa femme de sarcasmes et de mépris. Lorsque Lucie avait eu connaissance du testament de sa grand-mère, Julienne avait laissé libre cours à son amertume, reprochant à sa mère d'avoir détruit son couple en humiliant son mari. Mais cela n'expliquait pas tout : s'il avait été aussi fier qu'il voulait le faire croire, il aurait emmené sa jeune femme ailleurs, où ils auraient vécu de ce qu'il gagnait sans rien devoir à sa belle-mère. Il avait préféré la maison cossue d'Outremont, quitte à passer son existence à remâcher sa rancune. Il avait gâché la vie de sa femme au point qu'elle avait fini par le tromper lorsqu'un homme plus jeune l'avait courtisée, ce qui avait été lourd de conséquences.

Lucie n'en voulait plus vraiment à sa mère. Un petit peu, quand même, quand elle se laissait aller à penser que Julienne connaissait ses sentiments pour Jocelyn. C'était la seule chose qui la peinait encore. Cependant si elle s'imposait d'être honnête, elle devait accorder à sa mère des circonstances atténuantes.

Lucie n'avait pas revu Edmond depuis leur rupture au bord du lac de Saint-Donat. Pour ne pas risquer de le rencontrer, elle s'était privée du mariage de Gisèle. Elle avait eu raison, car lui y était allé. Elle le savait par son amie, qu'il avait suppliée de plaider sa cause auprès de Lucie. La jeune femme s'en était bien gardée.

— Tu n'aurais jamais pu te dépêtrer de sa mère, avait-elle déclaré. Tu es beaucoup mieux sans lui.

— Sans elle, tu veux dire, parce que lui, je l'aimais.

— C'est ce que tu crois. Qu'est-ce que tu sais vraiment de cet homme ? Vous avez passé quelques heures idylliques en Italie et vous avez échangé des quantités de lettres d'amour. Ce qui fait qu'en réalité, tu ignores tout de lui. Ce n'est pas un bon départ pour un mariage.

Cette sortie avait sidéré Lucie : comme avec sa mère lorsque celle-ci avait évoqué un engagement impossible à rompre, elle avait eu l'impression que Gisèle ne parlait pas de sa relation avec Edmond, mais de son propre mariage avec Roland. Se pouvait-il que la jeune mariée soit déjà déçue ? Elle espérait avoir mal interprété ses paroles. Gisèle avait tout de suite enchaîné en lui proposant de regarder les photos de la cérémonie et Lucie craignit que cette hâte à changer de sujet ne prouve qu'elle avait au contraire bien compris.

⁂

La vie rue Sherbrooke suivit son cours cahin-caha. Dans ses périodes de sobriété, Jacinthe exprimait le désir de chercher un emploi ou d'acquérir une formation professionnelle, malheureusement au moment où il semblait possible d'espérer, elle replongeait dans une soûlerie. Lucie tenait bon, cependant: même si elle ne parvenait pas à l'aider, elle ne laisserait pas Jacinthe dériver seule. Sans se décourager, jour après jour, elle lui racontait les menus événements de sa vie d'étudiante en feignant de ne pas s'apercevoir que l'intérêt suscité n'était que de surface. C'était en semaine que Jacinthe buvait, lorsque son amie était à l'université. Le samedi et le dimanche, Lucie l'associait à ses activités pour ne pas la laisser seule. À la Ligue comme ailleurs, Jacinthe ne prenait aucune initiative, mais au moins, elle l'accompagnait sans qu'il soit trop besoin d'insister.

Le samedi, pendant que Lucie était chez sa mère, Jacinthe allait voir ses parents. Les premiers temps, elle se bornait à attendre Lucie sur un banc du parc et lui racontait ensuite quelques détails inventés au sujet du repas qu'elle était censée avoir partagé avec les siens. Lorsque Lucie avait découvert la supercherie, elle avait établi un rituel pour obliger son amie à s'y rendre: en quittant la maison familiale, après avoir rendu visite à Irène, qui habitait toujours le logement attenant où avait vécu sa grand-mère, elle allait la chercher sous prétexte de saluer la famille Ménard. Ainsi, elle ne pouvait pas se dérober. Jacinthe céda parce que cela lui demandait moins d'efforts que de résister et elle trouva même un avantage à agir de la sorte: si sa mère n'avait pas eu la possibilité de la voir une fois par semaine, elle se serait inquiétée et lui aurait téléphoné sans arrêt, ce qui était la dernière chose qu'elle souhaitait. Même si cette visite hebdomadaire, au cours de laquelle elles n'avaient aucune occasion d'intimité, laissait Louise sur sa faim, elle acceptait de s'en contenter. C'était pour cela que Jacinthe y allait. Pourtant, le repas chez les Ménard était difficile à supporter.

Le problème venait en grande partie de François: sa santé ne s'améliorait pas et l'espoir que cela change était faible. Cette situation avait aigri son caractère et il n'ouvrait la bouche que pour faire des remarques amères ou déplaisantes. La principale cible de ses attaques était Ann. Il lui reprochait tout, entre autres de ne pas apprendre le français. Il en était pourtant responsable: dès qu'elle faisait une tentative, il se moquait de son accent et de ses erreurs, et la jeune femme se taisait.

— Heureusement qu'il y a ma mère ! disait Jacinthe. Elle la soutient et la dorlote. Malgré cela, je me demande comment elle tient le coup : il est odieux.

— Tu ne crois pas que tu devrais l'aider ?

— Moi ? Je ne suis pas capable de m'occuper de moi-même, alors de quelqu'un d'autre…

— Le samedi après-midi, elle pourrait venir avec nous.

— À la Ligue ? Tu n'y penses pas ! François ne voudra jamais.

— Il n'a pas besoin de le savoir. Dis à ta belle-sœur que tu vas magasiner et demande-lui de t'accompagner. Après, on verra. Si elle ne veut pas connaître la Ligue, on trouvera autre chose. Il faut la sortir de là de temps en temps. On ne peut pas faire comme si on l'ignorait.

Quand Jacinthe, sur les instances répétées de Lucie, se décida à inviter Ann à se joindre à elles, la jeune femme jeta un regard vers son mari et tout le monde comprit qu'il allait s'y opposer. Louise intervint aussitôt. Sans laisser à son fils le temps de dire un mot, elle s'exclama que c'était une excellente idée et elle les poussa presque dehors.

— Vas-y, Ann, et profite de ton après-midi. Je m'occuperai de François si tu n'es pas revenue lorsqu'il aura fini sa sieste.

À mesure qu'elle marchait dans la rue, Ann, qui ne connaissait personne et ne sortait jamais, avait l'air de se redresser et de reprendre vie. Jacinthe avançait en regardant par terre et ne s'en aperçut pas, mais pour Lucie, c'était tellement évident qu'elle résolut de ne pas aller à la Ligue ce jour-là et de consacrer l'après-midi à la jeune femme. Déjà, à Saint-Donat, elle s'était rendu compte qu'elle était malheureuse, or depuis l'été, cela s'était aggravé. Sans doute François ressentait-il davantage sa dépendance en ville qu'au chalet, ce qui aigrissait d'autant plus son humeur.

Elles flânèrent dans les rues animées du centre-ville, Lucie et Ann faisant des commentaires sur les vitrines tandis que Jacinthe les suivait sans participer. Elle finit tout de même par remarquer qu'elles n'allaient pas à la Ligue et s'en étonna.

— Pas aujourd'hui, répondit Lucie sans préciser pourquoi.

Elle se contenta d'un *Ah bon* indifférent et elles continuèrent leur promenade. À voir Ann regarder les vêtements, il était clair qu'elle était tentée.

— Si tu veux en essayer, proposa Lucie, nous avons le temps, n'hésite pas.

— Non merci. Une autre fois.

Cela avait été dit avec une nuance de regret, et le regard de la jeune femme, que la vue des robes avait fait briller, s'éteignit. Lucie comprit : Ann n'avait pas d'argent. Elle et son mari devaient entièrement dépendre des parents Ménard. Lucie, qui pensa fugitivement que si elle ne s'était pas révoltée, ce serait elle, l'épouse de François qui vivait cette situation misérable, décida de prendre les choses en mains. Si Jacinthe n'avait pas l'énergie nécessaire pour aider Ann, elle s'en chargerait. Elle entraîna ses compagnes au salon de thé de chez Eaton et, au risque d'être indiscrète, rappela à la jeune Anglaise qu'elle lui avait confié au mois d'août son intention de reprendre un travail d'infirmière. Où en était-elle de ses démarches ?

— Nulle part. François ne veut pas.

— Pour quelle raison ?

— Il dit que c'est à lui de faire vivre sa femme et non l'inverse.

— Et il préfère vivre aux crochets de ses parents.

Jacinthe, tirée de son inertie par l'agressivité de la dernière réplique, sursauta.

— Tu ne crois pas que tu es un peu brutale ?

— Parce que j'appelle les choses par leur nom ?

— Là, il est malade et c'est difficile. Quand il ira mieux, il redeviendra comme avant.

— Ouvre les yeux, Jacinthe ! Regarde autour de toi. Tu n'es pas la seule à avoir changé.

— Tu ne dois pas monter Ann contre son mari, ce n'est pas bien.

L'intéressée intervint :

— Je n'ai aucune illusion et ta mère non plus. C'est d'ailleurs à cause d'elle que je suis toujours là. Chaque soir, quand je me couche, je décide de prendre le premier bateau pour l'Angleterre et puis, le lendemain, je la vois et je ne peux pas l'abandonner. Néanmoins nous ne vivons pas à leurs crochets. Enfin, pas vraiment.

Elle leur expliqua que François recevait une pension d'ancien combattant. La somme ne serait pas suffisante pour qu'ils puissent habiter seuls, mais elle permettait de défrayer les coûts de leur entretien.

— Il la verse entièrement à ses parents. Comme ils ne voulaient pas qu'il leur donne tout, il a fait une crise terrible, disant que c'était pour l'humilier qu'ils refusaient, et ils ont dû accepter. Madame Ménard m'en redonne une partie en secret dont je ne peux pas me servir de manière trop visible, pour m'habiller par exemple, parce qu'il s'en apercevrait, devinerait d'où vient l'argent et me reprocherait d'exploiter ses parents.

— Tu n'as aucun revenu personnel ?

— Non. J'ai sans doute droit à une petite pension à cause de mon service dans un hôpital militaire. Accomplir les formalités depuis ici est très compliqué et elles n'ont pas encore abouti. Quant à ma famille, elle a des revenus trop modestes pour m'aider. De toute manière, même s'ils le pouvaient, je ne ferais pas appel à eux.

Lucie devina qu'Ann préférait cacher les difficultés de son mariage à ses parents, qui ne l'avaient peut-être pas approuvé.

— Aimerais-tu travailler ? lui demanda-t-elle.

— Bien sûr !

— On va t'aider. N'est-ce pas, Jacinthe ?

— Ou…i.

— Je ne sais pas encore comment, mais fais-nous confiance.

Ann remercia chaleureusement Lucie et Jacinthe pour leur support. La tristesse, que son visage affichait si souvent, avait disparu, et le reste de l'après-midi, elle leur révéla le naturel joyeux qui avait dû séduire François. Mais à mesure qu'approchait l'heure de retourner chez ses beaux-parents, les traces de joie s'effacèrent. Quand elle les eut quittées, Lucie, le cœur serré, s'en entretint avec Jacinthe. Celle-ci, comme cela lui arrivait parfois, s'emballa, prenant fait et cause pour sa belle-sœur. Lucie l'écouta lui affirmer qu'elle allait parler à François, puis à son père pour qu'il intervienne, et que tout changerait sous peu. Cet enthousiasme, dont Lucie savait qu'il ne durerait pas au-delà de quelques heures et qu'il ne serait suivi d'aucun effet, l'affligea plus encore que la situation de la jeune Anglaise.

Pendant que son amie parlait, elle s'évada dans ses pensées, faisant le bilan de sa propre vie et de celle de ses proches. C'était accablant: Jacinthe ne semblait plus capable de mener un projet à son terme, Ann s'étiolait sous la coupe d'un mari possessif et exigeant, Gisèle paraissait déçue de son récent mariage, Jacques ne s'était pas consolé de la perte d'Adrienne et elle-même venait de vivre une rupture qui la laissait amère et désenchantée. Elle se dit que le terme de *gueules cassées* attribué aux survivants très amochés de la guerre précédente leur conviendrait à tous. Ce constat la déprima tant qu'elle eut la tentation de s'arrêter au magasin de la Commission des liqueurs acheter une bouteille de gin pour la partager avec Jacinthe. Mais ce n'était pas en buvant avec elle qu'elle aiderait son amie à surmonter ses problèmes. De plus, elle savait que passé le plaisir des premiers verres, il y aurait la migraine du lendemain qui l'empêcherait de travailler, et elle décida qu'à la place, il fallait faire quelque chose ailleurs et avec des gens.

— Ce soir, on va danser, annonça-t-elle à Jacinthe.

Malgré ses protestations, elle prit le téléphone afin de leur trouver des compagnons pour la soirée.

Elle commença par Jacques. Son frère était toujours réticent à fréquenter des lieux où l'on s'amusait. S'il ne parvenait pas à se mettre à l'unisson, cela l'attristait davantage et s'il s'amusait, il ne se le pardonnait pas. Jacques ne se donnait pas le droit de se distraire de son chagrin, et Lucie, même si elle le déplorait, respectait cela. Aujourd'hui, cependant, elle insista parce qu'elle avait besoin de réconfort. Quand elle lui eut raconté son après-midi, Jacques le comprit et accepta de les accompagner dans un cabaret.

Elle téléphona ensuite à Irène, qui elle non plus ne sortait pas souvent. Dans son cas, c'était à cause des études. Elle était en troisième année de médecine et la charge de travail était lourde. De plus, comme Lucie à la faculté de droit, elle était en butte à l'ostracisme des professeurs et des autres étudiants qui toléraient mal la présence de filles dans leurs rangs. En première année, elles étaient quatre, ce qui était déjà peu. Depuis, deux d'entre elles avaient abandonné leurs études pour se marier, et les deux restantes avaient besoin d'une grande force morale pour résister aux manœuvres de leurs collègues masculins qui n'avaient pas désarmé. Irène n'accepta pas d'emblée la proposition de Lucie.

— Tu me prends un peu au dépourvu : je suis avec Solange avec qui j'ai passé la journée à étudier.

— Eh bien, venez toutes les deux, cela vous changera les idées.

— On a vraiment beaucoup de travail.

— Vous avez prévu d'y consacrer également la soirée ?

— Non, mais si on se couche tard, on aura du mal à reprendre demain matin.

— Tu pourrais au moins lui demander ce qu'elle en pense ?

— D'accord. On en parle et je te rappelle.

Lucie téléphona ensuite à ses amies de la Ligue. Émeline n'était pas libre, mais Jeanne promit de venir en compagnie de son fiancé et de son frère, deux anciens aviateurs que Jacques avait déjà rencontrés. Elle hésita à téléphoner à Gisèle, se demandant s'il était opportun de proposer à un couple de jeunes mariés une sortie avec des célibataires. Finalement elle se décida et fit bien, car ils acceptèrent l'invitation. Irène rappela peu après : les deux étudiantes avaient elles aussi choisi de venir. Le moral de Lucie remonta en flèche : elle allait passer une belle soirée.

Pendant qu'elles se préparaient, elle parvint à communiquer à Jacinthe un peu de son excitation. Elles se maquillèrent en pouffant comme les jeunes filles insouciantes qu'elles étaient encore il n'y avait pas si longtemps. Jacinthe prit plaisir à se voir dans une robe neuve qui la flattait et qu'elle avait consenti à acheter lors d'une grande tournée de magasinage destinée à mettre à jour sa garde-robe. Cet après-midi d'emplettes n'avait pas laissé un très bon souvenir à Lucie, car Jacinthe n'en avait pas envie et elle avait dû la traîner. Son amie, autrefois si coquette, se serait contentée de prendre n'importe quoi pour en finir au plus vite avec cette corvée qui l'ennuyait, mais Lucie l'avait obligée à faire l'effort de choisir. En consultant le miroir avec un regard pour une fois intéressé, Jacinthe admit qu'elles n'avaient pas perdu leur temps ce jour-là. La coupe de la robe mettait en valeur sa nouvelle silhouette un peu anguleuse et son vert profond faisait paraître intéressant son visage creusé et ses yeux légèrement cernés.

— On croirait que ce n'est pas moi, constata-t-elle en s'examinant avec la curiosité d'un entomologiste découvrant une espèce inconnue de scarabée. Dire qu'autrefois j'aurais donné beaucoup pour avoir cet air-là… Maintenant, je m'en fiche complètement.

Lucie, qui ne voulait pas laisser l'humeur en dents de scie de son amie l'entraîner vers la déprime, se lança dans un bavardage anodin destiné à l'empêcher de placer ses remarques désenchantées.

Quand Jacques vint les chercher, il ne leur ménagea pas les compliments :

— Mesdemoiselles, vous êtes sublimes ! Vous allez faire des ravages.

— Les ravageuses ravagées, commenta Jacinthe dans un ricanement.

Elle avait voulu faire de l'humour, mais sa remarque était si lourde de désespoir que Lucie fut effleurée par l'envie de renoncer à la soirée. L'idée la traversa que c'était la première fois qu'elle entraînait Jacinthe dans un lieu public où l'on servait de l'alcool et elle ressentit un pincement d'inquiétude.

⁂

Lucie avait donné rendez-vous à ses amis au lieu nommé *The Corner*, à l'intersection des rues Saint-Antoine et de la Montagne, où ils choisiraient entre le Rockhead's Paradise, le Café St-Michel et le Tic Toc Club. Le dernier l'emporta, à l'instigation du frère de Jeanne, Francis, qui voulait absolument leur faire découvrir

Oscar Peterson, un jeune artiste noir qui se produisait entre les séances de jitterbug et de mambo. Selon l'ancien aviateur, il jouait au piano des compositions de jazz qui allaient les impressionner. Il y avait beaucoup de monde dans le cabaret; le personnel réussit malgré tout à les caser en rapprochant deux tables. Leur tentative de conversation générale fut vite étouffée par l'orchestre et, comme il était difficile de se faire entendre même de ses voisins immédiats, ils se dirigèrent vers la piste de danse. Lucie entraîna Jacinthe, tandis que Gisèle y allait avec son mari et Jeanne avec son fiancé. Jacques et Francis invitèrent Solange et Irène.

Quand elle enlaça son amie, Lucie découvrit à quel point elle était frêle. Elles avaient souvent dansé ensemble autrefois et elle gardait le souvenir d'une jeune fille dont on sentait que la silhouette épanouie deviendrait voluptueuse. Rien à voir avec ce corps aigu que l'on craignait de briser. Et Jacinthe continuait de maigrir. Lorsqu'elle buvait, elle ne mangeait pas et dans ses périodes de sobriété, elle avait peu d'appétit. Avec le temps qui passait sans apporter d'amélioration, Lucie commençait de craindre que Jacinthe ne surmonte pas l'épreuve qu'elle endurait. Elle eut néanmoins un regain d'espoir en constatant qu'elle prenait plaisir à danser. Lorsqu'elles eurent changé de partenaire, elle la vit sourire à une réplique de Francis. Peut-être devrait-elle organiser plus souvent des soirées comme celle-ci? Rien ne serait plus bénéfique à Jacinthe que d'avoir un amoureux.

Depuis que Lucie lui avait dit que Jacques acceptait de les accompagner, Jacinthe ressentait une fébrilité proche de la joie à l'idée de danser avec lui. Pourtant, rien dans l'attitude du jeune homme n'avait jamais été de nature à lui laisser croire que ses sentiments pourraient évoluer. Elle le savait, mais elle avait repoussé la voix de la raison pour se mettre à espérer qu'un miracle surviendrait lorsqu'elle serait dans ses bras. C'était à cela qu'elle pensait en dansant avec Francis, car les couples se faisaient et se défaisaient et ce serait bientôt son tour d'avoir Jacques comme partenaire. Francis avait un sourire sympathique et une voix chaude, et Jacinthe lui souriait en retour, mais elle ne l'écoutait pas, toute à son attente. Pour le moment, Jacques dansait avec Irène, et elle les surveillait du coin de l'œil, car elle n'ignorait pas que leur échange de lettres pendant la dernière année de guerre avait révélé des goûts semblables et des aspirations communes. De plus, elle savait que le samedi, après le repas chez ses parents, il accompagnait souvent Lucie dans sa visite hebdomadaire à Irène. Mais ce qu'elle vit la rassura : il n'y avait rien d'équivoque dans leur posture, et leur façon de s'adresser l'un à l'autre prouvait que le lien qui les unissait n'était rien d'autre que de la camaraderie.

Lorsque Jacinthe dansa enfin avec Jacques, Lucie, qui avait Gisèle comme partenaire, était trop absorbée par leur conversation pour les observer, sans quoi elle eût été alertée par l'expression d'attente et d'espoir de son amie.

Gisèle félicitait Lucie de son initiative :

— Tu as eu une bonne idée. Ça nous change agréablement de la routine.

La routine ? Une jeune mariée de quelques mois ? Gisèle n'en dit pas davantage et Lucie ne demanda rien : puisque ce soir son amie s'amusait, il était inutile de l'attrister en la faisant parler de ce qui ne paraissait pas la satisfaire. Elle tenta, en évoquant les quelques soirées qu'ils avaient passées en couple lorsqu'elle était encore avec Edmond, de se faire une idée de la personnalité de Roland, mais chercha en vain le souvenir d'une chose drôle ou intéressante venant de lui. Elle dut convenir que Gisèle, si vive et si gaie, avait épousé un bonnet de nuit.

Après *I got rythm*, un boogie-woogie qui les laissa un peu essoufflés, tous s'assirent et renouvelèrent leurs consommations. Oscar Peterson arriva sur scène et se mit au piano. L'orchestre, qui pourtant l'accompagnait, sembla s'effacer. Malgré ses vingt ans à peine, l'artiste faisait preuve d'une maîtrise et d'une virtuosité remarquables, et le public, qui était venu pour lui, ne lui marchandait pas les applaudissements. Lucie, ravie qu'il soit aussi fabuleux que Francis l'avait annoncé, se laissa complètement envahir par sa musique.

Elle oublia tout et n'eut même plus conscience d'avoir des voisins : elle écoutait et elle était bien.

Jacinthe, assise entre Francis, qui avait profité du fait qu'ils étaient nombreux pour coller sa chaise contre la sienne, et Jacques, qui avait pris soin de se tenir aussi éloigné d'elle que possible, avala son verre d'un trait et en commanda un autre. En attendant qu'il arrive, elle but comme par mégarde celui de Francis, qui n'osa pas protester, et celui de Jacques qui n'avait pas été assez prompt pour le mettre hors de sa portée. La danse dont elle avait tant espéré l'avait plongée dans un de ces trous noirs dont elle ne sortait que des heures plus tard, le corps et l'âme délabrés.

Quand il l'avait prise dans ses bras et qu'elle avait levé les yeux sur lui, Jacques avait aussitôt compris qu'elle n'avait pas renoncé à ses rêves enfantins. Il éprouvait pour elle une immense pitié et se demanda, l'espace d'un instant, s'il ne devrait pas accepter son offrande, soupçonnant que c'était la seule chance de la sauver. Mais c'était à la condition de la rendre heureuse et de cela, il était incapable, car son cœur et sa tête étaient entièrement occupés par le souvenir d'une morte. Afin de ne pas susciter de faux espoirs, il la maintint assez éloignée de lui pour éviter le contact de leurs corps et bavarda sans arrêt de choses et d'autres : la qualité de l'orchestre, la décoration de la salle, le succès du cabaret qui était bondé. Il fut soulagé que la danse se termine alors que pour Jacinthe, c'était le signal de la fin de l'espérance.

Un mouvement de chaises et de gens tira Lucie de son plaisir et elle bougea elle aussi pour faire place au nouveau venu qui s'installa entre elle et Roland. Elle découvrit alors qu'il s'agissait d'Edmond. Gisèle avait l'air si désolée que Lucie comprit qu'elle n'y était pour rien : le responsable était son mari. La soirée n'eut plus aucun attrait pour elle. Elle avait juste envie de partir. Tandis que Roland présentait Edmond à ceux qui ne le connaissaient pas, elle croisa le regard de Jacques : son frère était prêt à intervenir au moindre signe de sa part. Jacinthe, revenue au pays après leur rupture, voyait Edmond pour la première fois. Quand elle eut réalisé qui il était, elle s'exclama, d'une voix perçante qui couvrit les conversations voisines :

— Voici donc le petit garçon à sa maman !

Elle tendit la main à travers la table, renversa un ou deux verres et lui déclara :

— Je suis enchantée. Comment va votre maman ?

Lucie, atterrée, découvrit qu'elle était ivre. Elle avait dû boire pendant le concert, profitant du fait que son amie avait relâché sa vigilance. Autour de la table apparurent quelques sourires, vite réprimés, et on entendit même un début d'éclat de rire que son auteur étrangla dans un accès de toux factice. Lucie sentit qu'Edmond s'était raidi à ses côtés et elle eut peur que la situation dégénère, car Jacinthe n'était certainement pas prête à lâcher sa proie. D'ailleurs, elle riait, la tête renversée en arrière, la gorge offerte, dans une pose qui était à la limite de l'indécence. Lucie était consciente qu'il fallait s'interposer au plus vite et la faire sortir pour la neutraliser, mais elle était figée, réduite à l'impuissance par la présence d'Edmond qui la bouleversait. Elle vit avec soulagement que Francis, à qui Jacques avait chuchoté quelques mots, prenait Jacinthe par le bras et la conduisait à l'extérieur malgré ses protestations. Quant à Jacques, il vint près de sa sœur, posa une main protectrice sur son épaule et dit à Edmond, d'une voix assez basse pour que le reste de la tablée ne l'entende pas afin qu'il ne soit pas davantage humilié :

— Tu n'es pas le bienvenu. Tu ferais mieux de t'en aller.

Edmond, blanc de rage, souffla méchamment à Lucie avant de se lever :

— Si ce sont les gens que tu fréquentes, je suis content de leur avoir échappé.

Puis il s'en alla en s'efforçant d'arborer un air digne. L'incident sonna le glas de la soirée : plus personne n'avait envie de s'amuser. Ceux d'entre eux qui étaient étudiants prétextèrent la nécessité de se lever tôt pour travailler le lendemain, ce qui donna le signal du départ. En se dirigeant vers la porte, Gisèle, décomposée, s'excusa auprès de Lucie :

— Roland n'aurait jamais dû. Je suis désolée. Je n'étais pas au courant.

Lucie lui pressa la main.

— Je le sais. Ne t'inquiète pas.

Sur le trottoir, ils retrouvèrent Francis qui soutenait Jacinthe. Lucie l'entendit dire à son amie :

— Je vous appellerai demain pour prendre de vos nouvelles.

Celle-ci répliqua :

— Ne vous fatiguez pas. Je peux vous les donner tout de suite : demain, j'aurai la gueule de bois. Comme d'habitude.

Plantant là le jeune homme interloqué, elle se dirigea vers son amie d'un pas hésitant et lui prit le bras. Tout le monde se dispersa. En faisant monter Jacinthe dans la voiture de Jacques, Lucie regretta de ne pas avoir cédé à sa première impulsion qui avait été d'acheter une bouteille de gin et de se soûler avec elle.

Elle se croyait guérie de sa déception sentimentale ; le trouble ressenti à la vue d'Edmond lui prouva que la cicatrice était encore sensible. Perdue dans son lit trop grand et trop vide, elle ne put empêcher l'afflux des souvenirs romains. Ils avaient été si heureux et si malheureux à la fois sur le *Ponte Garibaldi* et dans la chambre d'hôtel qui avait été le seul lieu qu'ils aient pu partager. Pendant toute l'année que leur histoire d'amour avait duré, elle avait été sûre de leur avenir commun. La rupture l'avait déchirée et elle avait encore mal. Elle savait qu'elle avait eu raison de le quitter, mais cette certitude n'atténuait ni la souffrance ni le profond sentiment de solitude ressentis depuis lors. Si la Ligue et les études de droit comblaient une partie de ses aspirations, elle s'endormait seule chaque soir sans personne pour lui dire des mots d'amour. Elle n'aurait pas souhaité un retour en arrière, mais elle ne pouvait s'empêcher de regretter ce qui aurait pu être.

Elle consacra la journée du dimanche à étudier. Sa porte était restée ouverte afin que Jacinthe y voie une invitation à venir la rejoindre, mais son amie se fit la plus discrète possible. Lucie n'avait pas de rancune à son égard; c'était plutôt à elle-même qu'elle imputait le fiasco de la soirée. Elle aurait dû être assez lucide pour en prévoir le résultat. Jacinthe profita de la présence de Lucie dans la salle de bains pour quitter l'appartement après avoir déposé sur son bureau un mot qui disait:

Je suis désolée de ce que je t'ai fait subir une fois de plus. Tu n'as aucune raison de t'obliger à supporter tout cela. Je vais marcher et réfléchir au moyen de te débarrasser de ma présence.

Lucie eut peur en lisant ce billet. Le choix du verbe «débarrasser» ne lui disant rien qui vaille, elle monta chez son frère pour voir comment il l'interprétait.

— Je t'avoue que je n'en sais rien. Son comportement est déjà une forme de suicide. Est-ce qu'elle risque de passer à l'acte? J'espère que non.

Pendant que Lucie retournait chez elle, aussi inquiète qu'avant de s'adresser à Jacques, celui-ci se demandait s'il n'aurait pas dû lui dire que Jacinthe était toujours amoureuse de lui. Le terme, d'ailleurs, n'était pas le bon: c'était d'une fixation qu'il s'agissait, et il était persuadé que n'importe qui d'autre aurait pu convenir. Malheureusement, la jeune fille avait choisi de rester fidèle à un entichement d'enfant portant sur un homme incapable de répondre à ses attentes. Même si Jacques n'y était pour rien, il se sentait responsable de la détresse de Jacinthe. Il aurait tellement voulu l'aider, mais comment faire? Il se posait la question depuis son retour et n'avait rien trouvé d'autre que de l'encourager à participer aux activités de Lucie. Pourtant, il était évident que ce n'était pas suffisant. La défense des femmes, qui enthousiasmait sa sœur, laissait Jacinthe indifférente. Comme tout le reste. Elle n'avait plus la faculté de se projeter dans l'avenir et c'était au passé qu'elle se raccrochait, un passé qui n'avait été que rêveries et illusions.

Dans l'après-midi, Lucie reçut plusieurs appels de participants à la soirée de la veille. La première fut Irène. Elle avait compris que l'attitude de Jacinthe révélait un profond mal-être et voulait l'aider si c'était en son pouvoir. Lorsqu'elle apprit que Jacinthe se soûlait à mort plusieurs fois par semaine, elle dit d'un ton ferme qu'il ne fallait pas attendre que le problème se résolve tout seul, car cela n'arriverait pas.

— Qu'est-ce que tu suggères ? Un traitement médical ?

— Non. Du moins pas tout de suite parce que c'est très lourd et très dur. J'ai entendu parler de quelque chose de nouveau, enfin, nouveau à Montréal, puisqu'à New York, ça existe depuis une dizaine d'années. Il s'agit de groupes d'entraide réunissant des gens ayant un problème de dépendance à l'alcool. Je me renseigne et je t'en reparle.

Gisèle téléphona ensuite, consternée par le manque de jugement de son mari. Elle s'en excusa de nouveau et Lucie lui répéta qu'elle ne lui en voulait pas. Puis ce fut Jeanne, qu'elle devina mandatée par son frère. Cette dernière essaya discrètement de savoir si l'ivresse de Jacinthe était une habitude comme elle l'avait laissé entendre. Lucie hésita. Ce serait une chance pour son amie que Francis s'intéresse à elle, car il pourrait peut-être l'aider en lui renvoyant d'elle une image positive, mais quel serait l'avenir d'une relation commencée sur un mensonge ? De toute façon, le jeune homme découvrirait vite la vérité, alors autant ne pas risquer de provoquer une nouvelle situation difficile. Sans entrer dans les détails, elle dit à Jeanne que depuis son retour d'Europe, Jacinthe passait par des phases de déprime au cours desquelles elle buvait trop. L'avenir dirait si Francis avait l'envie et le courage de persister.

Après quelques heures d'absence, Jacinthe revint, les joues rosies par le froid.

— Où es-tu allée te promener ?

— Sur la montagne. J'ai regardé Montréal depuis le chalet. C'est bizarre de voir une ville intacte.

Lucie, pensant que cette phrase, la première faisant une allusion détournée à l'Europe détruite, était peut-être le prélude à des confidences, ne dit rien et attendit. Il n'y eut pas de suite. Alors, elle demanda :

— Tu as tout fait à pied ?

— Oui. C'est long, mais ça m'a fait du bien.

Elle ajouta dans un ricanement méprisant :

— L'air frais, ça dessoûle.

— Arrête de te dénigrer. Cette fille qui se détruit, ce n'est pas vraiment toi.

— Ah bon ? Moi je ne connais plus qu'elle.

— Et moi, je suis sûre que je vais retrouver l'autre et je veux que tu continues d'habiter ici.

— Pour que tu finisses par me haïr ?

— Je te jure que non.

— Jusqu'ici, tu avais réussi à cacher que je suis une soûlonne, mais maintenant, tout le monde le sait.

— Ce n'est pas vrai. On t'a vue éméchée hier soir, c'est tout.

— Tu parles ! Et ton ex-amoureux qui voulait se réconcilier avec toi, tu ne le reverras plus après ma subtile intervention.

— Tu sais que pour moi, notre histoire est vraiment finie. Et puis, même si c'était gênant, c'était plutôt drôle que tu lui demandes des nouvelles de sa maman. Et même tout à fait drôle, ajouta-t-elle pendant que le fou rire la gagnait au souvenir de la tête scandalisée d'Edmond et de celle de ses amis, autour de la table, qui s'efforçaient de réfréner leur envie de rire. Quand cela s'était produit, elle était trop choquée par sa présence inattendue pour que le comique de la situation lui apparaisse, mais là, plus elle y pensait, plus elle riait, et Jacinthe se laissa emporter à son tour par ce rire libérateur qui dura jusqu'à ce que la sonnette de la porte d'entrée les interrompe.

— C'est probablement Jacques, supposa Lucie.

Ce n'était pas lui. Sur le seuil, elles découvrirent un Francis souriant qui s'excusa de passer sans les avoir averties.

— J'étais dans le quartier et j'ai eu envie de prendre des nouvelles de la gueule de bois. Si je vous dérange, je repars tout de suite.

Sans laisser à Jacinthe le temps d'ouvrir la bouche, Lucie l'assura qu'il ne les dérangeait pas du tout et le pria d'entrer. Si Francis, qui n'était pas là par hasard, avait eu le courage de venir, elle ne donnerait pas à son amie l'occasion de le renvoyer. Après quelques civilités, il leur proposa de manger au restaurant. Lucie s'empressa de répondre :

— Allez-y tous les deux. Jacinthe est libre, mais moi, j'ai du travail.

Son amie lui lança un regard furieux qui disait clairement qu'elle devrait se mêler de ses affaires. Sans l'ombre d'un remords, Lucie leur souhaita une bonne soirée et partit s'enfermer dans sa chambre. Avant de sortir, Jacinthe glissa sous sa porte un papier sur lequel elle avait tracé en lettres capitales *TU ME LE PAIERAS.*

⁂

Comme toutes les semaines, Lucie écrivit à Richard. Quand il s'était engagé, ils avaient pris cette habitude de correspondance hebdomadaire à laquelle elle n'avait jamais dérogé, même lorsque ses courriers à lui étaient devenus irréguliers pendant les périodes de combats. Richard était actuellement dans le district de la capitale allemande occupé par l'armée britannique. Sa dernière lettre parlait de la misère des Berlinois qui, d'après ses descriptions, était pire que tout. Dans la ville aux trois quarts détruite, des femmes furtives fouillaient dans les décombres à la recherche d'une improbable nourriture que les habitants des immeubles effondrés auraient pu y abandonner.

Il y a peu d'hommes à Berlin: quelques vieillards seulement. Tous ceux qui étaient valides ont été mobilisés, y compris les enfants d'à peine douze ans. Maintenant, ceux qui n'ont pas péri dans les combats sont prisonniers, et les déserteurs se terrent parce qu'ils nous craignent. Les femmes n'ont pas moins peur de nous, mais il faut qu'elles sortent en quête de nourriture. Dans les ruines, elles ne trouvent rien, ou si peu de choses, puisque Berlin souffrait déjà de la famine des mois avant la défaite. Elles sont maigres, hâves, les yeux hagards. Rien ne semble plus exister que cette faim qui les ronge en permanence. On a tellement haï les Allemands que le premier mouvement est de se dire que c'est bien fait. Mais le ressentiment peut-il tenir face à tant de souffrances ? Quand j'ai du temps libre, je rôde dans la ville avec mon Rolleiflex. Qu'adviendra-t-il de ces clichés ? Tout me porte à croire qu'ils finiront au fond d'un tiroir. Personne ne veut connaître la souffrance des Allemands parce qu'eux-mêmes ont fait souffrir au-delà de tout ce qui est imaginable. Quand on a vu les camps de concentration, on pense que ce qu'ils subissent n'est que justice, que c'est un châtiment divin. Il ne faut cependant pas croiser le regard d'une de ces femmes qui fouillent les gravats de Berlin. Tu vois, Lucie, rien n'est simple et il est difficile de camper sur des certitudes.

Je suis sur le point de quitter la ville et je ne le regrette pas. Je n'ai pas renouvelé mon engagement militaire, mais je reste en Allemagne : l'Agence de presse canadienne a obtenu pour moi un laissez-passer afin que je puisse assister au procès qui va se dérouler à Nuremberg. Je m'y rendrai après la séance d'ouverture qui aura lieu à Berlin le 18 octobre. Je te donnerai l'adresse du quartier général de la presse dans le prochain courrier. Peux-tu m'envoyer une photo récente de toi ? Celle que j'ai dans mon portefeuille est tellement abîmée que tu es à peine reconnaissable. Ce sera bon de pouvoir regarder une belle jeune femme en bonne santé.

Giuseppe s'était chargé de la photo et elle était satisfaite du résultat. Si elle avait changé depuis que Richard lui avait dit au revoir sur le quai de la gare le jour de son départ pour l'Italie, c'était à son avantage. Du moins, elle le pensait. Elle avait été contente de découvrir qu'il gardait sa photo sur lui. Jacinthe, à qui elle n'avait pu résister à en parler, avait imaginé qu'il était amoureux d'elle et elle l'avait assurée que non.

— Et toi, tu l'es ?

— Pas du tout. J'ai simplement beaucoup d'amitié pour lui.

C'était sans doute vrai, mais elle savait bien qu'elle n'aimerait pas apprendre qu'il avait une femme dans sa vie, de même qu'elle soupçonnait que de connaître la place qu'Edmond avait occupée dans la sienne ne plairait pas à Richard. Elle ne lui en avait rien dit. Chaque semaine, elle lui racontait les menus incidents de son existence, malgré tout elle n'avait pu se résoudre à lui parler de ces fiançailles qui s'étaient si mal terminées. Il faudrait pourtant qu'elle s'y décide un jour, car lorsqu'il serait rentré, Richard pourrait l'apprendre fortuitement et leur amitié ne pèserait plus très lourd après la découverte d'une omission de cette importance. Sa rencontre de la veille avec Edmond l'amenait à penser qu'il était peut-être temps de le faire. Elle hésita un peu et finalement renonça. Ce serait pour la prochaine fois, quand elle aurait le loisir d'y réfléchir et de trouver les bons mots. Par contre, elle lui dirait la vérité à propos de Jacinthe. Jusqu'à présent, elle avait gardé secret le comportement destructeur de son amie ; après l'incident de la veille, auquel plusieurs personnes avaient assisté, elle ne risquait pas d'avoir le sentiment de la trahir en mettant Richard au courant. Et cela la soulagerait de partager son tourment avec lui.

Elle ne revit pas Jacinthe ce soir-là, ce qui en soi était encourageant : si la sortie s'était mal passée, elle serait rentrée beaucoup plus tôt. Quand elle revint de l'université le lendemain, son amie était assise dans le salon et feuilletait le dernier numéro de *La Revue populaire* arrivé par le courrier du matin.

— Alors ? lui demanda-t-elle.

— Alors, rien. Qu'est-ce que tu espères ?

— Que tu as passé une soirée agréable avec un homme charmant qui s'intéresse à toi.

— Moi, je ne m'intéresse pas à lui, ni à personne d'autre. Je veux simplement être seule et avoir la paix. Ne recommence pas ce que tu as fait hier soir.

— Je suis désolée. Je croyais que ça te ferait du bien.

— Ça ne m'a pas fait de mal non plus, mais je n'ai pas besoin d'un saint-bernard, surtout s'il n'a pas son petit baril de rhum autour du cou. Il l'a d'ailleurs compris, et on ne le reverra pas.

Lucie ne répondit pas à la provocation. Elle préféra changer de sujet.

— Qu'est-ce que tu lisais quand je suis arrivée ?

— « À Saint-Henri, sur les traces de Florentine ». Un reportage photographique qui montre les endroits où se déroule le roman de Gabrielle Roy, *Bonheur d'occasion*. Tu l'as lu ?

— Oui. À Saint-Donat, au mois d'août. D'ailleurs, je l'y ai laissé. Tu pourras le lire pendant les vacances de Noël. C'est une histoire forte qui a particulièrement touché Irène. Tu sais qu'elle veut se consacrer à la lutte contre la tuberculose ? Il y a dans ce roman un petit garçon qui en meurt. C'est très émouvant.

— Est-ce qu'Irène vient avec nous à Saint-Donat ?

— Non. Elle ira à Québec, dans sa famille.

Lucie soupira :

— J'ai tellement hâte d'y être ! Pouvoir enfin passer du temps dehors après tant d'heures consacrées à écouter mes professeurs sans bouger.

C'était Jacques qui avait eu l'idée d'aller quelques jours au chalet faire du ski de fond et peut-être aussi patiner si le lac était suffisamment gelé. Il avait convaincu Lucie de l'accompagner ainsi que François et Ann. Jacinthe, qui avait d'abord refusé parce qu'elle repoussait systématiquement tout ce qui demandait une quelconque implication, avait finalement accepté elle aussi de se joindre à eux. La perspective de cohabiter quelques jours avec Jacques avait ravivé l'espoir de se rapprocher de lui que la soirée au cabaret avait anéanti. Rassurée d'apprendre qu'Irène, dont elle avait craint un instant la présence, ne les accompagnerait pas, elle revint à son article.

— Regarde ces photos de Saint-Henri. Tu pourrais réaliser des reportages de ce genre. Il faudrait que tu écrives au magazine pour leur proposer tes services.

— Je l'ai fait, figure-toi. Mais ils m'ont répondu qu'ils ont leur propre photographe et n'ont pas de travail pour un deuxième. Quand je les ai contactés, j'avais de l'espoir étant donné qu'ils ont un lectorat essentiellement féminin et que beaucoup de femmes y écrivent. J'ai été déçue, je l'avoue, mais je suis maintenant engagée dans mes études et je n'y pense plus. Tu devrais lire l'article de Thérèse Casgrain qui est dans le numéro de septembre, « Le Code civil est-il immuable ? ».

Jacinthe se contenta d'un vague *hum hum* et Lucie comprit qu'elle ne le lirait pas. Il était pourtant très intéressant. À la Ligue, elles l'avaient commenté le samedi qui avait suivi sa parution. Ce jour-là, elle avait revu Denise Berland. La jeune femme, qui au printemps préparait les examens du barreau, les avait réussis et exerçait depuis lors le métier d'avocate. C'était elle qui avait lu des extraits du texte de madame Casgrain et avait dirigé la discussion. La signataire du papier reprochait à l'article 986 du Code de refuser les droits civils aux femmes mariées. Elles n'étaient pas les seules à en être privées : elles faisaient partie d'une énumération qui leur associait *les mineurs, les interdits, les personnes aliénées ou souffrant d'une aberration temporaire causée par maladie, accident ou ivresse ou autre cause, ou qui, à raison de la faiblesse de leur esprit, sont incapables de donner un consentement valable, enfin ceux qui sont frappés de dégradation civique.*

Denise Berland avait fait remarquer qu'il était significatif que les femmes mariées soient intercalées entre les interdits et les personnes aliénées.

— Notez bien, avait-elle ajouté avec un humour grinçant, que nous ne parlons ici que des femmes mariées : si vous ne l'êtes pas ou si vous êtes veuve, vous n'êtes ni mineure, ni aliénée, ni semblable à une personne ivre ou ayant commis un crime assez grave pour subir la dégradation civique. Si nous allons au bout du raisonnement, nous devons conclure que c'est le mariage qui rend les femmes mineures, aliénées, incapables de consentement valable, etc. Le mariage est donc la pire chose qui puisse arriver à une femme puisqu'il la prive de l'usage de son cerveau et de sa liberté. Je vous laisse en tirer les conclusions vous-mêmes.

Puis elle avait enchaîné avec la Commission Méthot. Le gouvernement l'avait formée à la suite, entre autres, de l'intervention de madame Casgrain auprès du premier ministre à qui elle avait demandé de charger l'Assemblée législative de revoir le Code. Afin que le groupe parlementaire ait en mains tous les éléments qui lui permettraient de faire du bon travail, les diverses associations féministes s'étaient mises d'accord pour faire préparer un mémoire qui lui serait soumis. L'annonce que c'était aux avocats Elizabeth Monk et Jacques Perreault que la responsabilité de rédiger ce mémoire avait été confiée fut saluée par une salve d'applaudissements.

Avant de quitter les locaux de la Ligue, Lucie avait réussi à parler à Denise Berland, ce qu'elle avait envie de faire depuis la première fois qu'elle l'avait vue. Même si elles s'étaient rencontrées rarement, celle-ci l'avait reconnue et lui avait demandé si elle était parvenue à trouver un emploi de photographe de presse. En apprenant que Lucie y avait renoncé et qu'à la place elle avait commencé des études de droit, elle lui avait conseillé:

— Travaille le plus possible et obtiens toujours d'excellents résultats. Pour t'imposer parmi les hommes, il ne te suffit pas d'être aussi bonne qu'eux: tu dois être meilleure. Et puis, quand ils veulent te décourager, ne les écoute pas. Mieux: ne les entends pas. Comporte-toi comme s'ils n'existaient pas.

Cela n'avait fait que confirmer ce qu'elle avait compris par elle-même, mais elle avait été contente de recevoir des conseils de cette jeune femme qu'elle admirait.

*

— Les choses vont peut-être s'arranger pour Ann, annonça Lucie à Jacinthe en sortant de chez les Ménard.

— Comment ça?

— La garde-malade qui vient tous les jours aider ma mère quitte son emploi pour se marier.

— Encore un qui ne veut pas que sa femme travaille.

— Je crois au contraire qu'elle va travailler beaucoup: grâce à l'aide du gouvernement, ils prennent une terre à défricher.

— Ton idée, c'est qu'Ann la remplace?

— Du moins pour commencer. Il est évident que ce n'est pas un travail d'infirmière, mais ça lui permettrait de sortir de la maison, ce qui serait un bon début.

— Pour aider ta mère, François ne pourra pas s'y opposer.

— Surtout si c'est présenté comme un service. J'ai dit à ma mère d'appeler la tienne. Il a fallu que j'insiste: elle ne voulait pas être importune, sachant qu'Ann n'oserait pas refuser. Je lui ai expliqué que c'était justement le but.

— Le départ de la garde-malade est pour bientôt?

— La semaine prochaine. Comme elle n'osait pas le lui annoncer, elle a attendu la dernière minute.

— C'est parfait: ça justifie la nécessité de faire appel à Ann. Ta mère n'a pas d'autre recours et François ne peut rien dire contre ça.

La réaction de Jacinthe était celle d'une personne soucieuse du bonheur de ses proches. Comment pouvait-elle parfois basculer soudainement dans un désintérêt abyssal?

D'ordinaire, Jacinthe accompagnait Lucie à la Ligue sans protester; ce jour-là, elle n'en avait vraiment pas envie. Elle résista un peu, prétextant une migraine – qui lui valut une aspirine – ainsi que des choses à faire, ce qui provoqua chez son amie un regard lourdement sceptique. Très vite, elle cessa de lutter et la suivit, découragée à la perspective de l'énergie qu'il lui aurait fallu déployer pour s'imposer. Il y avait beaucoup de femmes à la Ligue, attirées par un triste événement: le décès de Marie Lacoste Gérin-Lajoie. Jacinthe, dont l'humeur était déjà morose, se trouva dans une atmosphère de veillée funèbre parmi ces militantes qui voulaient se souvenir ensemble de celle qui avait été une des pionnières de la défense des femmes. Aux côtés de Lucie, trop attentive au discours pour être consciente de son malaise, elle entendit vaguement rappeler le parcours de la défunte, de la fondation du *Montreal Local Council of Women* à celle de la Fédération nationale Saint-Jean-Baptiste, sans oublier sa longue lutte pour l'obtention du suffrage féminin. L'oratrice termina en déplorant qu'après la perte d'Idola Saint-Jean, survenue au printemps, deux figures essentielles du féminisme venaient de les quitter.

Lorsque l'oratrice descendit de l'estrade, Jacinthe manifesta son désir de partir, mais Lucie la retint :

— Il va y avoir une discussion sur un article de Paul Sauriol paru dans *Le Devoir* cette semaine. Tu ne le regretteras pas, ça va être intéressant.

Denise Berland s'avança pour lire le texte à voix haute, afin que chacune en prenne connaissance ou se le remette en mémoire. Elle le commenterait à mesure.

— Tu vas voir, chuchota Lucie à Jacinthe, elle est très bonne.

Mais Jacinthe ne parvenait pas à se concentrer. D'ailleurs, que lui importait ce que le pape et le journaliste disaient des mères de famille ? Elle ne l'était pas et ne le serait jamais. Lucie, par contre, écoutait avec attention la lecture de l'article dans lequel l'auteur approuvait une déclaration du pape Pie XII. Sa Sainteté avait conseillé à un millier d'Italiennes reçues en audience de participer activement à la vie politique, un préliminaire qui provoqua dans la salle un murmure d'approbation.

— Ne vous réjouissez pas trop vite, les avertit la lectrice avant de continuer.

En effet, Pie XII voulait enrôler les femmes dans la restauration de ce qu'il appelait l'honneur du rôle de l'épouse et de la mère à son foyer et les enjoignait de se servir de leur bulletin de vote pour cela.

— En d'autres termes, commenta Denise Berland, le pape attend de ces femmes qu'elles se noient elles-mêmes dans l'eau de vaisselle et s'enterrent de leur propre chef sous les couches pleines de pissat. Et ce que Pie XII demande aux Italiennes, Sauriol le demande aux Canadiennes. Écoutez-le.

Pendant que Denise Berland lisait l'extrait sur fond de rumeur hostile, Jacinthe se glissa hors de la salle. Lucie, à l'instar de ses compagnes, conspuait avec vigueur le journaliste pour son conservatisme rétrograde, lorsqu'elle découvrit que Jacinthe n'était plus là. Suspendue aux paroles de la militante, elle ne s'était pas aperçue de son départ et ignorait s'il était récent. Elle s'en alla aussitôt sans saluer personne pour retourner chez elle aussi vite que possible, en faisant toutefois un détour pour passer devant le magasin de la Commission des liqueurs la plus proche. Son intuition ne l'avait pas trompée : Jacinthe en sortait. Farouchement cramponnée à son achat, celle-ci l'affronta, le visage mauvais.

— J'ai décidé de boire et ce n'est pas toi qui m'en empêcheras.

La compassion que Lucie ressentait d'ordinaire pour son amie fit place à la colère. C'en était trop. Elle n'en pouvait plus. Au prix d'un effort violent, elle parvint à étouffer les reproches qui lui montaient aux lèvres et la quitta sans un mot. Elle marcha longtemps, sans regarder où elle allait, furieuse contre Jacinthe qui manquait tellement de volonté et contre elle-même qui n'était pas capable de l'aider. Son amie ne sortirait jamais de sa dépression : elle était trop profonde. Pour émerger du gouffre, il lui faudrait quelque chose à attendre de la vie et cette chose, elle ne pouvait pas la lui donner. Jacques l'aurait pu, peut-être, mais il avait déjà du mal à vivre avec le souvenir de son propre malheur. La colère de Lucie finit par tomber, remplacée par un profond découragement. Elle avait cessé de croire à la possible guérison de Jacinthe et l'avenir l'effrayait à lui donner le vertige. Quoi qu'il en soit, elle ne l'abandonnerait jamais, ce qui ne l'empêchait pas de redouter les temps à venir maintenant qu'elle s'était enfin avoué à elle-même que son amie était inguérissable et qu'elle minait son énergie et son moral.

⁂

Denise Berland ne venait à la Ligue que lors des événements spéciaux, c'est pourquoi Lucie fut surprise de la revoir le samedi suivant. Elle la suivait du coin de l'œil tandis qu'elle allait de groupe en groupe, bavardant avec les unes et les autres. Elle brûlait de lui parler, mais n'osait pas. Ce fut l'avocate qui prit l'initiative de leur rencontre en venant lui demander comment cela se passait à l'université. Lucie lui décrivit l'attitude des professeurs et des fils à papa, tous aussi méprisants que désagréables.

— Je vois que rien n'a changé, dit la jeune femme en riant. Cela ne me surprend pas: je ne m'attendais pas à autre chose.

Comme elles se moquaient des manies de certains professeurs, qu'elles étaient les seules à connaître et qui n'amusaient qu'elles, tels la plaisante habitude de maître Lachance qui transformait son nez en groin en appuyant dessus avant de proférer un énoncé qu'il jugeait essentiel ou le tic de maître Charland répétant sans cesse *N'est-il pas vrai?* elles finirent par se retrouver seules. C'est alors que Denise apprit à Lucie qu'elle était venue pour elle.

— La semaine dernière, tu es partie avant que je puisse te parler. J'ai un service à te demander.

Lucie, ravie, lui répondit que ce serait avec plaisir.

— Attends de savoir de quoi il s'agit. Tu n'auras peut-être pas envie d'accepter. Si c'est le cas, je te dis par avance que je ne t'en voudrai pas. C'est un peu délicat.

— Je t'écoute.

— Voilà: tu sais que j'exerce comme avocate. Pour une affaire que je défends, j'aurais besoin de quelqu'un qui photographierait un individu à son insu.

— Je n'ai jamais fait ça. C'est autant un travail de détective que de photographe. Il doit y avoir des gens dont c'est le métier.

— Il y en a, mais ils ne sont pas dans mes moyens. Tu te doutes probablement que les clients ne se bousculent pas à ma porte. En fait, je ne pourrai même pas te payer, uniquement te rembourser les frais. Ce que je peux te proposer en échange, c'est de t'aider dans tes études quand tu en auras besoin.

Sans lui laisser le temps de répondre, elle lui donna sa carte.

— Réfléchis. Si tu es d'accord, viens à mon bureau demain matin.

— Mais c'est dimanche.

— Les autres jours, tu es à l'université, non?

Après la messe dominicale, Lucie frappa à l'adresse indiquée. Elle était flanquée de Jacinthe qui avait trouvé plus simple de la suivre que de protester. Elle lui avait raconté une vague histoire que celle-ci n'avait pas écoutée et, après l'avoir présentée à Denise Berland, elle la laissa dans l'entrée faisant office de salle d'attente avec un magazine et l'assurance que ce ne serait pas long.

Demeurée seule, Jacinthe, accablée de solitude, se recroquevilla sur sa chaise dans la vaine tentative de donner le moins de prise possible à l'angoisse qui l'étouffait. Tous les dimanches, c'était la même chose. Pour se rendre à l'église avec Lucie et Jacques, elle retrouvait l'ancien désir de se faire belle et prenait le temps de friser ses cheveux, de choisir un vêtement qui la flattait et de soigner son maquillage, alors qu'elle traînait le plus souvent sans fard et la chevelure négligée. Lucie, la voyant s'apprêter, ressentait chaque fois une bouffée d'espoir. Les trois amis passaient quelques minutes sur le parvis, à échanger des banalités avec des paroissiens qu'ils connaissaient de vue parce qu'ils les y rencontraient toutes les semaines, puis ils entraient. Les deux jeunes filles s'installaient d'un côté, le jeune homme de l'autre. Ce rite était tellement semblable au temps d'avant, lorsqu'ils étaient enfants et que la vie leur promettait un avenir heureux, que Jacinthe se laissait prendre à la grâce du moment, priant un Dieu soucieux du bonheur des humains. À la sortie de la messe, quand ils rentraient chez eux, le frère et la sœur se plongeaient dans les études qui leur étaient devenues une raison de vivre; elle qui n'en avait pas s'enfermait dans sa chambre, broyée par les souvenirs.

Lucie, ignorante de l'état d'esprit de son amie, entra dans le bureau de maître Berland. Elle n'avait pas été effleurée par l'idée de refuser le service que l'avocate lui demandait. Espionner quelqu'un pour le photographier sans qu'il le sache ne faisait pas partie de son expérience, mais elle était prête à essayer et ferait son possible pour réussir. Peu lui importait de ne pas être rémunérée: elle n'avait pas besoin d'argent puisque le legs de sa grand-mère lui permettait de vivre pendant ses études. Par contre, la proposition que Denise avait faite de l'aider à étudier l'enchantait. Jamais elle n'aurait osé rêver à pareille chance. Après la fin de non-recevoir que lui avait opposée Henriette Courchesne, avec qui elle avait espéré faire équipe comme Irène et Solange, elle s'était résignée à la perspective de ne pouvoir compter que sur elle-même. Et là, elle allait avoir le concours de Denise qui exerçait la profession et lui ferait profiter de son expérience.

— Mon amie Jacinthe traverse une mauvaise passe, expliqua-t-elle lorsque celle-ci eut refermé la porte. Je l'ai emmenée parce que je n'aime pas la laisser seule.

— Il n'y a pas de problème.

Le bureau de l'avocate ne donnait pas de son occupante une image de forte prospérité. Comme Lucie regardait autour d'elle, Denise lui expliqua que les quelques meubles venaient du grenier de ses parents où ils avaient atterri parce que plus personne n'en voulait.

— Peu importe, l'essentiel est d'avoir une table et deux chaises et de survivre.

Elle fit asseoir sa visiteuse, posa la main sur l'unique dossier présent sur son bureau et ajouta :

— Avec ce client, je devrais y arriver.

— C'est le premier ?

— Le premier payant, oui. Depuis que j'ai commencé, c'est-à-dire le début de l'été, les quelques femmes que j'ai défendues n'avaient pas d'argent. Mais c'est mieux que de ne pas travailler : je me fais la main et mon nom circule.

— Celui-ci est un homme ?

— Oui. Étonnant, pas vrai ? En fait, pas si étonnant : s'il a fait appel à moi, c'est parce que son bureau est situé dans la maison voisine, qu'il a vu ma plaque et qu'il ne veut pas avoir affaire à son avocat habituel. Il soupçonne le mari de sa sœur, monsieur Langlois, d'avoir une deuxième famille et de dilapider avec elle les biens de sa légitime. Il veut obtenir le divorce au bénéfice de sa sœur.

— Il me semblait que la loi permettait à l'homme de divorcer pour adultère, mais pas à la femme.

— Sauf s'il entretient la deuxième famille sous le toit conjugal.

— Et c'est le cas ?

— Presque, et ça pourrait se plaider : la femme en question est Marthe, leur bonne, dont il a déjà deux fils. Les enfants sont élevés par les parents de la mère dans une maison appartenant aux Langlois. Le dimanche, après avoir mangé avec sa femme, il va leur rendre visite en compagnie de leur mère dont c'est l'après-midi de congé. Toi, tu interviens ici. Il faudrait des photos du couple au départ de chez Langlois et à l'arrivée chez les grands-parents. L'idéal serait d'avoir en plus le couple avec les enfants. Est-ce que tu veux le faire ?

Lucie n'avait pas de scrupules vis-à-vis de l'homme qui menait une double vie, mais la bonne avec ses deux enfants risquait de perdre son emploi dans l'affaire, peut-être même aussi son protecteur, et cette idée la mettait mal à l'aise. Comme si elle avait lu dans ses pensées, Denise ajouta :

— S'il devient libre, il n'est pas exclu qu'il épouse la mère de ses fils. Il n'a pas de progéniture avec sa femme.

L'argument l'emporta.

— D'accord. Donne-moi les coordonnées.

Denise lui remit une feuille où les noms et les adresses étaient indiqués.

— Je ne réussirai pas forcément du premier coup.

— Prends le temps qu'il te faut et appelle-moi ce soir pour me dire comment ça s'est passé.

Dans la rue Lansdowne, bordée de maisons cossues dont une était le domicile de monsieur Langlois, la photographe découvrait les difficultés du métier de détective. Pour qu'il fût aisé de surveiller la demeure, un salon de thé situé en face eût été l'idéal, mais il n'y en avait pas. Par contre, les sosies de la vieille madame Langevin, la voisine de ses parents qui savait tout des habitants de la rue parce qu'elle consacrait son temps à les épier, étaient légion. En passant sur le trottoir, Lucie et Jacinthe avaient remarqué des rideaux qui bougeaient, signe d'une présence attentive derrière les vitres. Tout nouveau venu dans un quartier résidentiel suscitait curiosité et méfiance. Ignorant les horaires de monsieur Langlois, elles avaient avalé un sandwich dans un petit restaurant proche du bureau de l'avocate et s'étaient rendues aussitôt à l'adresse indiquée par crainte de le manquer.

À la surprise de Lucie, Jacinthe, qui avait opposé un morne désintérêt à tout ce qu'elle lui avait dit pendant la matinée, avait non seulement accepté de se joindre à elle, mais avait déclaré trouver très amusant de participer à une enquête. Cela aidait grandement Lucie d'être accompagnée par une amie, car elles passaient pour deux jeunes femmes inoffensives plongées dans une conversation que les curieux pouvaient imaginer innocente. En réalité, elles essayaient d'élaborer une stratégie. Ce faisant, elles se heurtaient à un obstacle majeur : l'impossibilité de traîner dans la rue et plus encore de sortir un appareil photographique pour prendre un cliché des habitants de l'une des maisons. Elles durent admettre que ce dimanche-ci ne serait pas consacré à faire les photos. Ce serait du repérage pour la semaine suivante. Après leur passage dans la rue Lansdowne, effectué aussi lentement que possible, elles tournèrent sur le chemin de la Côte-Saint-Antoine, puis sur l'avenue Arlington pour rejoindre la rue Sherbrooke où passait le tramway.

— Attendons à l'arrêt, dit Lucie. Il est probable que Marthe fera semblant d'aller le prendre.

— Comment vas-tu la reconnaître ?

Lucie, qui n'y avait pas pensé, demeura interdite.

Jacinthe proposa :

— Restons ici et ouvrons l'œil pour voir s'il se produit quelque chose de suspect.

Il passa plusieurs tramways et elles commencèrent de trouver le temps long. Plusieurs femmes se présentèrent à l'arrêt. Aucune ne paraissait correspondre à celle qu'elles attendaient jusqu'à l'arrivée d'une jeune femme modestement vêtue, mais très séduisante. Lucie et Jacinthe échangèrent un regard signifiant : c'est elle ! Elles surveillèrent les alentours avec un regain d'attention pour repérer un homme légèrement ventripotent affichant une quarantaine avancée, mais le tramway arriva sans qu'il se montre et la jeune femme le prit. Ou ce n'était pas Marthe ou le couple avait convenu de se retrouver ailleurs.

Lucie, découragée, allait proposer à Jacinthe de se rendre à l'autre adresse, celle des grands-parents, dans l'espoir que ce serait plus facile, quand une autre jeune femme survint. Elle avait un physique tout à fait ordinaire et il était difficile d'imaginer qu'elle puisse tourner la tête d'un homme fortuné. C'était pourtant elle, comme elles le comprirent en la voyant se diriger vers une rutilante Cadillac flambant neuve qui venait de s'arrêter. Elle monta dans le véhicule qui démarra et disparut avant que les deux espionnes en herbe ne fussent revenues de leur stupéfaction.

— Notons au moins l'heure, dit Lucie. Ça nous permettra d'être exactes la semaine prochaine.

Chez les grands-parents, elles eurent plus de chance. Elles s'y rendirent à pied, parce qu'en tramway c'était trop compliqué d'aller jusqu'à la rue Desnoyers située dans le quartier Saint-Henri au-delà de la voie ferrée. Comme il leur fallut beaucoup de temps, elles redoutaient que le couple n'ait pris les enfants pour les conduire ailleurs. En arrivant, elles furent soulagées de voir, garée devant la porte, la Cadillac que son propriétaire n'avait même pas tenté de dissimuler. Visiblement, il ne se doutait pas qu'il risquait d'être espionné. La voiture était entourée par un groupe de jeunes gens qui l'admiraient. C'étaient des filles et des garçons du quartier qui venaient de se rencontrer d'une manière qu'ils feignaient de croire fortuite. Les filles, soigneusement maquillées, se tenaient par le bras et les garçons, les cheveux luisants de brillantine, faisaient les jars, énumérant en connaisseurs les particularités du véhicule comme si cette connaissance en faisait de potentiels propriétaires.

— J'ai une idée, dit Lucie. On va prétendre qu'on fait un reportage sur le quartier et leur demander si on peut les photographier devant la voiture. S'ils acceptent, je m'arrangerai pour qu'on voie la plaque du véhicule et l'adresse de la maison.

Elle sortit le Rolleiflex de son sac, le mit en bandoulière, et elles se dirigèrent vers le groupe qui les regarda approcher avec une méfiance proche de l'agressivité. Les filles, surtout, qui détaillaient avec envie les habits des nouvelles venues bien mieux vêtues qu'elles. Elles les percevaient comme des rivales qui n'auraient aucun mal à les éclipser en les rabaissant au rang de pauvresses. Lucie, qui le sentit, s'empressa de présenter son projet de manière à les flatter. La perspective d'avoir leur photo dans un magazine les amadoua et elles acceptèrent de se placer autour de la voiture selon les indications de Jacinthe qui jouait très sérieusement son rôle d'assistante. Pendant que Lucie les photographiait, les garçons, qui avaient refusé de poser, leur lançaient des quolibets depuis le trottoir d'en face.

Lucie avait déjà pris une dizaine de clichés quand la porte de la maison s'ouvrit violemment. Monsieur Langlois sortit en criant aux filles de s'éloigner de son véhicule. Derrière lui apparurent tous les occupants de la demeure : Marthe, un couple âgé et deux enfants qui se faufilèrent devant les adultes. Lucie, qui ne croyait pas à sa chance, mitrailla tout ce beau monde. Comme les cris de l'homme avaient fait partir les jeunes filles, il ne resta plus qu'elle avec son appareil photographique dans son champ de vision. En la découvrant, monsieur Langlois hurla :

— Hé, vous, là ! Qu'est-ce que vous faites ?

Il s'élança vers elle dans le but évident de lui arracher son Rolleiflex. C'est alors que les garçons, choqués par la colère de Langlois qu'ils interprétèrent comme la méfiance d'un vieux bourgeois envers de jeunes ouvriers qui s'étaient trop approchés de sa belle voiture, volèrent au secours de la photographe. Ils traversèrent la rue et vinrent l'entourer de manière à la protéger du furieux. L'un d'eux lui prit le bras et l'entraîna. Ils partirent tous en courant et semèrent sans mal le quadragénaire peu habitué à la course à pied. Poursuivis par ses insultes, qui ne durèrent pas, car il s'essouffla vite, ils aboutirent dans la rue Saint-Jacques, suffisamment passante pour qu'ils ne risquent plus rien. Pour les remercier, Lucie leur offrit à tous un coke dans le restaurant le plus proche. Les filles la bombardèrent de questions, et elle leur raconta qu'elle avait été correspondante de guerre en Italie, les laissant muettes d'admiration. Elles étaient ravies à la perspective de se voir dans *Radiomonde*. C'était le nom que Lucie avait lâché parce qu'elles voulaient absolument savoir quel magazine acheter, et la photographe, qui avait honte de leur avoir menti, voulut atténuer leur future déception en leur disant qu'il n'était pas du tout sûr que le reportage paraisse, car le rédacteur en chef choisissait les clichés et on ne pouvait jamais deviner ce qu'il jugerait intéressant de publier.

Lucie avait tellement hâte de voir le résultat de son travail de détective qu'elle appela aussitôt Giuseppe pour lui demander la permission d'utiliser le studio même s'il était fermé. Le vieil homme qui s'ennuyait chez lui accepta avec empressement.

Jacinthe refusa de l'accompagner.

— Tu me montreras les photos en rentrant. Je n'ai aucune envie de t'attendre pendant des heures pendant que tu seras enfermée dans la chambre noire.

Lucie hésita un peu, mais choisit de ne pas insister, sachant que Jacinthe préférait éviter les gens qui l'avaient connue avant, car elle redoutait les regards étonnés et souvent attristés suscités par sa nouvelle apparence. De plus, c'était dimanche et les magasins de la Commission des liqueurs étaient fermés. Elle pouvait lâcher un peu son amie sans crainte de la retrouver ivre. Giuseppe, avec qui elle avait passé une heure la veille, était aussi content de la voir que si cela faisait très longtemps. Comme toujours, il s'enquit de Jacinthe. Il éprouvait beaucoup d'affection pour la jeune fille qui lui avait souvent rendu visite quand Lucie était en Italie afin qu'il ne se sente pas abandonné. Très peiné qu'elle soit la proie d'un désespoir la poussant à se détruire, il espérait chaque fois que les nouvelles seraient meilleures. Lucie lui raconta sa participation enthousiaste à l'espionnage photographique.

— Quand je la vois ainsi, je reprends confiance. Cet après-midi, j'ai retrouvé la Jacinthe d'autrefois : gaie, malicieuse, serviable…

— Ça finira par s'arranger, ne t'inquiète pas trop.

Lucie n'était pas sûre qu'il y croyait lui-même. En attendant les photos, ils bavardèrent et elle lui dit à quel point elle était contente que Denise Berland lui ait promis de l'aider.

— C'est dur, l'université, n'est-ce pas ?

Même si elle lui répétait depuis le début que tout allait bien, il n'était pas dupe, et elle finit par lui avouer les continuelles brimades destinées à la décourager.

— Tu es courageuse. Il y en a beaucoup qui auraient laissé tomber à ta place.

— Moi, au contraire, ça me stimule.

— Tant mieux, tant mieux.

Lucie, qui surveillait l'heure à la pendule murale, vit qu'il était temps de découvrir le résultat. Son cœur battait ridiculement : en Italie, elle avait réussi des photos dans des conditions autrement délicates, mais là, elle voulait tellement qu'elles soient bonnes pour ne pas décevoir Denise ! D'autant plus que monsieur Langlois se méfierait et qu'il serait désormais difficile de l'approcher. Elle s'était inquiétée pour rien. La photo de famille était impeccable de même que celle de la voiture devant la maison. On voyait aussi distinctement la plaque du véhicule que le numéro du domicile où les enfants étaient élevés.

— Elles sont parfaites, dit-elle avec satisfaction.

Elle téléphona à Denise pour lui faire part du résultat et la jeune femme lui proposa d'aller les récupérer sur-le-champ rue Sherbrooke. En partant tout de suite, il leur faudrait le même temps pour s'y rendre.

Lucie remercia Giuseppe, lui souhaita une bonne semaine et rentra chez elle très contente de sa journée. Quand elle ouvrit la porte de l'appartement, sa joie fut anéantie par la scène qu'elle découvrit : Denise était arrivée avant elle et Jacinthe, qui tenait à peine debout, l'avait fait entrer et lui débitait un discours aussi insane que laborieux qui était censé être un récit de leur expédition. Lucie était atterrée. Elle n'avait pas pensé un instant que Jacinthe aurait caché des réserves pour ne pas être prise de court le jour de la fermeture du magasin. Cependant, il en fallait plus pour désarçonner Denise qui prétendit arriver à l'instant et se comporta comme si tout était normal. Heureusement, Jacinthe s'éclipsa aussitôt.

— Je suis fatiguée, bredouilla-t-elle, je vais me reposer.

Elle quitta le salon. Lucie, gênée, cherchait quelque chose à dire lorsque Denise enchaîna, le plus naturellement du monde :

— Montre-moi les photos, j'ai hâte de les voir.

Elle quitta le salon. Lucie lui raconta comment la mission s'était déroulée. L'avocate, très satisfaite du résultat, la félicita.

— C'est magnifique ! J'ai là matière à argumenter. Mais tu comprends qu'il peut prétendre avoir été présent pour d'autres raisons : encaisser le loyer par exemple, même si ce n'est pas lui qui est censé s'en occuper.

— Dimanche prochain, je photographierai Marthe lorsqu'elle montera dans la voiture rue Sherbrooke. Il y a un arrêt de tramway qui me permettra de passer inaperçue. Aujourd'hui, je ne l'ai pas fait parce que je ne les connaissais pas et qu'il était trop tard quand j'ai compris qu'il s'agissait d'eux.

— Oui, il me faut cette preuve. Ce serait bien aussi d'avoir une photo où il paraît avec les enfants et où il est clair qu'ils se promènent ensemble ou font une autre activité familiale.

— Ce sera plus difficile. Après ce qui s'est passé aujourd'hui, je ne peux plus me présenter rue Desnoyers. Je vais réfléchir, je trouverai un moyen.

— Parfait. Est-ce qu'à mon tour je peux t'aider ?

— Je dois intervenir mercredi dans un séminaire. Il s'agit de présenter de façon pratique, par l'étude de la jurisprudence, un point de la matière que le professeur a déjà exposé. J'ai fait un premier jet. Si tu veux y jeter un coup d'œil…

— Avec plaisir.

Lucie prit dans la cuisine une chaise pour Denise et elles s'installèrent à son bureau.

— Je peux écrire sur ta feuille ?

— Oui, c'est un brouillon.

Bien qu'elle se soit appliquée de son mieux, Lucie était nerveuse pendant que la jeune femme lisait et annotait son texte. Plus les remarques s'ajoutaient dans la marge, plus elle doutait de la qualité de son travail. Pourtant, arrivée à la fin, Denise lui dit que c'était un bon texte, même s'il y avait place à l'amélioration. Elles passèrent les deux heures qui suivirent à l'étoffer et le peaufiner.

— Il ne te reste plus qu'à savoir le présenter oralement, déclara l'avocate quand ce fut terminé. Ta plaidoirie aura beau être intelligente, si tu endors la cour, tu n'as aucune chance de gagner. Ces exposés ne sont pas juste destinés à vous faire travailler le droit, mais à vous familiariser avec la prise de parole devant un public parfois hostile. Et il n'y a aucun doute à avoir sur ton public de mercredi : il sera hostile.

Pendant que Denise, carrée sur sa chaise, tenait à la fois le rôle du professeur et des fils à papa, Lucie s'efforçait de livrer au mieux sa communication. Il était presque dix heures quand l'avocate se déclara satisfaite du résultat. Toutes deux étaient épuisées.

Lorsque Denise se leva, Lucie fut surprise de la trouver si petite. Son autorité naturelle, pendant les heures passées à travailler, lui avait donné une prestance qui faisait oublier sa taille, une qualité qui devait lui être fort utile dans les prétoires.

— Ce serait agréable de prendre un verre si ton amie a laissé quelque chose au fond de la bouteille.

Lucie frappa doucement à la porte de Jacinthe et, n'obtenant pas de réponse, elle entra dans la chambre sur la pointe des pieds. Mais celle-ci dormait si profondément que les précautions étaient inutiles. Elle repéra la bouteille de gin qui avait roulé jusqu'à la fenêtre. Elle était vide. Elle sortit de la pièce en faisant à Denise une mimique désolée et alla faire du thé qu'elle servit avec quelques biscuits égarés dans un placard quasiment désert.

— Ça lui arrive souvent de se mettre dans cet état ?

Elle n'avait pas employé le ton de quelqu'un qui juge ; c'était plutôt une curiosité bienveillante qui motivait sa question. Les heures passées à travailler ensemble les ayant beaucoup rapprochées, Lucie eut envie de partager avec elle le fardeau que Jacinthe représentait. Peut-être sa nouvelle amie serait-elle de bon conseil? Denise n'eut pas de solution miracle à proposer, sa compassion seulement, ce qui était déjà bien.

⁂

Le samedi suivant, quand Lucie quitta la maison Ménard en compagnie de Jacinthe, elle ne lui parla pas du magazine qu'elle avait dans son sac parce qu'elle n'avait pas encore décidé de quelle manière aborder la question. Il lui avait été remis par Irène qui avait tenu sa promesse de s'informer au sujet des groupes d'entraide pour les personnes désirant en finir avec l'alcool. Il s'agissait d'une publication modeste, imprimée sur un fond de raisins, de feuilles de vigne et de vrilles, qui s'intitulait *Grapevine*. Irène, qui le tenait d'un membre de l'organisation, résuma à Lucie ce qu'elle en savait.

— Ces hommes et ces femmes se réunissent pour parler de leur problème commun, ce qui les aide à le résoudre. Le principe de base est l'anonymat. C'est pourquoi ils s'appellent les Alcooliques Anonymes. Il n'y a aucune sorte d'obligation: ni inscription ni cotisation. Chacun est libre d'assister ou non aux réunions et de parler ou de se taire pendant ces rencontres. Grâce à l'aide de ces gens, la femme de qui je tiens les renseignements est sobre depuis quatre mois. À Montréal, c'est tout nouveau et il n'existe qu'un groupe. J'ai inscrit l'adresse et l'horaire des réunions sur le magazine, en haut de la première page.

— Merci. Il ne me reste qu'à le proposer à Jacinthe.

— Je sais que ça ne va pas être facile, mais ça vaut la peine d'essayer. Bon courage!

Tandis qu'elles se dirigeaient vers le local de la Ligue, Lucie ouvrit plusieurs fois la bouche pour en parler à son amie sans pouvoir s'y résoudre. Elle décida finalement, tout en se taxant de lâcheté, de laisser le magazine bien en vue avant de partir à l'université lundi. Jacinthe le verrait en se levant et aurait toute la journée pour y penser.

Le lendemain, Jacinthe fut partante pour continuer l'enquête. Après la messe, elles retournèrent à leur appartement afin que Lucie se déguise. En début de semaine, elle avait sorti de la penderie où ils avaient été oubliés les vêtements d'avant-guerre de Jacques, ceux qu'elle avait prévus pour son retour et qu'il n'avait pas portés, car ils étaient à la fois trop petits et démodés. En les enfilant, elle avait constaté qu'elle pourrait les ajuster plus ou moins à sa taille. Jacinthe, que l'affaire amusait, s'était chargée de la couture. Ce travail l'avait occupée toute la semaine avec pour résultat qu'elle n'avait pas bu depuis le dimanche soir. Avec ce costume, une casquette et la moustache au crayon gras que Jacinthe avait tenu à lui dessiner, Lucie, si on n'y regardait pas de trop près, faisait un jeune homme plausible. Au besoin, bras dessus, bras dessous, les deux amies figureraient un couple. Jacques avait accepté de lui prêter sa voiture sans poser de question, mais comme elle était prête et ne voulait pas se montrer, ce fut Jacinthe qui alla chercher les clés. Lucie en profita pour vérifier tous les endroits où une bouteille aurait pu être cachée. Ne trouvant rien, elle partit tranquille.

Jacinthe prit le volant de manière que Lucie soit libre de photographier. Elle se gara dans la rue Sherbrooke, à proximité de l'arrêt du tramway où elles s'étaient postées la semaine précédente, mais en deçà du lieu où la bonne était montée dans la Cadillac. Elles n'attendirent pas longtemps. Quand Marthe déboucha de la rue Lansdowne, Lucie était prête. Elle prit plusieurs clichés sur lesquels elle était à peu près sûre que la femme et la voiture seraient identifiables. Puis, connaissant la destination du véhicule, elles prirent le temps de changer de place. Il était inutile d'attirer l'attention avec cette situation incongrue d'une jeune femme au volant et d'un jeune homme sur le siège du passager.

Rue Desnoyers, Lucie se gara à quelque distance de la Cadillac et elles feignirent une conversation d'amoureux entrecoupée de chastes baisers pour éviter de susciter la curiosité. Le temps leur parut long. Pourtant, elles n'attendirent guère plus d'une demi-heure. Monsieur Langlois, Marthe et les deux enfants sortirent de la maison et montèrent dans la voiture. Ils ne se méfiaient pas et personne ne regarda dans la direction de la photographe qui eut tout loisir de faire son travail. Quand la Cadillac démarra, Lucie la suivit. Elle se dirigea vers le boulevard Maisonneuve, prit à l'ouest et s'arrêta peu après en bordure d'un parc. La consultation du plan de la ville leur apprit qu'il s'agissait du parc Trenholme. Jacinthe fit remarquer qu'il était sinistre.

— Regarde ce terrain nu. Il n'y a rien: pas un arbre, nulle part où s'asseoir et prendre une liqueur. Il aurait pu les emmener ailleurs, sur le mont Royal, par exemple. Crois-tu qu'il soit pingre?

— À mon avis, il est plutôt prudent et ne veut pas risquer d'être reconnu. Ici, il ne rencontrera jamais des gens de son milieu.

Les enfants sortirent de la voiture en criant de joie et coururent vers un endroit que les jeunes femmes n'avaient pas remarqué et où étaient installées des balançoires et une glissoire.

— Ils ont l'air en bonne santé, dit rêveusement Jacinthe.

— Comme les autres, répondit Lucie en désignant les gamins venus des maisons voisines qui se bousculaient pour passer devant dans la file d'attente à la glissoire.

— En Europe, ils étaient si maigres...

Elle s'arrêta un instant, perdue dans ses pensées, puis revint au présent.

— Où veux-tu que je me place?

Lucie l'envoya au-delà de la glissoire où monsieur Langlois, qui avait accompagné ses fils, imposait aux gamins de respecter leur ordre d'arrivée. Il était clair que cela leur déplaisait, mais ils n'osaient pas désobéir à ce monsieur autoritaire vêtu d'un beau costume. Tout à son occupation, celui-ci ne s'avisa pas que le jeune homme en train de photographier sa petite amie à proximité n'avait pas braqué son objectif sur la jeune femme qui prenait des poses, mais quarante-cinq degrés à gauche, sur lui et ses garçons qui offraient un charmant tableau d'entente familiale.

— Il a l'air d'un bon père, remarqua Jacinthe en regagnant la voiture.

— Denise dit que lorsqu'il aura divorcé, il épousera peut-être la mère et reconnaîtra les enfants. J'ai pensé que ce n'était pas fou en le voyant agir.

— Une histoire qui finirait bien. Du vrai cinéma.

— Dans la vraie vie aussi, il y a des choses qui vont bien.

— Ah bon ? Je te défie d'en trouver dans ton entourage.

Jacinthe, l'excitation de l'enquête finie, avait repris son ton amer habituel et Lucie, sachant qu'il ne servirait à rien de discuter, n'insista pas. À sa demande, elle la déposa à une station de tramway et s'en fut au *Studio Rossi* développer les photos. Quand elle apparut dans son déguisement, Giuseppe ouvrit des yeux ronds, et elle lui raconta le stratagème.

Dès que les photos furent sèches, elle les apporta à Denise. La jeune femme la reçut dans son appartement, dont le bureau faisait partie, et qui n'était guère mieux meublé. Elles s'assirent sur un sofa fatigué et la photographe tendit les clichés à l'avocate qui se déclara enchantée du résultat.

— Tu as fait un travail remarquable, dit-elle en lui servant un martini. Tu es très douée. C'est honteux que tes employeurs ne t'aient pas gardée.

— J'avoue que j'ai été déçue; maintenant je n'y pense plus. Cependant, j'ai eu beaucoup de plaisir à faire cette enquête et je suis prête à recommencer chaque fois que tu en auras besoin.

— Parfait. Moi aussi, je t'aiderai à préparer tes exposés ou tes travaux écrits. Maintenant, raconte-moi comment ça s'est passé mercredi.

— Le mieux du monde. Le professeur a eu du mal à trouver deux ou trois détails à me reprocher et les fils à papa, qui m'attendaient avec leur visage le plus ironique, avaient la mine sombre quand j'ai eu terminé. Ils ne me méprisent pas moins, mais en plus, maintenant, ils me haïssent.

— J'espère que tu es consciente que ça ne changera pas. J'ai mon diplôme et j'ai déjà gagné quelques causes; malgré tout, au tribunal, personne ne me prend au sérieux. Il faut se blinder pour supporter tout ça, mais on y arrive.

Denise lui servit un deuxième martini et lui demanda si elle avait lu l'article d'Omer Héroux au sujet de la Fédération démocratique internationale des femmes. Lucie lui répondit qu'elle n'avait pas beaucoup de temps à consacrer aux journaux.

— Cet article traite d'un groupe qui vient d'être fondé à Paris. Il s'est doté d'objectifs auxquels tout le monde devrait pouvoir se rallier. Pourtant…

Elle prit une page du *Devoir* qu'elle avait mise de côté.

— Écoute ça: c'est un programme en trois points. Le premier préconise l'organisation de la paix et l'anéantissement du fascisme; le deuxième, l'égalité des hommes et des femmes dans tous les domaines; et le troisième, la protection de toutes les mères et de tous les enfants sans considération de légitimité.

— Et l'auteur de l'article est contre ces choses-là?

— Il les cite simplement; on voit bien que ça ne l'intéresse pas. Ce qui le fait réagir comme un taureau devant un chiffon rouge, c'est le nom de la présidente: Dolores Ibárruri.

— Ah! La *pasionaria* communiste. Je comprends.

— Eh oui. Il ne veut rien savoir de ce que souhaitent ces femmes. Il dit que ça se résume à des formules extrêmement élastiques sous lesquelles peuvent se dissimuler toutes sortes d'intérêts divers, surtout des intérêts communistes.

— Tu as l'intention de parler de cet article à la Ligue?

— Non. Je préfère m'abstenir. Si on prononce sans haine le mot « communiste », on est aussitôt soupçonné de l'être. Tu n'ignores pas qu'il y a toujours des oreilles indiscrètes qui traînent à nos réunions. Je ne veux pas courir le risque de nous mettre dans le collimateur des sbires de Duplessis, notre premier ministre ayant, comme chacun sait, une courte tolérance.

Lucie se sentait bien avec Denise Berland. La jeune femme avait sur elle un effet roboratif. Enthousiaste, active, dévouée à la cause qu'elle avait choisi de défendre, elle donnait envie à ceux qui la fréquentaient de faire mieux, de se dépasser. On oubliait vite l'appartement miteux pour ne plus voir qu'elle. Elle n'avait pourtant pas un physique remarquable : un peu trop petite, un peu trop menue, les cheveux d'un blond trop pâle. Mais ses yeux presque noirs étaient si vifs, si intelligents et il émanait d'elle une telle énergie qu'elle avait une présence qui éclipsait tout le reste. Lucie pressentait que leur relation déboucherait sur une amitié et elle en était heureuse. Avant qu'elle parte, Denise lui demanda des nouvelles de Jacinthe et elle put lui dire qu'elles étaient bonnes puisque celle-ci avait passé la semaine à préparer leur équipée en restant sobre.

Malgré l'optimisme qu'elle avait affiché, elle appréhendait, comme toujours en rentrant chez elle, ce qu'elle risquait de découvrir. Si cette fois, Jacinthe n'était pas ivre, elle était tout de même légèrement éméchée, et Lucie se demanda ce qu'elle avait trouvé à boire puisqu'il n'y avait pas d'alcool dans la maison. Elle soupçonna la vérité lorsque son amie s'approcha d'elle pour prendre les photos qu'elle lui tendait : l'haleine de Jacinthe était parfumée.

— Regarde-les pendant que je vais à la salle de bains.

En voyant le flacon de « Bois des îles » intact sur l'étagère, Lucie pensa qu'elle s'était trompée. Néanmoins, elle ôta le bouchon pour s'assurer qu'il contenait toujours du parfum et constata que l'odeur était très faible : comme elle en avait eu l'intuition, Jacinthe l'avait bu et remplacé par de l'eau. Elle sortit fâchée de la salle de bains.

— Tu vas te tuer en buvant n'importe quoi !

— Je te le rachèterai ton Chanel, ne t'en fais pas.

— Ce n'est pas du parfum que je te parle, mais de toi.

— Moi, je n'existe plus. Je n'ai aucune volonté. J'avais décidé d'arrêter de boire, je n'avais pas acheté d'alcool et puis tu vois…

— Ce n'est pas une fatalité. Je vais t'aider, on va y arriver.

Jacinthe se contenta de hausser les épaules. Lucie prit les photos que Jacinthe avait posées sur la table.

— Regarde-les, insista-t-elle.

C'étaient des clichés de Jacinthe qu'elle avait pris en même temps que ceux de monsieur Langlois et de sa deuxième famille.

Son amie, qui jouait les jeunes femmes aguicheuses, semblait heureuse et insouciante.

— Tu es capable d'être ainsi. Belle et vivante.

— C'était un jeu, une comédie. Je suis morte en dedans, tu ne l'as pas compris ?

Lucie s'en fut préparer du thé pour se calmer. Il ne servait à rien de se mettre en colère ni d'exiger quoi que ce soit. Quand elle aurait repris le contrôle d'elle-même, elle essayerait de la faire parler. Jusqu'à maintenant, elle avait respecté sa volonté de se taire, se disant que les confidences viendraient en temps opportun. Seulement, elles n'étaient jamais venues et il fallait changer de stratégie : elle allait poser des questions et insister. Si elle parvenait à obtenir de Jacinthe le récit de ce qu'elle avait vu ou vécu, peut-être cela la soulagerait-il un peu et permettrait d'entrevoir une solution.

Jacinthe résista.

— Ça ne sert à rien : tu ne me croirais pas. Personne n'écoute ceux qui veulent parler de la guerre. Raconte-moi plutôt l'Italie.

— Uniquement si toi, tu racontes Londres.

— D'accord. Mais tu commences.

Lucie narra ses déboires avec les autorités militaires, fit le portrait de ses amis journalistes, décrivit Rome, relata sa rencontre avec la mère de Giuseppe et aussi, de manière que Jacinthe sache qu'elle avait vu la guerre de près, elle parla de sa nuit devant Florence, du mortier et du pied arraché. Après cet épisode, elle glissa :

— Et toi, c'était comment ?

— Tu ne pourrais pas nous trouver à boire ? Sans ça, je ne pourrai jamais.

— On est dimanche, tout est fermé.

— Si tu allais demander à Jacques…

Lucie hésitait. Jacinthe se fit pressante :

— Je t'en prie.

Après tout, pourquoi pas ? Le lui refuser ne suffirait pas à la guérir. Jacques, qu'elle mit au courant en quelques mots, lui donna une bouteille de gin dont il manquait la moitié. Elle-même ne but pas, pour être d'attaque le lendemain, et elle laissa Jacinthe s'emparer de la bouteille.

— Maintenant, je suppose que je n'ai plus le choix, dit celle-ci avec un sourire d'autodérision.

Et elle se mit à parler. Comme elle avait d'abord objecté que personne n'écoutait ceux qui voulaient évoquer la guerre et que Lucie avait insisté, celle-ci s'était cuirassée pour entendre le récit des nuits d'une ambulancière à Londres. Elle savait qu'on les envoyait dans les quartiers où les bombes venaient juste de tomber et où, parmi les décombres encore fumants de poussière, elles chargeaient sur leurs brancards les corps mutilés, brûlés ou écrasés afin de les conduire dans des hôpitaux surchargés pour que des médecins à bout de fatigue tentent de les sauver. Elle s'attendait aussi à ce que Jacinthe lui parle de ces gens en état de choc qui, ayant perdu des parents ou des enfants, allaient soulever les draps des civières en tremblant de reconnaître l'un ou l'autre des proches qu'ils cherchaient. Mais ce fut tout autre chose que son amie lui raconta, et cela ressemblait fort à une histoire d'amour. Jamais dans ses lettres Jacinthe n'avait mentionné John. Lucie découvrit qu'elle avait entretenu avec lui une liaison de plusieurs mois, jusqu'aux derniers jours de la guerre. Ils s'étaient connus dans un de ces endroits de la capitale anglaise où les Canadiens en permission aimaient se rendre pour rencontrer des gens du pays. C'était un grand garçon blond au corps solide et à la démarche lente des hommes de la campagne. Il avait un visage aux traits rudes qu'adoucissaient des yeux très bleus. *Blond aux yeux bleus, comme Jacques*, ne put s'empêcher de penser Lucie. Il était Ontarien et se destinait à la médecine vétérinaire.

— Il adorait les animaux. Tous. Au point qu'il était végétarien et ne ratait aucune occasion d'essayer de convaincre ceux qui l'entouraient de le devenir. Il est vrai, ricana-t-elle, que tout le monde l'était plus ou moins, à cette époque-là, mais ce n'était pas par choix.

Ils avaient dansé toute une soirée, puis ils s'étaient écrit, s'étaient revus et s'étaient aimés dans la petite chambre glaciale de Jacinthe lorsqu'il pouvait venir à Londres. Il parlait d'avenir, de mariage, d'une grande maison à la campagne pleine d'enfants et d'animaux, et elle l'écoutait, disait que oui, elle était d'accord, elle serait sa femme et ils auraient des enfants. Des enfants qui mangeraient à leur faim et qui joueraient avec des chiens et des chevaux, et qui jamais, au grand jamais, n'entendraient exploser une bombe.

— Il voyait toujours le bon côté des choses. Du moins quand il était conscient, parce qu'en dormant, c'était autre chose. Il ne passait pas une nuit sans se mettre à hurler. Je le secouais pour qu'il se réveille et je lui demandais de quoi il avait rêvé. C'était toujours le même scénario : son avion était touché et tombait à la mer. Et c'est ce qui est finalement arrivé, quelques jours à peine avant l'armistice.

La voix de Jacinthe, qui s'était faite douce pour évoquer John et était devenue amère sur la fin de son récit, eut des accents cyniques pour conclure :

— La bouteille est finie, l'histoire aussi. Si tu veux en entendre davantage, tu sais quoi faire.

Elle quitta la pièce sans un mot de plus, laissant son amie à la tristesse provoquée par cette histoire. Lucie n'était plus certaine que cela avait été une bonne idée de faire parler Jacinthe.

⁂

Avant de partir, le lendemain matin, Lucie trouva dans son sac l'exemplaire de *Grapevine*, le magazine des Alcooliques Anonymes, dont elle avait complètement oublié l'existence. Pouvait-elle en attendre quelque chose ? Même si son état d'esprit ne la portait pas à l'espoir, cela ne coûtait rien d'essayer. Elle le déposa d'abord dans le salon, sur la pile de *La Revue populaire*, puis changea d'avis et le mit sur la table de la cuisine.

Jacinthe se leva avec une migraine qui dépassait tout ce qu'elle avait connu jusque-là. Après une demi-bouteille de gin, elle n'aurait pas dû se sentir aussi mal. Tandis qu'elle fouillait dans le placard de la salle de bains à la recherche d'aspirine, elle vit le flacon de « Bois des îles » et se souvint que la veille, elle avait atteint le fond de l'abjection en buvant le parfum de Lucie. Une nausée la jeta accroupie au-dessus de la cuvette des toilettes à laquelle elle s'agrippa à deux mains. Bien que secouée de hoquets, elle ne parvenait pas à vomir. Les contractions de son estomac la déchiraient, provoquant une sueur malsaine. Les spasmes durèrent longtemps. Quand ils finirent par se calmer, elle était épuisée. N'ayant pas le courage de se relever, elle posa son front sur le bord de la cuvette pour reprendre sa respiration. Lorsqu'elle se sentit moins mal, elle eut conscience de sa position et se vit comme un autre la verrait en entrant à l'improviste. Écroulée sur un objet répugnant, des larmes de douleur dégoulinant sur son visage, les cheveux collés par la transpiration : elle était l'image même de la déchéance. Elle eut envie de mourir. Elle se mit sur pied péniblement, se traîna jusqu'au lavabo, fit couler l'eau froide et but à grands traits dans ses mains en conque. Puis elle s'aspergea le visage, regarda son reflet avec mépris et retourna dans sa chambre. La pièce sentait mauvais, les draps chiffonnés étaient sales. Il aurait fallu aérer et changer les draps ; elle n'en avait ni la force ni l'envie. Son lit de mort ressemblerait à sa vie. Elle prit dans le tiroir de la table de nuit les barbituriques volés à sa mère, dévissa le flacon et s'allongea en pensant *On me trouvera dans ma bauge*. Puis elle tomba endormie sur les cachets éparpillés.

Elle se réveilla la gorge sèche comme du carton et retourna boire au lavabo de la salle de bains. L'eau fraîche la soulagea. Elle avait encore mal à la tête, mais c'était devenu supportable. Elle se souvint tout à coup qu'elle aurait dû être morte. Que s'était-il passé ? Elle retourna dans la chambre et découvrit les comprimés. Elle ne les avait pas pris : elle s'était endormie avant. Même ça, elle était incapable de le faire. Elle les remit un à un dans le flacon qu'elle rangea en prévision du jour où elle serait enfin assez forte pour franchir le pas et se rendit dans la cuisine préparer du thé. Pendant que l'eau chauffait, elle s'assit et prit le magazine qui traînait sur la table. C'était une publication en anglais qu'elle commença de lire pour s'occuper. À mesure qu'elle comprenait de quoi il s'agissait, sa colère montait. Ainsi, cette hypocrite de Lucie la traitait d'alcoolique sans oser le lui dire en face ! Et elle voulait l'inciter à rencontrer d'autres épaves comme elle. Pour en parler ! Parler de quoi ? Des gueules de bois ? Des vomissements qui lui arrachaient la gorge ? De l'envie de mourir ? Ou alors du plaisir de boire, d'avaler le premier verre, celui qui est si bon. Qu'avait-elle en commun avec ces gens-là ? Sa déchéance. C'était ce que Lucie avait voulu lui faire comprendre en lui déposant sur la table cette insultante publication. La note manuscrite en haut de la page indiquant une adresse et un horaire n'était pas de la main de Lucie. Qui avait écrit cela ? D'où Lucie avait-elle sorti ce magazine ? Avec qui avait-elle parlé de Jacinthe la pochetronne ? Furieuse, elle froissa le papier et le lança à travers la pièce. Puis elle se servit un thé et alla faire couler un bain. En attendant que la baignoire se remplisse, elle marcha de long en large dans le salon sans parvenir à épuiser sa colère. Quelle sainte nitouche cette Lucie ! Toujours débordante de bons sentiments, toujours prête à pardonner, mais qui la traitait d'alcoolique dans son dos. Comme elle la haïssait ! Et Jacques ? Était-il complice de ce coup monté ?

La baignoire était pleine et elle se glissa dans l'eau très chaude. Peu à peu, elle se calma, s'amollit et les larmes vinrent. Elle s'immergea entièrement, joua avec l'idée de se noyer, imagina avec une joie méchante la tête que ferait Lucie en la trouvant dans son bain, flottant comme un poisson crevé, puis revint à la surface. La colère lui avait redonné un simulacre de vie. Elle ne mourrait pas cette fois.

Lucie était anxieuse en rentrant de ses cours. Elle se demandait comment elle allait retrouver sa locataire. Pendant la journée, la pensée qu'elle n'aurait pas dû laisser l'exemplaire de *Grapevine* sur la table était venue la tourmenter sporadiquement. Elle aurait dû avoir le courage d'en parler à son amie, lui expliquer que ce n'était pas pour la juger, mais pour l'aider. Pourvu que Jacinthe ne se soit pas sentie offensée ! Plus le temps passait, plus elle était convaincue d'avoir eu tort. En arrivant, elle allait lui parler, expliquer le but de ces gens qu'elle souhaitait lui faire rencontrer pour qu'ils l'aident à sortir de cette spirale autodestructrice qui l'entraînait toujours plus loin et finirait par la tuer.

Il n'y avait pas un bruit dans l'appartement et la chambre de Jacinthe était fermée. Lucie se débarrassa de ses affaires puis décida de préparer du thé pour se donner du courage avant de frapper à la porte de son amie. Sur la table de la cuisine, elle trouva, bien en vue, l'exemplaire de *Grapevine*, dont on voyait qu'il avait été chiffonné puis défroissé, et qui portait en travers, tracé en capitales rouges, l'inscription *HYPOCRITE*. Bouleversée, elle fonça dans la chambre de Jacinthe. Elle n'y était pas. Lucie paniqua.

En quittant l'appartement, Jacinthe était allée s'asseoir au parc Lafontaine tout proche et elle était restée là, l'esprit vide de toute pensée. L'après-midi était déjà avancé et elle n'avait rien pris d'autre que du thé depuis la veille. Elle se sentait à la fois faible, légère et désincarnée, comme si elle était une observatrice, installée à côté d'elle-même, qui regardait, sans grand intérêt, cette jeune femme qui ne savait que faire ni où se réfugier. Elle avait dépensé sa dernière réserve d'énergie dans sa mise en scène vengeresse et restait là, s'engourdissant dans le froid de cette fin de journée d'automne. Elle ne rentrerait pas à l'appartement parce qu'elle ne voulait pas voir Lucie et elle n'avait aucun autre endroit où aller. Quand elle fut lasse de regarder devant elle, elle ferma les yeux.

Lucie courut chez Jacques. Il n'était pas là. Elle redescendit pour téléphoner, prit l'appareil et resta la main en l'air. Quel numéro composer ? Chez qui Jacinthe aurait-elle pu se rendre ? Chez ses parents ? Non. C'était le dernier endroit qu'elle aurait choisi. Alors où ? Lucie réalisa que depuis son retour Jacinthe n'avait personne d'autre qu'elle dans sa vie. Où était-elle ? Il lui vint des images horrifiantes. Elle se revit sur le pont Jacques-Cartier, le jour où elle avait voulu mourir et où Richard l'avait sauvée *in extremis* et essaya d'imaginer Jacinthe au même endroit. C'était hélas très plausible. Était-ce le lieu où elle devait courir la chercher? Non. C'était idiot. Jacinthe pouvait se trouver pareillement en danger n'importe où ailleurs. Ne sachant que faire, elle resta à attendre.

Jacques rentra un peu plus tard. Quand elle entendit ses pas, elle sortit en toute hâte pour lui faire part de ses craintes, mais il ne savait pas plus qu'elle ce qu'il convenait de faire.

— Elle reviendra sans doute d'elle-même, dit-il sur un ton qu'il s'efforça de rendre rassurant.

Et il s'assit avec elle pour ne pas la laisser seule avec son angoisse.

Jacinthe revint, en effet, à la tombée de la nuit, alors qu'ils se rongeaient d'inquiétude, accompagnée par un vieux monsieur qui la soutenait. L'homme leur apprit qu'il l'avait trouvée sur un banc du parc Lafontaine. Il lui avait demandé où elle habitait et avait dû insister pour obtenir une réponse. Était-ce réellement ici qu'elle vivait? Lucie l'assura que oui. Elle lui expliqua que leur amie était souffrante et qu'ils allaient s'occuper d'elle, puis elle le raccompagna en le remerciant. Le vieil homme n'avait pas l'air rassuré. Il conseilla de conduire Jacinthe chez un médecin, ce que Lucie promit, et il finit par s'en aller.

Elle parvint à faire manger un peu de soupe à Jacinthe qui était hagarde et elle la coucha. Elle ne la revit pas de la soirée. Très inquiète à la perspective de la journée à venir, elle ne voulait pas la laisser seule, mais elle hésitait à manquer ses cours, sachant qu'elle n'aurait aucun moyen de les rattraper. Elle en parla avec Jacques et ils finirent par trouver une solution. Lucie téléphona à Ann et lui donna pour mission d'appeler Jacinthe le lendemain matin pour lui demander de la remplacer auprès du notaire Bélanger dont elle s'occupait depuis le départ de la garde-malade.

— Elle est très déprimée, expliqua-t-elle à la jeune femme. Je crains de la laisser seule. Invente une histoire, n'importe quoi, et arrange-toi pour qu'elle passe toute la journée chez mes parents.

Ann accepta et Lucie se sentit mieux.

Le lendemain soir, Jacinthe rentra après son amie et lui raconta qu'elle avait dépanné sa belle-sœur.

— Ann avait rendez-vous dans un hôpital pour un emploi d'infirmière. Si elle l'obtient, je la remplacerai chez ta mère en attendant qu'elle trouve quelqu'un d'autre.

Elle ne fit aucune allusion à ce qui s'était produit la veille et Lucie devina qu'elle ferait mieux de s'en abstenir elle aussi. Si la crise était passée, rien n'était résolu, et les épisodes de beuverie continuèrent de scander leur existence sans que Jacinthe manifeste le désir de rencontrer les Alcooliques Anonymes ni que Lucie trouve le courage de lui en parler.

⁂

Alors que depuis son retour rien ne l'avait intéressée de manière durable, Jacinthe sortit brutalement de son indifférence le 20 novembre, date à laquelle s'ouvrit le procès de Nuremberg. Elle se mit à suivre dans les journaux les comptes rendus des séances dont elle faisait chaque soir le résumé à Lucie. Ses exposés étaient émaillés de commentaires acerbes prouvant qu'elle attendait des juges une sévérité exemplaire. Lucie espérait elle aussi le châtiment des accusés, car elle savait, depuis la découverte des Fosses ardéatines à Rome, de quoi les Allemands avaient été capables. Cependant, la passion qu'y apportait Jacinthe, alors que tout le reste la laissait amorphe, avait quelque chose d'inquiétant.

— Ils n'ont pas parlé des camps, disait-elle chaque jour. Quand vont-ils parler des camps ?

Cette rengaine, l'acharnement de son amie à s'informer du déroulement du procès et la recrudescence de cauchemars qui la faisaient hurler à peu près chaque nuit amenèrent Lucie à comprendre que le délabrement moral de Jacinthe n'avait pas pour seule cause la perte de John, comme elle l'avait cru, mais ce qu'elle avait vécu en Allemagne.

— Ces camps, tu les as vus ? lui avait-elle demandé.

Jacinthe s'était contentée d'acquiescer sans vouloir entrer dans les détails. Lorsqu'elle avait appris que Richard allait couvrir le procès, elle s'était intéressée à ses lettres hebdomadaires. En rentrant, Lucie trouvait l'enveloppe bien en vue dans le salon et Jacinthe assise sur le sofa en train de l'attendre. Ces jours-là, elle ne buvait pas, mais le lendemain, elle plongeait plus que jamais. Lucie ne la laissait pas languir: dès son arrivée, elle ouvrait la missive de Richard et lui lisait les passages traitant du procès ou plus largement de l'Allemagne.

Pour éviter ses commentaires, elle ne lui avait pas fait part des compliments que sa photo avait suscités: Richard, découvrant qu'elle s'était fait couper les cheveux, lui avait écrit que c'était joli. Elle se souvenait de l'attitude d'Edmond que son initiative avait fâché; contrairement à Richard, il ne lui reconnaissait pas le droit de prendre elle-même des décisions la concernant, même sur des questions aussi personnelles et aussi futiles. Comme son père. Décidément, elle l'avait échappé belle et pas uniquement à cause de la belle-mère indissociable du fiancé.

Lucie gardait pour elle ce qui la concernait dans les envois de Richard, mais à vrai dire, il y avait peu à censurer, car il s'agissait de lettres amicales. Elle taisait aussi ce qui avait trait à Jacinthe. Depuis qu'elle lui avait confié l'état de son amie, Richard s'informait d'éventuels progrès. En prenant connaissance des réactions suscitées chez elle par le procès, il s'était livré à une petite enquête qui lui avait permis de découvrir que la section de la Croix-Rouge dont Jacinthe faisait partie avait assisté à la libération du camp de Bergen-Belsen.

Cela explique tout, avait-il écrit à Lucie. *C'était tellement cauchemardesque qu'il y avait de quoi perdre la raison. Peut-être la punition des plus grands coupables parviendra-t-elle à l'apaiser? Mais ce procès sera long: nous n'en sommes qu'aux préliminaires et tout porte à croire que cela durera des mois.*

Lucie était découragée : comment Jacinthe pourrait-elle tenir aussi longtemps en passant par ces alternances d'exaltation et d'apathie, en mangeant si peu et en buvant autant ?

Richard ne disait du procès lui-même que ce qui se trouvait dans les journaux puisque tous les correspondants de presse avaient accès aux mêmes informations. Il revenait souvent dans ses lettres sur le fait que les séances étaient ennuyeuses à cause du ton monocorde et de la lenteur des intervenants qui devaient ralentir leur débit pour permettre la traduction simultanée. Ce procès se tenait en quatre langues : celles des juges alliés, l'anglais, le français et le russe, ainsi que l'allemand pour les accusés.

À son arrivée à Nuremberg, Richard avait décrit les lieux, et Jacinthe avait écouté avec une joie mauvaise le portrait qu'il avait tracé de la ville entièrement détruite.

Tout a été rasé par les bombardements. Les seuls bâtiments encore debout sont le palais de justice et la prison qui sont reliés par un tunnel, l'hôtel de ville et le Grand Hôtel. Les Américains s'occupent de toute l'organisation matérielle du procès parce que Nuremberg est dans leur zone. Ils ont rétabli l'électricité, le téléphone, l'eau et la circulation des tramways et sont en train de créer de toutes pièces une ville internationale. Il y a ici des journalistes d'une vingtaine de nations, tous entassés dans la demeure d'un grand industriel : le fabricant des crayons Faber. C'est un énorme bâtiment à la fois mauresque et art déco. Une horreur. Et de plus, très inconfortable. Pour nous rendre au palais de justice, nous traversons en jeep des champs de ruines où poussent des mauvaises herbes. La population, incapable d'y vivre, a disparu. C'est d'une désolation difficile à imaginer.

— Bien fait, disait Jacinthe. Les Allemands ne souffriront jamais assez.

Lucie, touchée par le récit du malheur des civils, rétorquait qu'ils n'étaient pas tous coupables. Beaucoup d'entre eux ne savaient pas ce qui se passait.

— Je ne le crois pas, assénait Jacinthe en quittant la pièce pour ne plus entendre la défense des vaincus.

Elle s'enfermait dans sa chambre et le carrousel de l'horreur se remettait à tourner dans sa tête.

Lorsqu'ils avaient pénétré dans l'enceinte du camp, les autorités concentrationnaires l'avaient déserté depuis plusieurs jours. Plus un SS, plus un kapo. Ils étaient partis, poussant sur les chemins tous les internés valides ou, du moins, tous ceux qui pouvaient mettre un pied devant l'autre, quitte à les achever d'une balle dans la nuque quand ils tombaient d'épuisement. N'étaient restés que les malades, abandonnés à eux-mêmes, à peine vivants, pour ceux qui l'étaient, dans un camp mort. Plus d'eau, plus d'électricité, plus de soins médicaux, si tant est qu'ils en aient reçu avant la débâcle. Des cadavres à divers stades de putréfaction gisaient çà et là, que plus personne n'avait la force d'enterrer. Les survivants avaient pillé les cuisines et les baraques de leurs bourreaux en quête de nourriture, et nombre d'entre eux, atteints de dysenterie, étaient morts sur place dans leurs déjections. Les arrivants avaient d'abord cru qu'il n'y avait plus un être vivant, à l'exception des corbeaux, nombreux, qui se repaissaient des cadavres, mais peu à peu étaient sortis des baraques des sortes de squelettes vêtus de pyjamas rayés, déchirés, tachés, dégageant une odeur de vomi, de merde, de pisse et de charogne. Ils avaient été rasés et on ne voyait de leurs visages à la peau parcheminée que les yeux profondément enfoncés, l'ossature des mâchoires et la forme des dents. Semblables à ces images de la mort que la Grande Peste avait inspirée aux peintres du Moyen Âge, ils ne paraissaient pas vivants, mais pourtant ils bougeaient. Au ralenti, en raison de leur extrême faiblesse, les bras tendus vers ces sauveteurs qu'ils n'espéraient plus. Puis ils s'étaient mis à parler, dans toutes les langues de l'Europe, et les arrivants comprirent qu'on les avait abandonnés à cause du typhus, de la scarlatine ou de la dysenterie. Regroupés à l'infirmerie dès le début de leur maladie sans aucun souci d'éviter la contagion, ils avaient été laissés pour morts. Certaines baraques abritaient des hommes encore valides qui avaient déniché des rutabagas en furetant dans le camp et avaient réussi à les faire cuire. Ils s'étaient ainsi maintenus en vie et avaient pris soin de quelques-uns de leurs compagnons. Mais dans beaucoup d'autres, lorsqu'on poussait la porte, c'était pour trouver des cadavres. Encore des cadavres. Toujours des cadavres. Ce jour-là, elle avait eu l'impression qu'elle allait vomir jusqu'à ses entrailles. Elle avait pourtant dû faire son devoir d'assistance et pour cela, surmonter le dégoût que lui inspiraient ces êtres à la fois si fragiles et si répugnants. Ils étaient couverts de vermine et, après les avoir nourris – ce regard qu'ils portaient sur les boîtes de lait concentré, lourd d'un désir si fort qu'il en était obscène ! –, il avait fallu les désinfecter avec des poudres insecticides, avant même de pouvoir les laver, parce qu'il n'avait pas été possible de rétablir l'eau tout de suite. Comment, ensuite, aurait-elle pu supporter le dégoût d'elle-même d'avoir eu envie de les fuir et de les abandonner à leur sort ? D'avoir tenté de les soigner sans les toucher. De n'avoir pas su maîtriser son mouvement de recul quand un mort-vivant, dans son délire, avait tendu les bras vers elle en lui donnant le nom de la femme aimée. Elle était coupable d'avoir ressenti ce dégoût. Coupable de ne pas avoir sauvé tous ceux qui étaient encore vivants et qui avaient expiré, à bout de forces, en voyant arriver les libérateurs. Coupable de ne pas avoir compris tout de suite par quoi ils étaient passés. Coupable de faire partie de la même humanité que ceux qui s'étaient acharnés sur ces misérables.

La couverture du procès de Nuremberg par *Le Devoir* la rendait folle de rage et celle de *La Presse* exaspérait ses désirs de vengeance. En voyant cela, Lucie se disait qu'il eût mieux valu qu'elle s'abstienne de les lire, mais ce n'était pas l'opinion de son amie qui courait acheter les journaux en se levant. Les prudentes allusions de Lucie au fait qu'il n'était peut-être pas indispensable d'en suivre le déroulement au jour le jour avaient été assez mal reçues pour qu'elle s'en dispense désormais. Dans *Le Devoir*, Paul Sauriol, qui écrivait *criminels de guerre* entre guillemets, se demandait si ce tribunal, qui ne comportait aucun Allemand en son sein, avait la légitimité nécessaire pour juger des ressortissants d'un autre pays. Ainsi, les Alliés créaient, disait-il, *un précédent qui permettra d'exécuter à l'avenir les chefs des pays vaincus, agresseurs ou non.* Il déplorait également que le mandat de ce tribunal soit de juger *des crimes qui n'en étaient pas jusqu'au 8 août 1945.* Et il concluait que, *bien loin de contribuer au progrès du droit international, le procès de Nuremberg risque de l'avilir et de le discréditer encore davantage,* trouvant *inquiétant que l'acte d'accusation ne vise guère des actes personnels des accusés, mais leurs actes officiels, posés au nom du gouvernement du pays.*

— C'est ça, fulminait Jacinthe. Ils ne sont pas coupables : ils obéissaient aux ordres. Les malheureux qu'ils torturaient et assassinaient, ils ne les voyaient pas, ils ne les regardaient pas, ce n'étaient pas pour eux des êtres vivants, mais une tâche à accomplir.

Et elle ricanait en lisant que *la révélation de ces crimes a horrifié les Allemands comme le reste de l'humanité,* car *la masse du peuple allemand ne les connaissait pas.*

— Ils ne savaient rien, évidemment. Il y avait pourtant des villages à proximité des camps de concentration. Les groupes de travail forcé sortaient encadrés par des hommes armés. Ils étaient maigres à faire peur, certains tombaient morts de fatigue ou d'inanition, mais personne ne les remarquait. Ils sont innocents les civils Allemands, c'est certain. Ils ne savaient rien, ne sentaient aucune odeur suspecte. Vois-tu, Lucie, cet article me donne envie de vomir. Dans *La Presse,* au moins, ils ont la décence d'appeler les monstres par leurs noms.

Elle se jetait sur les gros titres de la une qui parlaient de *criminels nazis,* d'*assassins,* d'*énumération d'horreurs,* de *crépuscule des démons*... mais son attente de lire dans les journaux la dénonciation des camps était toujours déçue.

— Je ne peux pas croire qu'ils jugent ces criminels sans les mentionner. C'est la pire chose qu'ils aient faite ! C'est peut-être les journaux d'ici qui n'ont pas trouvé ça assez important. Demande à Richard.

Richard répondit qu'effectivement, on en avait parlé à Nuremberg. On les avait même montrés. Un documentaire sur le sujet avait été présenté au tribunal le huitième jour du procès. Il s'agissait d'un montage de documents filmés par les autorités américaines et anglaises lors de l'ouverture des camps.

— Tu vois, commenta amèrement Jacinthe, on ne nous l'a pas dit. Comme si ça ne comptait pas.

— Il décrit dans sa lettre le contenu de la projection. Tu veux que je te lise le passage ?

— Vas-y.

On nous a montré des images insoutenables : des prisonniers brûlés vifs dans une grange, des piles de morts dans un camp de travail forcé, le four crématoire de Buchenwald, un abat-jour en peau humaine... Et en voix off, on a entendu un officier britannique qui disait avoir déjà enterré 17000 cadavres, puis une doctoresse qui a décrit le traitement et les expériences infligés à des prisonnières à Belsen, que je n'oserai même pas rapporter tellement cela dépasse en horreur tout ce que l'on peut concevoir de pire.

Au nom de Belsen, Jacinthe avait poussé un gémissement.

— Tu as vu ces choses-là ? se risqua à demander Lucie.

— Oui. Continue.

— C'est tout sur ce sujet.

C'était faux, mais Lucie, qui avait déjà lu la lettre au complet, jugea préférable de ne pas communiquer à Jacinthe ce que Richard disait des réactions des accusés. Elle aurait été indignée d'apprendre qu'ils s'étaient comportés comme s'ils voyaient cela pour la première fois et en étaient aussi bouleversés que le reste de l'assistance.

Pour tenter d'éloigner Jacinthe de ses souvenirs, elle lui lut une autre partie de la missive, plaisante celle-là :

Lorsque je suis allé au club des Français, un lieu chaleureux où beaucoup de journalistes se réunissent et dont un mur est décoré par une grande fresque représentant la place de la Concorde à Paris, j'ai fait la connaissance d'un de tes amis. Il s'agit de Gustave Pujol. Quand il a appris que j'étais Canadien, il m'a parlé de sa rencontre avec toi en Italie. Il était ravi d'apprendre que nous nous connaissions. Sais-tu qu'il ne tarit pas d'éloges au sujet de ta débrouillardise pour contourner les tentatives d'obstruction des autorités militaires? Connaissant Juteau, j'ai pu apprécier à sa juste valeur son récit de vos affrontements. Gus est un personnage sympathique, très coloré, qui affecte d'être superficiel et de manquer de sérieux, mais j'ai découvert grâce à un de ses confrères qu'il s'est engagé dans la résistance après le débarquement de Provence et qu'il a reçu des honneurs pour ses actes de courage. En apprenant que nous correspondions régulièrement, il m'a recommandé de t'envoyer ses amitiés.

Pour Jacinthe, qui ne le lui demandait pas, mais l'écouta avec semblait-il un certain intérêt, elle parla de Gus et aussi des autres journalistes, de Gloria, de Mike, de Steve… Elle eut du plaisir à raconter des anecdotes de ce séjour italien qui lui avait laissé tant de souvenirs dont beaucoup étaient bons.

⁂

L'approche de Noël rendit Jacinthe plus sombre encore. Sa famille avait prévu de visiter la parenté de Sainte-Catherine, comme chaque année, et le seul fait d'y penser la hérissait.

— Je ne le supporterai jamais, disait-elle. Si tu voyais… Tu ne peux pas imaginer. Les tables croulent de nourriture… Tu sais qu'en Europe, ils n'ont toujours rien à manger? Ils ne peuvent pas se chauffer non plus. Pourtant, l'été dernier, ils étaient sûrs que c'était fini. En voyant arriver les Américains, ils croyaient que l'abondance suivrait, mais les seuls qui mangent à leur faim, ce sont les soldats. Il y a eu un article dans *La Presse* à ce sujet.

Une autre fois, c'était après ses tantes qu'elle en avait:

— Elles vont me dire que je fais pitié, que j'ai mauvaise mine. J'entends déjà *matante* Bernadette: *Pour l'amour, Jacinthe! Tu es maigre comme un carême. C'est sans bon sens. Tu n'es pas malade, au moins?*

Ou alors, elle s'en prenait à ses cousines:

— Cette idiote de Rosette s'est mariée en septembre et évidemment, elle est enceinte. Elle ne manquera pas de me dire: *Et toi, Jacinthe, tu n'as pas d'amoureux?* Quant à Marion, elle a perdu le sien et elle est inconsolable; elle n'arrêtera pas de pleurer. Il y aura aussi les plus jeunes qui ricaneront en regardant leurs grands cousins par en dessous. L'enfer! Sans compter *mononcle* Arthur, qui me pincera les fesses en disant qu'il n'y a pas grand-chose à tâter. Et dans les réjouissances prévisibles, n'oublions surtout pas mon cher frère, enragé parce que tout le monde regardera son Anglaise comme une bête curieuse, en train de faire une tête de six pieds de long. Non, c'est au-dessus de mes forces! Samedi, je les avertirai de ne pas compter sur moi.

Lucie lui dit qu'à son avis ce n'était pas une bonne idée.

— Ah bon? Tu crois que je devrais y aller? Tu imagines que je serai capable de les supporter sans boire? À moins que tu penses que ça les déniaiserait une bonne fois pour toutes de me voir comme je suis.

— Ce n'est pas ce que je voulais dire. Selon moi, il serait plus habile de te désister au dernier moment. Une heure avant le départ, tu téléphones pour annoncer que tu es malade et que tu ne peux pas voyager.

— Pas bête! C'est ce que je vais faire.

Une fois la décision prise, elle parut se sentir mieux. C'est du moins ce que pensa Lucie qui n'avait que peu de temps à lui consacrer, les examens de décembre lui demandant beaucoup de travail. La veille de Noël, comme prévu, Jacinthe joua les malades, mais elle eut du mal à convaincre sa mère de ne pas rester pour la soigner.

— Ne vous inquiétez pas, je suis avec Lucie. Elle s'occupe de moi.

— Au moins, vois le docteur.

— Je vous le promets: j'y vais tout de suite.

Jacinthe accepta d'autant plus facilement de passer Noël avec les Bélanger que l'on avait besoin d'elle: Ann n'étant pas là pour prendre soin de l'infirme, elle était la plus apte à s'en charger. Quant à la domestique, Simone, elle était partie dans sa famille à Saint-Donat. Pour que Julienne ne soit pas seule, Lucie et Jacinthe s'installèrent pour trois jours dans la maison familiale des Bélanger. Ce fut une parenthèse heureuse. Elles aidèrent à préparer le repas de Noël en singeant la sœur qui leur avait appris à mitonner des petits plats. La cuisine résonnait de rires, et Julienne n'en revenait pas de voir sa lugubre maison reprendre vie. Elles dormirent dans l'ancienne chambre de Lucie et dans ce lit, qu'elles avaient si souvent partagé à l'adolescence, elles eurent le sentiment d'être redevenues jeunes et insouciantes. Julienne, en passant devant leur porte, fut heureuse de les entendre s'esclaffer comme autrefois.

Après l'avoir aidée à coucher son père, Jacques accompagna sa mère à la messe de minuit tandis que les filles restaient à la maison où elles firent les derniers préparatifs. Ils réveillonnèrent à quatre, avec une joie un peu factice, mais qu'ils parvinrent à maintenir jusqu'au bout. Le surlendemain, la nouvelle garde-malade entrerait en fonction et bientôt, Simone reviendrait. Ann avait trouvé un emploi d'infirmière à l'hôpital Royal Victoria où elle commencerait la deuxième semaine de janvier. Elle ne l'avait pas encore annoncé à François et prévoyait de le faire pendant leur séjour à la campagne, car elle espérait que Jacques saurait le raisonner. Mis au courant, ce dernier confia à sa sœur ses craintes que l'escapade destinée à se détendre ne soit au contraire une pénible épreuve.

⁂

Ils partirent l'après-midi du 29 décembre dans deux voitures: les filles étaient dans l'une, les garçons dans l'autre. Les coffres étaient emplis de nourriture, de vêtements chauds et de grosses bottes. Ce fut un joyeux départ de vacances avec les parents Ménard qui les regardaient s'en aller en souriant et en agitant la main. Jacinthe n'avait pas l'air malade, et Louise était un peu rassurée. Depuis son retour d'Europe, il était visible que sa fille était malheureuse, et elle s'inquiétait pour elle. Là, en la voyant au milieu de ce groupe animé, elle eut espoir que cela lui ferait du bien. Et aussi que François en reviendrait moins amer. Jacques, son compagnon de toujours, aurait sans doute une heureuse influence sur lui. Son fils ne pourrait pas skier et cela l'affecterait, mais peut-être n'oserait-il pas, devant ses amis, faire expier sa méchante humeur à Ann ? Louise se demandait comment sa bru parvenait à endurer ses constantes récriminations. Chaque jour, elle s'attendait à ce qu'elle lui annonce son retour en Angleterre. Si elle s'en allait, Louise ne lui en voudrait pas : à vingt-cinq ans à peine, elle n'avait d'autre perspective que de soigner un mari qui ne lui exprimait jamais la moindre reconnaissance. Pendant qu'elle avait dépanné Julienne Bélanger, Ann avait paru moins triste. Sortir de la maison l'avait revigorée. Louise savait que la jeune femme s'était engagée comme infirmière à l'hôpital et que François n'en était pas encore averti. Lorsqu'elle le lui apprendrait, il réagirait mal. Elle eut de la peine pour eux tous. Ils étaient si joyeux de partir, et cette joie serait immanquablement gâchée par son fils qui n'acceptait pas d'être diminué et en faisait payer aux autres le prix fort.

— On va passer un beau jour de l'An avec des amis, se réjouit monsieur Ménard quand les voitures eurent disparu. Ça nous fera du bien de voir des gens de bonne humeur pour une fois.

Ils n'en parlaient jamais et Louise, que cela prit par surprise, fut incapable de juguler son émotion. Elle s'effondra en larmes dans les bras de son mari. Pour la réconforter, il lui dit des mots qu'ils ne croyaient ni l'un ni l'autre :

— Ça finira par aller mieux, tu verras.

⁂

La mère de Simone était venue préparer le chalet avec l'aide de son fils aîné. Elle avait aéré les pièces et fait les lits tandis qu'il coupait du bois, puis ils avaient allumé le feu. Lorsque les vacanciers entrèrent dans la maison, elle était chaude et accueillante. François, que le trajet avait fatigué, fut installé par sa femme dans un fauteuil près de la cheminée avec une couverture sur les genoux pendant que les autres vidaient les coffres des voitures.

— Un martini? proposa Ann à la cantonade quand tout fut rangé.

Elle ignorait, ainsi que son mari, que Jacinthe était incapable de boire modérément. Lucie et Jacques avaient évoqué ce problème ensemble la veille et s'étaient demandé quelle attitude adopter. Ils étaient arrivés à la conclusion qu'ils ne pouvaient rien faire, sinon s'arranger pour que leur amie ne se trouve pas livrée à elle-même, ce qui pourrait l'inciter à s'enivrer. Car si elle en avait envie, elle n'aurait aucun mal à y parvenir: dans la dépense, les copieuses réserves du notaire Bélanger seraient accessibles à tous. Ils ne voulaient pas en parler à François et Ann, qui réagiraient peut-être mal, François surtout, devenu si intolérant. Tout ce qu'ils pouvaient espérer, c'était que Jacinthe arrive à se contrôler. Et cela commença bien: elle refusa le martini et, comme tout le monde, ne but que de l'eau au repas du soir.

Le lendemain était un dimanche, et ils partirent tous à la messe.

— C'est dommage qu'on ne soit pas en carriole avec des clochettes, regretta Ann. Le paysage s'y prêterait à merveille.

En effet, la neige, si sale à Montréal, était ici parfaitement blanche et brillait au soleil. C'était une de ces journées d'hiver, belle et glaciale, où le ciel est d'un bleu uniforme et où, en l'absence de vent, tout semble figé comme un tableau.

— Je me demande si le curé a toujours la sienne, dit Lucie. Pendant la guerre, quand l'essence manquait, il se vantait du bon sens qui la lui avait fait conserver.

— Non, répondit François, il a acheté une voiture à la fin de l'été pendant que nous étions là.

— Et il en est très fier, ajouta Ann. Il a fait le tour de toutes les maisons pour la faire admirer.

Les paroissiens emmitouflés traînaient sur le parvis à bavarder avec ceux qu'ils ne rencontraient guère qu'à l'église pendant la saison hivernale. Beaucoup d'entre eux vinrent saluer les Bélanger et les Ménard. Ils les connaissaient depuis l'enfance, pour les avoir vus grandir d'un été à l'autre, et leur témoignaient le respect un peu distant que l'on réserve à ceux de la ville qui ont de l'argent et de l'instruction. Lucie eut le plaisir de revoir la sœur de Simone, Madeleine, leur ancienne bonne, venue passer Noël avec sa famille. Lorsque Basile était rentré de la guerre, il n'avait pas trouvé à s'employer à Montréal et, après leur mariage, ils étaient partis s'installer à Asbestos où la mine d'amiante engageait des ouvriers. Simone, à qui Madeleine écrivait régulièrement, disait à Lucie que tout allait bien pour elle ; ce n'était pourtant pas la même chose que de la voir avec ses yeux brillants et son grand sourire. *Enfin une qui est heureuse*, pensa-t-elle, et elle garda tout le temps de l'office cette joie que le bonheur de Madeleine lui avait donnée.

Revenus au chalet, ils mangèrent rapidement puis s'équipèrent pour leur randonnée. François, sa couverture sur les genoux, un livre fermé dans les mains, les regardait s'apprêter d'un air sombre. Bien qu'ils essaient de cacher leur gaieté pour ne pas l'irriter davantage, elle paraissait malgré eux dans le ton qu'ils employaient pour s'interpeller alors qu'ils cherchaient, parmi le fatras déposé dans le vestibule en arrivant, leur deuxième botte ou leur bonnet de laine.

— Dépêchons-nous, dit Jacques, la nuit tombe tôt en décembre.

En réalité, ils avaient tout leur temps, surtout pour une première sortie qui allait vite endolorir des muscles qu'ils ne sollicitaient pas d'ordinaire, mais il avait vu que François se rembrunissait de plus en plus en regardant Ann et il craignait qu'il ne trouve un prétexte pour l'empêcher de se joindre à ses amis.

— Tu n'arriveras pas à les suivre, finit-il par lui lancer méchamment, tu n'as jamais chaussé de skis alors qu'eux, ils en font depuis l'enfance.

— Tu parles ! rétorqua Jacques, aucun de nous n'en a fait depuis des années. De toute façon, il s'agit d'une promenade, pas d'une compétition. Et puis, on restera le long du lac. Le ski de fond en terrain plat, ça s'apprend très vite.

— Mais à cause d'elle, vous allez vous ennuyer. Si elle n'était pas là, vous prendriez la forêt jusqu'en haut de la colline.

— Je ne le savais pas, dit Ann les larmes aux yeux. Je vais rester au chalet.

Les trois autres se récrièrent qu'il n'en était pas question et Jacques pressa le mouvement afin d'empêcher François de trouver autre chose pour gâcher la sortie.

Jacinthe était furieuse contre son frère.

— Il est haïssable, dit-elle à sa belle-sœur, il mériterait que tu le quittes.

— Ce n'est pas de sa faute, répondit Ann d'une voix lasse, il souffre. Il voudrait pouvoir skier avec nous, vivre comme tout le monde, faire des études, gagner sa vie.

— Ce n'est pas une raison pour te martyriser.

— Tu exagères, il n'est pas si méchant.

Lucie les interrompit :

— Et si nous expliquions à Ann comment chausser les skis et se déplacer avant qu'il ne fasse nuit ?

Ils lui montrèrent le fonctionnement des fixations et lui firent recommencer la manœuvre jusqu'à ce qu'elle la maîtrise. Puis Lucie fit une démonstration du mouvement de la marche. À son premier essai, Ann tomba dans la neige. Ses tentatives pataudes pour se remettre debout déclenchèrent les rires de ses amis.

— Je n'arriverai jamais à marcher avec des pieds aussi longs !

Les rires redoublèrent tandis que Jacinthe l'aidait à se relever.

— Tu vas y arriver, lui dit-elle. Essaie encore.

La deuxième tentative fut plus réussie.

— Finalement, tu as peut-être raison, j'y suis presque.

Jacques aperçut derrière la vitre le visage de François, que les rires avaient attiré à la fenêtre. Si Ann le voyait, elle se sentirait coupable et risquait de renoncer à la promenade. Pour éviter que cela se produise, il partit en avant et cria :

— Suivez-moi, les filles, on y va !

Un peu lente au début, Ann parvint très vite à avancer aussi rapidement que les autres. La pureté de l'air, la lumière, le calme du paysage, tout était apaisant et bientôt, ils oublièrent François pour jouir du plaisir de la promenade. Le tracé du chemin forestier qui longeait les berges du lac se devinait à sa bordure d'arbres bien qu'il ne fût pas visible. Les branches des conifères ployaient sous l'amas de neige et Ann n'en revenait pas que le paysage soit si semblable aux livres d'images de son enfance.

— Chez nous, en hiver, répétait-elle, il pleut et le ciel est gris. On ne voit jamais le soleil.

Jacinthe fit remarquer qu'il faisait aussi vingt degrés de plus, ce qui n'était pas déplaisant, mais Ann n'en démordait pas : la neige sur les sapins et le ciel bleu étaient si beaux qu'ils permettaient de supporter le froid le plus vif. Sa belle-sœur lui concéda, sans enthousiasme excessif, qu'à la campagne, l'hiver n'était pas si mal. Un peu essoufflés par l'effort, ils cessèrent de parler. Les rares sons – craquement d'un arbre, cri d'un oiseau effrayé par leur passage – faisaient paraître le silence plus profond encore et cette promenade leur donna l'impression de les régénérer. Au retour, à peu de distance du chalet, Jacques leur montra des traces de pas sur le lac.

— Ça signifie que la glace est assez épaisse pour y marcher. Je vais m'occuper tout de suite de la patinoire.

Quand les trois femmes entrèrent dans la maison, l'air du dehors s'engouffra avec elles, provoquant les protestations du malade.

— Fermez la porte ! Vous refroidissez la pièce.

La solitude n'avait pas amélioré son humeur, au contraire, et il chercha querelle à Ann dès qu'il la vit : ils étaient partis trop longtemps, le feu avait baissé et il avait dû le réapprovisionner en bûches, ce qui l'avait épuisé. De plus, elle ne lui avait laissé qu'une couverture. C'était insuffisant et il avait eu froid. Sans compter qu'elle ne lui avait pas apporté le bon livre : c'était l'autre qu'il avait commencé et il s'était ennuyé. Elle aurait quand même pu faire attention avant de partir s'amuser en le laissant seul. Non seulement Ann ne répondait pas, mais elle s'empressait de le satisfaire : elle alla chercher une couverture supplémentaire, qu'il rejeta presque aussitôt parce qu'elle pesait trop lourd sur ses jambes, et lui prépara du thé. Il se brûla en le buvant trop vite, ce dont il lui tint rigueur comme du reste.

Jacinthe, qui l'entendait depuis la cuisine où elle avait commencé d'éplucher des pommes de terre avec Lucie, était sur le point d'exploser.

— Si ce tyranneau domestique ne se tait pas, je lui dis ce que je pense de son attitude.

— Laisse tomber. Tu ne ferais qu'aggraver les choses.

— Tu es capable, toi, de supporter ça une semaine ? Moi pas.

— Va plutôt aider Jacques. Tu ne l'entendras plus et ça te calmera.

— Je ne veux pas te laisser travailler seule.

— Je demanderai à Ann de me donner un coup de main. Il n'osera pas protester et ça la tirera de ses griffes.

— Dans ce cas… Je suppose que je serai mieux dehors. Il m'énerve tellement que j'ai envie de lui casser quelque chose sur la tête pour le faire taire.

Jacinthe se rhabilla chaudement, prit une pelle et alla rejoindre Jacques sur le lac.

— Je viens t'aider.

— Parfait. Si on travaille fort, on pourra patiner dès ce soir au clair de lune. Regarde, j'ai délimité la surface. Ce ne sera pas très grand ; si on aime ça, on pourra l'agrandir.

— Pourquoi tu ne l'as pas faite juste en face du chalet ?

— Parce qu'à cet endroit-là, la couche de glace est trop mince : il y a du courant et un remous.

Ils se mirent au travail. Jacinthe, qui depuis des mois mangeait à peine, comprit après quelques coups de pelle qu'elle n'aurait pas la force de continuer longtemps. Déjà l'après-midi elle avait eu du mal à suivre le rythme des autres, mais elle avait serré les dents et mobilisé toute sa volonté. Là, la volonté ne suffirait pas. Elle avait fait trop d'efforts pour la journée. Ne se résignant pas à abandonner aussi vite, elle voulut continuer encore un peu, mais elle eut un vertige, se sentit devenir molle et s'effondra, à demi inconsciente.

Jacques la vit tomber et se précipita. Il souleva sa tête et ôta la neige de son visage.

— Jacinthe ! Ça va ?

Comme elle ne répondait pas, il la prit dans ses bras pour la porter au chalet. Quand il entra dans cet équipage, Lucie et Ann accoururent, inquiètes, voulant savoir ce qui était arrivé.

— J'imagine qu'elle a présumé de ses forces, dit Jacques en la déposant sur le sofa.

Déjà, Ann prenait la situation en main. Elle glissa un coussin sous la tête de Jacinthe et envoya Lucie préparer un grog tandis qu'elle lui enlevait ses bottes et déboutonnait son manteau. Ensuite, avec des gestes précis d'infirmière, elle l'enveloppa dans la couverture chaude que François avait réclamée puis dédaignée un peu plus tôt et lui frotta les mains pour la réchauffer. Jacinthe se sentait très faible, mais elle n'avait pas vraiment perdu connaissance. Elle remercia Ann et s'excusa de l'embarras qu'elle causait.

— Voyons, tu n'as pas à t'excuser.

Lucie arriva avec le grog et Ann, après l'avoir laissé un peu refroidir, le lui fit boire.

— Ça va mieux, maintenant ?

— Oui. Je suis épuisée. Il vaut mieux que je me couche tout de suite.

— Sans avoir mangé ?

— Je n'aurais pas la force d'avaler une bouchée.

Ann allait insister ; Lucie s'interposa.

— Je t'accompagne à la chambre.

Elle prit Jacinthe par le bras et la soutint fermement dans l'escalier qu'elles montèrent avec lenteur, puis elle l'aida à se déshabiller et à se coucher. Quand elle l'eut bordée, elle s'assit sur le lit.

— Comment te sens-tu ?

— Ça ira, ne t'inquiète pas. J'ai seulement manqué de forces.

— Ce n'est pas très étonnant, tu ne crois pas ?

— …

— Voudrais-tu essayer de manger un peu plus ? Jacinthe, s'il te plaît !

— D'accord, je vais essayer. Laisse-moi dormir, maintenant. Retourne avec les autres.

Jacques était reparti déblayer la patinoire et Ann finissait de préparer le repas dans la cuisine. François arrêta Lucie qui allait la rejoindre.

— Qu'est-ce qu'elle a ma sœur ?

Lucie hésita à lui apprendre la vérité et décida finalement de n'en rien faire : François était trop centré sur lui-même pour avoir la capacité d'être empathique.

— Elle est rentrée d'Europe très éprouvée et elle n'est pas encore remise. Il lui faut du temps.

— Oui, dit-il, il faut du temps…

Elle comprit que c'était à lui-même qu'il pensait. François était incapable de s'intéresser longtemps à quelqu'un d'autre. Elle avait eu raison de se taire.

Dans sa demi-somnolence, Jacinthe réentendait la voix soucieuse de Jacques qui se penchait sur elle pour lui porter secours. C'était si bon… Elle savait qu'il en aurait fait autant pour n'importe qui, mais elle choisit d'imaginer qu'elle occupait pour lui une place à part. Elle se sentait bien. Calme, détendue, l'esprit léger. Sûre que cette nuit-ci, les démons ne viendraient pas, elle se laissa glisser dans le sommeil sans lutter.

Pendant le repas, Ann exprima son inquiétude.

— Il est évident que Jacinthe n'est pas en bonne santé. Elle devrait consulter un médecin. Et il faudrait qu'elle retrouve l'appétit, parce que si elle continue de manger aussi peu, elle va décliner.

Dans le regard que Jacques posa sur sa sœur, il y avait une interrogation. Lucie comprit qu'il se demandait s'il ne vaudrait pas mieux le leur dire, même s'ils avaient préalablement décidé le contraire. Mais l'échange que Lucie venait d'avoir avec le frère de son amie l'incita à lui signifier que non, ce n'était pas une bonne idée. François d'ailleurs la conforta dans cette opinion en faisant remarquer aigrement que Jacinthe ne devait pas aller si mal puisqu'elle avait été capable de skier tout l'après-midi, ce que lui-même était loin de pouvoir faire.

L'atmosphère était lourde et Jacques, qui étouffait, déclara qu'il sortait essayer la patinoire aussitôt sa dernière bouchée avalée.

— Qui veut venir ?

Avant que sa femme ne puisse répondre, François se plaignit qu'il se sentait faible.

— Je m'occupe de toi, lui dit Ann. Va patiner, Lucie.

— J'irai après la vaisselle.

— Non. Il y en a très peu, je la ferai avant de monter. Vas-y et amuse-toi.

Lucie n'insista pas, trop heureuse de quitter cette ambiance plombée. Tout en patinant, elle en parla avec Jacques, pour plaindre Ann, blâmer François, qui souffrait mais que cela n'excusait pas, et pour regretter d'avoir mal évalué la situation. Ces vacances allaient être pénibles et ne les reposeraient nullement de la dure session universitaire qu'ils venaient de vivre.

— Quant à Jacinthe, ajouta Lucie, elle me donne beaucoup de souci. Il n'y a aucune amélioration dans son état depuis qu'elle est revenue, au contraire : en plus d'être moralement délabrée, elle perd ses forces physiques.

— Je crois que tu ne peux plus assumer ça toute seule. Elle a besoin d'une aide médicale.

— Elle ne l'acceptera pas.

— Il faudra insister, sous peine de le regretter. En revenant à Montréal, parles-en à Irène, elle sera sans doute de bon conseil.

Ils attendirent que la lumière s'allume à l'étage pour rentrer et finirent la soirée à lire en paix au coin de l'âtre.

Un cri de terreur suivi de sanglots désespérés jeta toute la maisonnée hors du lit. Lucie dit à François, Ann et Jacques, qui étaient sur le seuil de leur chambre, de retourner se coucher.

— C'est Jacinthe, précisa-t-elle inutilement, puisqu'il ne manquait qu'elle dans le corridor. Je m'en occupe.

— Tu es sûre que ça va aller ? s'inquiéta Ann.

— Oui. Je reste avec elle.

Pendant qu'ils hésitaient, réticents à retourner au lit sans avoir rien fait pour l'aider, Lucie entra résolument dans la chambre de son amie et referma la porte derrière elle. Jacinthe avait le visage enfoui dans l'oreiller et elle ne voyait que ses omoplates saillantes qui tressautaient. Elle se glissa auprès d'elle et lui caressa doucement la tête jusqu'à ce qu'elle s'apaise, en répétant des mots sans importance, comme on chante une berceuse pour calmer un nourrisson.

Alors qu'elle la croyait endormie, Jacinthe murmura :

— J'ai rêvé des enfants. C'est sans doute à cause de la neige…

— Quels enfants ?

— Les enfants de Belsen.

— Tu as vu des enfants à Belsen ?

— Oh non, ils étaient morts depuis longtemps.

— …

— C'est un prisonnier qui m'en a parlé. Ma collègue conduisait et moi, j'étais derrière. Il était très faible, mais il m'avait agrippé le poignet pour me forcer à l'écouter.

Il faut que je vous le dise et après, ce sera à vous de le dire, parce que moi je serai mort. Le monde doit savoir.

Il lui avait raconté l'arrivée des trains dans le camp. Les SS faisaient sortir les gens des wagons. Les uns d'un côté, les autres, de l'autre. Ceux de gauche étaient dirigés vers des baraquements où ils seraient dépouillés de leurs affaires personnelles, rasés, vêtus de pyjamas rayés et employés aux travaux forcés. Les autres étaient gazés. Agrippés à la main de leurs mères, que parfois on leur arrachait, si elles étaient jugées utiles à quelque chose, les enfants marchaient dans la neige, droit vers les chambres à gaz. Épuisés par les trois ou quatre jours de voyage pendant lesquels on ne leur avait donné ni à manger ni à boire, ils avaient du mal à lever les pieds assez haut pour avancer au rythme imposé. Lorsqu'ils tombaient, les gardes les obligeaient à se relever d'un coup de crosse de fusil. Arrivés aux baraquements, ils entraient et disparaissaient à jamais. Et les cheminées de Belsen fumaient, fumaient interminablement.

— À la fin de son récit, l'homme m'a fait jurer de révéler la vérité et de la faire connaître au monde entier. Quand j'ai eu juré, il est mort, rassuré par ma promesse. Cette promesse que je n'ai pas tenue. J'ai essayé. Je te jure que j'ai essayé ! On n'a pas voulu m'écouter. Personne ne veut savoir que ces choses-là ont pu se produire. La nuit, les enfants de Belsen me tendent les bras, me supplient de parler de leur souffrance. Et moi, je ne le fais pas.

Jacinthe se tut et Lucie, incapable de prononcer un mot, se contenta de rester près d'elle à lui tenir la main. Elles finirent par sombrer dans le sommeil. Au réveil, en découvrant Lucie dans son lit et en se souvenant de la raison de sa présence, Jacinthe eut un nouvel accès de désespoir : elle s'était endormie heureuse, et cela n'avait pas suffi. Rien ne parviendrait jamais à la délivrer.

Le 31 décembre s'annonçait aussi ensoleillé que la veille et Jacques suggéra de skier le matin et l'après-midi.

François, voyant que sa femme paraissait tentée, lui demanda sur un ton qu'il réussit à rendre à la fois geignard et agressif :

— Tu as l'intention de me laisser seul toute la journée ?

— Non, je reste avec toi.

— Va skier, lui dit Jacinthe. Moi, je ne suis pas assez en forme pour ça. Je m'occuperai de mon frère puisqu'il a besoin en permanence de quelqu'un pour lui tenir la main. Si je me sens mieux, j'irai cet après-midi, et toi tu resteras.

François ne pouvait pas décemment s'opposer à cet arrangement, mais tous comprirent que cela ne lui plaisait pas. Ann hésitait. Lucie et Jacques firent mine de ne pas s'en apercevoir et l'invitèrent à se dépêcher.

Quand les skieurs furent partis, le frère et la sœur se plongèrent chacun dans un livre, murés dans un silence hostile que Jacinthe finit par rompre pour lui offrir une tasse de thé qu'il accepta. Lorsqu'elle revint avec le plateau, elle proposa abruptement :

— Si nous parlions d'Ann ?

— Je n'ai rien à dire à son sujet. Nos affaires ne te regardent pas.

Elle avait décidé d'être diplomate, mais l'attitude de son frère la choquait tellement qu'elle se laissa vite emporter par l'indignation.

— Au contraire, répliqua-t-elle cinglante, elles regardent tous ceux qui vous côtoient parce qu'ils en pâtissent. Tu la traites comme une esclave. C'est scandaleux !

— Je la traite comme je veux et tu n'as rien à dire !

Le ton monta de part et d'autre et ils en vinrent très vite à se qualifier mutuellement de parasite et d'inutile. Jacinthe, furieuse, enfila ses bottes et son manteau et partit en claquant la porte. Elle marcha dans les traces de skis, remâchant sa colère contre François, qui faisait le malheur de sa femme. Il ne s'amenderait jamais puisqu'il ne l'admettait pas. Elle, au moins, n'entraînait personne dans sa disgrâce. *Vraiment ?* lui susurra sa conscience, *tu ne nuis pas à Lucie ?* Bien sûr que si ! Elle gâchait la vie de son amie en l'inquiétant, en lui imposant le spectacle de ses soûleries, en l'obligeant, par sa présence, à se sentir responsable d'elle. Finalement, elle ne valait pas mieux que son frère. Ils étaient l'un et l'autre des inutiles et des parasites.

Elle était dans cet état d'esprit lors du retour des randonneurs, qui ne s'en doutèrent pas parce qu'elle s'imposa de faire bonne figure.

— Il faudrait que tu voies les progrès d'Ann, lui dit Lucie, tu serais impressionnée. Si on ne la retenait pas, elle nous sèmerait.

— Tu exagères beaucoup, intervint celle-ci en riant de plaisir ; ce qui est vrai, c'est que j'adore skier.

La jeune femme était comme ils ne l'avaient jamais vue, avec ses joues rouges de froid et ses yeux brillants qui rendaient joli un visage habituellement sans grâce. Ce bonheur évident était plus que ce que François pouvait supporter.

— Il est compréhensible, commenta-t-il avec un ricanement mauvais, que ce soit plus agréable de dépenser son énergie à se distraire qu'à prendre soin d'un mari malade.

Jacinthe l'attaqua, toutes griffes dehors :

— Tu n'es pas malade à ce point. Tu as simplement passé la matinée assis à entretenir ta méchante humeur. Tu n'avais pas besoin de sa présence pour ça.

— Qu'est-ce que tu en sais, puisque tu es partie en me laissant seul ?

Pendant que Lucie entraînait Jacinthe à la cuisine, Ann, dont le visage s'était éteint, alla déposer un baiser sur la joue de François qui la repoussa.

— Je n'y retournerai pas, lui dit-elle pour l'apaiser. Je resterai avec toi.

— Tu es enfin consciente de ton devoir. Depuis des semaines tu m'abandonnes tous les jours. Il n'est pas normal que madame Bélanger ne trouve pas d'infirmière pour l'aider.

Ann croisa le regard de Jacques qui se tenait discrètement à l'écart de cette discussion conjugale. Il l'encouragea d'un léger mouvement de tête. Alors, elle rassembla son courage et se lança :

— Madame Bélanger a trouvé une garde-malade.

— Enfin ! Ce n'est pas trop tôt.

— Comme elle n'a plus besoin de moi, à la place, je vais travailler comme infirmière. Je commence la semaine prochaine au Royal Victoria.

La nouvelle prit tellement François par surprise qu'il demeura un instant sans voix. Puis il se déchaîna, disant qu'il n'en était pas question, que la femme devait obéissance à son mari et qu'elle resterait à la maison. Elle était une mauvaise épouse. Au lieu de se lier avec une étrangère, il aurait mieux fait de se marier avec…

Jacques lui coupa la parole avant qu'il ne prononce l'irréparable.

— Ne t'énerve pas, François, vous en reparlerez calmement plus tard.

— Je n'en reparlerai pas : c'est non.

— Dans ce cas, dit Ann, d'une voix résolue malgré le tremblement de tout son corps, je retournerai en Angleterre.

— Je t'en empêcherai.

— Tu ne pourras pas.

— La loi est de mon côté.

Lucie fit irruption avec un plat dans chaque main et claironna :

— Les sandwichs sont prêts. Tout le monde à table !

Elle se mit à parler avec volubilité d'un livre qu'elle avait l'intention de lire et dont on disait grand bien dans *Le Devoir* tandis que Jacques lui donnait la réplique et que les trois autres restaient muets.

Ils allaient quitter la table lorsque Jacinthe déclara :

— Je crois que la famille Ménard vous a suffisamment gâché le début des vacances. Il vaut mieux que nous repartions au plus vite à Montréal, n'est-ce pas, François ?

— Allons, Jacinthe, intervint Jacques, ne dramatise pas. Ce soir, c'est le réveillon. Nous allons faire la fête et demain, tout ira mieux.

— C'est ça, approuva Lucie. Attendons demain.

Il n'y eut que Jacques et Lucie pour skier l'après-midi.

— J'avoue, dit Lucie, que je serais soulagée s'ils partaient. Je ne peux pas imaginer une semaine dans cet enfer.

— En effet, je ne vois pas comment la situation pourrait s'améliorer. Essayons de ne plus penser à eux le temps de la randonnée : ça nous donnera des forces pour affronter la soirée.

Des forces, il en fallut, Jacinthe ayant passé l'après-midi à boire. Comme elle avait annoncé à son frère et à sa belle-sœur qu'elle allait faire la sieste, elle avait pu s'enfermer en toute tranquillité avec la bouteille de gin prélevée en catimini dans la réserve. Lucie le pressentit en ne la voyant pas dans la salle avec eux. Elle monta à sa chambre et la trouva, comme tant d'autres fois, en travers du lit, le regard vague et l'élocution pâteuse.

— Je n'en pouvais plus, marmonna-t-elle, j'avais besoin d'aide. Dis-leur n'importe quoi. Je vais rester ici.

Lucie se retint de lui répondre qu'elle aurait pu faire un effort. Peut-être qu'effectivement, elle ne le pouvait pas. Elle avait d'ailleurs plus envie de pleurer de découragement que de lui faire des reproches.

— Il ne fait pas chaud dans cette pièce, se contenta-t-elle de remarquer en l'aidant à enfiler la liseuse en mohair que sa mère lui avait offerte pour Noël.

En redescendant, elle se composa un visage serein.

— On va devoir fêter sans Jacinthe. Elle est trop fatiguée pour se joindre à nous, mais il n'y a pas lieu de s'inquiéter.

— Je vais quand même la voir, décida Ann.

Elle était déjà debout, prête à s'engager dans l'escalier. Lucie la retint par le bras.

— Non. Quand je l'ai quittée, elle était en train de s'endormir. Laissons-la se reposer.

Ann n'étant pas tout à fait convaincue, Lucie la détourna de son but en lui demandant si elle pouvait leur faire du thé.

— Pendant la dernière demi-heure, j'imaginais la tasse fumante et c'est ce qui m'a aidée à avancer. Jacques m'a entraînée dans une si longue randonnée que je ne suis plus capable de faire un pas.

Singeant une grande fatigue avec des mimiques exagérées, elle s'affala sur un fauteuil à côté de François. Celui-ci, tout à son ressentiment contre Jacinthe, ne s'en amusa pas. Il fit une remarque aigre au sujet de sa sœur, la jugeant peu sociable. Selon lui, quand on était incapable de vivre avec des gens, il ne fallait pas leur imposer sa présence. Lucie pensa qu'il devrait commencer par appliquer ce principe à lui-même, mais s'abstint de le lui dire.

Il ne fut pas nécessaire d'apprendre à Jacques ce qu'il en était de Jacinthe : il l'avait compris et lui aussi devait redouter le moment où elle aurait besoin d'aller à la salle de bains. En haut, il n'y en avait pas, et elle devrait traverser le salon pour y accéder. Lucie l'appréhendait tellement qu'elle fut presque soulagée lorsque cela se produisit, quelques heures plus tard, alors qu'après avoir fini un repas qu'ils n'étaient pas parvenus à rendre festif, ils en étaient au cognac. Ajouté au martini et au vin, il les aidait à mettre un peu de gaieté dans leurs échanges. C'était loin d'être l'atmosphère d'un réveillon, mais ils étaient détendus, ou du moins le paraissaient. Pour alimenter une conversation languissante, Ann avait demandé à Jacques où il se trouvait l'année précédente à pareille date. Il avait répondu qu'il était à Londres, avec quelques amis. Ils avaient bu de la bière toute la soirée et il était en peine de se souvenir comment il avait regagné sa chambre. Chacun y alla de son récit. Lucie parla du bateau sanitaire qui la rapatriait, de la ferveur des chants de Noël, de la curieuse impression d'être entre deux temps, entre deux vies. François, quant à lui, était à l'hôpital.

— Tout seul. Ma gentille infirmière si attentionnée avait trouvé mieux à faire.

— François ! protesta Ann, tu sais bien que j'étais en visite chez mes parents que je n'avais pas vus depuis des mois. Et que je n'ai pas revus depuis, ajouta-t-elle, chagrinée.

Le sujet, qui avait paru sans danger, ne l'était pas, et Jacques s'empressa de lancer la conversation sur les Canadiens de Montréal, une question qui, a priori, ne recelait pas de pièges. François suivait religieusement à la radio tous les matchs de son équipe préférée et il était intarissable, surtout pour décrire les prouesses de Maurice Richard, son idole. Lucie, que le hockey laissait froide, n'entendait plus qu'un bourdonnement indistinct. Elle avait l'impression d'avoir dans la poitrine une grosse boule qui l'étouffait. Toute à son attente de la catastrophe à venir, elle était si oppressée qu'elle avait même du mal à respirer.

Et la catastrophe survint. Rendue aux deux tiers de l'escalier, Jacinthe manqua une marche et déboula jusqu'au bas où elle resta inerte. Ils se précipitèrent. Ann lui prit le pouls.

— Il est faible, mais régulier. Vérifions si elle n'a rien de cassé.

Jacinthe ouvrit les yeux tandis que l'infirmière lui faisait bouger précautionneusement un bras. Elle les vit penchés sur elle et leur fit signe de s'éloigner d'un geste vague.

— Ça va, articula-t-elle avec difficulté. Vous savez bien qu'il y a un Bon Dieu pour les ivrognes.

Elle se remit sur pied avec l'aide de sa belle-sœur, qu'elle repoussa ensuite pour se diriger vers les toilettes d'un pas incertain.

— Elle a dit les ivrognes ? demanda à la cantonade un François incrédule.

Ils n'eurent pas besoin de répondre. Les bruits de vomissements qu'ils entendaient ne laissaient pas la place au doute.

Il s'emporta :

— Ça signifie qu'elle a bu cet après-midi ? Seule ? C'est honteux !

— Elle a besoin de notre soutien, pas de notre intransigeance, intervint Jacques. Elle a vu pendant la guerre des choses qu'elle ne peut oublier et qui la torturent.

— Tu es en train de me dire que ce n'est pas exceptionnel ?

— Ça arrive de temps en temps, admit Lucie.

— De temps en temps, hein ? Une fois par mois ? Par quinzaine ? Par semaine ? Tous les deux jours ?

— Calme-toi, dit Ann.

— Me calmer ? Tu veux que je me calme alors que je viens de découvrir que ma sœur est alcoolique et que tout le monde est au courant ? Toi aussi, tu le savais ?

— Non, dit Lucie, Ann ne le savait pas.

— Mais vous deux, oui. Et qui d'autre encore ? Il n'y a que sa famille qui l'ignore, je suppose. Et vous avez bonne conscience ? Vous croyez agir par amitié en la laissant se soûler ? C'est l'enfermer qu'il faut et la soigner. Et c'est à sa famille de s'en charger.

La voix étonnamment ferme de Jacinthe se fit entendre.

— C'est ça. La camisole de force et les bains glacés. Merci, grand frère. Je me doutais que je pouvais compter sur toi.

Elle était sortie de la salle de bains sans qu'ils s'en aperçoivent et les regardait, appuyée au chambranle de la porte.

— Tu peux y compter, en effet. Je ne te laisserai pas nous déshonorer plus longtemps. Tu me dégoûtes.

Il s'accrocha au bras de sa femme pour quitter son fauteuil.

— Viens, allons nous coucher. Je ne veux plus rien avoir à faire avec personne dans cette pièce.

Quand ils eurent disparu dans l'escalier, François raide d'indignation et Ann incommensurablement navrée, Lucie conduisit Jacinthe près du feu.

— Assieds-toi. Je vais te chercher de l'eau.

Elle rapporta un verre et une carafe qu'elle déposa à côté d'elle en disant que ça irait mieux le lendemain pour essayer d'atténuer les paroles terribles qui venaient d'être prononcées.

— Tu sais bien que non. Mais je ne le laisserai pas m'enfermer.

Lucie ne répliqua pas et ne retint pas Jacinthe lorsque celle-ci annonça, après avoir vidé la carafe, qu'elle retournait se coucher. Lucie se souvenait de son propre père, qui avait lui aussi menacé de la faire enfermer si elle refusait d'épouser François. Elle était mineure alors et il était tout-puissant. Cependant, Jacinthe était majeure. Lucie s'en ouvrit à Jacques qui buvait en silence un autre cognac. Sa réponse ne la rassura pas.

— Même si elle est majeure, sa famille a du pouvoir sur elle. Il sera facile de prouver qu'elle nuit sérieusement à sa santé et qu'elle est incapable d'assumer son existence matérielle. Elle est revenue avec quelques économies qui vont fondre si elle ne gagne pas d'argent, et ce sera un argument de plus pour lui imposer une tutelle.

— Il faut que j'en parle à Denise. Elle est juriste : elle saura quoi faire.

— Ne te fais pas d'illusions. S'ils veulent la faire enfermer, ils y parviendront.

Jacques et Lucie ne se doutaient pas que leur conversation avait eu un témoin : Jacinthe. Parvenue en haut des marches, elle avait eu un étourdissement qui l'avait obligée à s'asseoir. La gravité de leurs propos ne lui avait pas échappé. L'algarade avec son frère et la carafe d'eau lui avaient suffisamment rendu de lucidité pour lui permettre de se représenter clairement ce qui l'attendait. *Je ne me laisserai pas enfermer*, se répéta-t-elle. Une décision commença de germer dans son esprit. Elle allait mettre fin à tout cela. Finis les cauchemars, les gueules de bois, les hontes matinales, les dissimulations, les menaces de François. Elle y mettrait un terme de manière définitive, cette nuit-ci, dès que Jacques et Lucie seraient couchés. Elle se leva, retourna dans sa chambre pour qu'ils ne la trouvent pas dans l'escalier et s'assit sur une chaise. *Surtout, ne pas m'endormir.*

Bien plus tard, elle entendit le pas de Lucie qui s'arrêtait devant sa porte. Pourvu qu'elle n'entre pas ! Si elle la découvrait sur sa chaise, elle resterait sans doute pour la réconforter et la rassurer, comme elle l'avait fait la nuit précédente. Mais Lucie, n'entendant rien, continua jusqu'à sa chambre. Jacques passa peu après. Où en serait-elle maintenant s'il avait accepté qu'ils se consolent mutuellement ? Impossible à dire. Elle mènerait peut-être une vie normale. Mais peut-être aurait-elle aussi continué à vider des bouteilles pour s'assommer. Il y avait si longtemps qu'elle buvait. Elle avait commencé au mois d'avril, le jour où elle avait pénétré dans le camp. C'était pour chasser l'odeur qu'elle s'était enivrée. Cette odeur ignoble qui l'avait imprégnée et dont, depuis lors, elle ne parvenait pas à se défaire. Et aussi pour effacer les images insoutenables qui surgissaient dès qu'elle s'endormait. Car l'oubli ne durait jamais longtemps. Jacques aurait-il pu la protéger des fantômes ? Jacques et un bébé peut-être, comme il est normal d'en avoir quand on est un couple. Un bébé comme aucune de ses amies n'en avait. Ni Lucie, ni Ann, ni Irène. Sa cousine Rosette en aurait un. Pas elle. Jamais.

Elle faillit tomber de la chaise et comprit qu'elle s'était assoupie. Il était temps qu'elle agisse, sinon, une fois de plus, il serait trop tard. Elle ouvrit doucement la porte et écouta. Il n'y avait pas un bruit : la maison dormait. Son ivresse s'était légèrement dissipée et elle parvint à descendre discrètement. Elle passa par la cuisine, à la recherche d'une bouteille entamée, et trouva le cognac. Elle en but une lampée qui fit baisser le niveau de manière notable avant de se diriger vers la porte d'entrée. Elle enfila ses bottes avec des mouvements imprécis et renonça à les lacer. Elle laissa également son manteau ouvert: le boutonner aurait demandé trop d'efforts. À quoi bon, de toute manière? Au moment de nouer son écharpe, la vanité du geste lui apparut. Elle n'avait pas besoin d'écharpe, elle n'en aurait plus jamais besoin. Cependant elle la mit quand même. *Si je suis habillée normalement, ils pourront dire que c'était un accident. Les apparences seront sauves.* Elle sortit dans la nuit glaciale, referma soigneusement la porte derrière elle et se dirigea vers le lac. Il avait neigé. Demain, ils verraient ses traces de pas. Ils n'auraient pas à la chercher: ils comprendraient tout de suite. La clarté de la lune lui permit de repérer l'endroit où Jacques n'avait pas fait la patinoire, parce que *la couche de glace est trop mince: il y a du courant et un remous.* Elle s'engagea sur le lac. La glace gémit. Elle s'arrêta. Il était encore temps de changer d'avis. De choisir de rester. Elle pensa à Lucie, à sa mère. Elle avait l'impression qu'elles lui tendaient les bras pour la retenir. Sans se retourner, elle fit un pas en arrière. La glace craqua de nouveau et elle fut prise d'épouvante. Elle avait peur de mourir. *Je vais arrêter de boire, travailler, avoir une vie normale.* Le froid, très vif, chassa l'effet du cognac, lui rendant sa lucidité. Elle s'obligea à penser à l'existence qui l'attendait sans se raconter d'histoires: elle savait qu'elle n'aurait jamais la force de s'en tirer. Ce serait l'internement, le sevrage, les rechutes. Et les cauchemars. Encore et toujours les cauchemars. L'entrée, nuit après nuit dans le camp de Belsen où des êtres décharnés n'ayant plus qu'un souffle de vie tendaient leurs mains vers elle qui se détournait. Les enfants de Belsen qui lui reprochaient son silence. Et puis, dans un flamboiement, l'avion de John qui tombait en vrille pour s'abîmer dans l'océan. Au bout du compte, la mort était moins effrayante que les souvenirs. Elle fit un pas en avant. Il y eut un craquement. Elle avança encore.

⁂

Lorsque Lucie entra dans la cuisine, Jacques, assis à table, buvait du thé.

— J'ai entendu du remue-ménage en haut, dit-elle en se versant une tasse. Je suppose qu'ils préparent leur départ.

— On ne peut pas prétendre que c'était une bonne idée, ces vacances… Et pour couronner le tout, il va encore y avoir une scène avec Jacinthe.

— Ça me paraît inévitable. François voudra qu'elle rentre avec eux et elle refusera. Il ne pourra pas l'emmener de force, mais il ne lui épargnera ni ses jugements ni ses menaces.

Ils burent leur thé en silence, puis Lucie commença de préparer la table du petit-déjeuner. Des pas se firent entendre dans l'escalier, puis Ann et François apparurent.

— On s'en va, dit celui-ci d'un ton rogue.

— Pas avant d'avoir mangé, répondit Jacques. Asseyez-vous.

Il s'exécuta de mauvaise grâce et commanda à sa femme d'aller réveiller Jacinthe.

— On a frappé en passant. Donne-lui le temps de descendre.

— Elle n'a pas répondu. Retournes-y.

Ann obtempéra. Elle revint peu après en disant qu'elle ne l'avait pas trouvée.

— Si elle croit qu'il lui suffit de se cacher, ricana François.

— Tu es sûre qu'elle n'est pas là ? demanda Lucie, alarmée.

— Oui. Et le lit n'est pas défait. J'ai vérifié les autres pièces du haut : elle n'y est pas non plus.

Jacques, déjà, faisait le tour du rez-de-chaussée. Elle n'était nulle part.

— Il manque son manteau et ses bottes, cria Lucie qui fouillait fébrilement la masse de vêtements accrochés dans le vestibule.

Son frère la rejoignit et elle vit dans ses yeux le reflet de sa propre peur. Ils s'habillèrent rapidement et sortirent. Dans la neige fraîche, il y avait des traces de pas. Elles allaient droit au lac. Ils y coururent dans l'espoir qu'elles bifurqueraient pour longer la rive. Elles s'arrêtaient là. Lucie s'accrocha à son frère. Elle ne voulait pas y croire, cherchait une autre explication, n'importe quoi. Contre toute logique, elle dit sur un ton qui suppliait :

— Peut-être qu'il a reneigé. Les marques de pas auront été recouvertes.

Jacques posa son bras sur son épaule. Il lui désigna le trou, bien visible au-dessus du remous. La glace avait déjà recommencé de prendre sur les bords. Dans peu de temps, il n'y aurait plus aucune trace du drame qui s'était déroulé à cet endroit quelques heures plus tôt. Lucie se tut et ils restèrent à fixer l'eau noire qui fumait jusqu'à ce que la voix impatiente de François les oblige à retourner vers le chalet. Il voulait savoir par où elle était partie. Il n'y eut pas de réponse et Ann commença de s'énerver.

— Il faut aller à sa recherche, cria-t-elle. Elle n'a pas de forces, elle est en danger.

Lucie, la gorge nouée de larmes contenues, était incapable de parler. Ce fut à Jacques que revint la tâche de leur dire ce qui était arrivé. Ann refusait la vérité.

— Elle n'a pas pu se noyer : le lac est gelé.

Jacques se força à expliquer :

— À cet endroit-là, la glace est trop mince pour supporter le poids d'un corps.

François, qui pourtant connaissait le lac depuis leur enfance, n'accepta pas l'explication tout de suite :

— Rien ne le prouve. Elle sera allée marcher plus loin pour nous faire peur et nous ennuyer.

— Non, répondit Lucie à qui la colère avait rendu la voix. Les traces de pas s'arrêtent au lac et il y a un trou dans la glace. Elle a choisi de se noyer pour ne pas être enfermée.

— Ce n'est pas vrai ! Tu n'as pas le droit de dire des choses pareilles. Si elle s'est noyée, c'est par accident. Et n'essaie pas de prétendre le contraire !

Lucie lui tourna le dos et alla s'asseoir sur le sofa, le visage caché dans ses mains pour ne plus voir personne. Mais François ne pouvait pas s'en tenir là.

— Si elle a eu cet accident, c'est parce qu'elle était ivre et c'est de votre faute. Vous avez caché son vice à sa famille qui l'aurait soignée. Sans vous, aujourd'hui elle serait vivante.

Ann essayait de le faire taire, mais il était déchaîné.

— Vous l'aurez toute votre vie sur la conscience !

— Parce que ta conscience à toi, elle est nette ? répliqua Lucie.

— Parfaitement.

— Eh bien, tu as tort. C'est toi qui as provoqué son suicide.

— Puisque je te dis qu'elle ne s'est pas suicidée ! hurla-t-il.

Jacques s'interposa.

— Calmez-vous, ça ne sert à rien. Je vais au village prévenir le curé et le maire.

— Je viens, déclara François. C'est à moi de m'occuper des formalités et de l'annoncer à nos parents.

Dans la voiture, il avertit Jacques qu'il n'avait pas intérêt à mentionner l'alcoolisme de sa sœur aux autorités de Saint-Donat ni à sa famille.

— Et ne prononce pas le mot *suicide*.

— Raconte ce qui t'arrange le mieux, je ne dirai rien.

Ils n'échangèrent plus une parole jusqu'au village. Le curé, qui s'apprêtait à leur souhaiter une bonne année, ravala ses vœux en voyant leurs visages. Jacques laissa François présenter l'événement à sa manière. En l'entendant raconter que sa sœur, sujette au somnambulisme depuis son retour de la guerre, était sortie pendant la nuit et qu'ils craignaient qu'elle se soit accidentellement noyée dans le lac, il se promit de ne plus jamais le revoir lorsque tout cela serait terminé.

Pendant que François appelait ses parents, le curé alerta le maire, qui lui-même rameuta quelques voisins. Un petit groupe fut bientôt réuni qui se rendit au chalet des Bélanger.

— Malheureusement, dit le maire en regardant les traces de pas et le trou dans la glace du lac, il n'y a pas de doute.

— Est-ce qu'on a des chances de retrouver le corps ? demanda François.

— Pas avant la débâcle. Il y a déjà quelqu'un qui s'est noyé là. C'était il y a longtemps. Un garçon de mon âge…

Il sembla prêt à raconter l'histoire, mais se ravisa.

— Le courant va l'entraîner vers la décharge du lac, de l'autre côté, où il restera coincé tant qu'il y aura de la glace. Il n'y a rien à faire. Au printemps, on surveillera et on vous avertira.

Jacques les invita à entrer. Lucie et Ann, les mains tremblantes et les yeux rougis, leur servirent à boire sans rien dire. Le curé leur prodigua des paroles de réconfort qu'elles écoutèrent en hochant la tête.

— Je suppose que dimanche prochain vous serez retournés à Montréal, mais sachez que je célébrerai la messe pour le repos de son âme.

Ils le remercièrent, ainsi que le maire et les autres qui étaient venus, et tous repartirent, les laissant seuls avec leur chagrin et leur ressentiment. François était épuisé: pâle, les narines pincées, il semblait sur le point de s'évanouir.

— Tu vas dormir un peu, dit Ann, nous partirons après.

N'ayant pas la force de protester, il se laissa guider jusqu'à la chambre qu'il croyait avoir définitivement quittée.

Ann redescendit et s'assit à côté de Lucie.

— Pour toi, il ne fait pas de doute que c'est un suicide?

— Non.

— Penses-tu vraiment que c'est parce qu'elle avait peur d'être enfermée par sa famille?

— J'aurais mieux fait de me taire. Mais François nous a tellement exaspérés depuis qu'on est arrivés. Et puis là, ce refus de voir la réalité…

— Tu ne m'as pas répondu.

— Tu veux vraiment connaître le fond de ma pensée? Eh bien, oui. Les menaces de son frère ont dépassé ce qu'elle pouvait supporter. Elle aurait peut-être fini par se tuer un jour ou l'autre. On ne le saura jamais.

— Mon Dieu, dit Ann, comment va-t-il pouvoir vivre avec ça quand il le réalisera?

— Le mieux du monde, répliqua-t-elle durement : il ne l'admettra jamais et continuera d'accuser les autres d'en être responsables.

Jacques entra dans le chalet et annonça qu'il avait rangé tout ce qui était dehors.

— On s'occupe de l'intérieur et on fait nos bagages pour partir le plus tôt possible, d'accord ?

Les deux jeunes femmes se mirent au travail ensemble sans plus échanger un mot. Elles vidèrent les placards et rechargèrent les coffres des voitures avec le ravitaillement qui avait été destiné à les nourrir une semaine durant. Chacune s'activait, perdue dans ses pensées noires. Lucie savait qu'elle avait été trop dure avec Ann. La jeune Anglaise était attachée à son mari malgré ce qu'il lui faisait subir, et elle l'avait blessée en portant sur François un jugement sans appel. Mais elle était trop en colère pour être capable de faire un mensonge poli. Elle avait tellement espéré sauver Jacinthe… Et voilà qu'en l'accablant, il l'avait conduite à penser qu'elle ne pouvait rien faire d'autre que mettre fin à ses jours. Elle ne pouvait ni l'accepter ni le pardonner.

⁂

Faute de corps pour que cela se déroule selon le rituel, la veillée funèbre réunit la famille et les proches au domicile des Ménard. Ce fut terrible. Louise, qui ne parvenait pas à accepter la disparition de sa fille, avait d'abord dit que Jacinthe était sans doute partie ailleurs. Elle allait donner de ses nouvelles. François lui rappela le trou dans la glace.

— Mais c'est peut-être un animal qui l'a fait.

— Il y avait les traces de ses bottes qui allaient de la maison au lac.

Quoi qu'il dise, elle ne voulait pas admettre que ce pût être une preuve, répétant que tant qu'on ne l'avait pas retrouvée, il ne fallait pas perdre espoir. Sa petite fille n'avait pas pu mourir ainsi, si jeune, avant même d'avoir vécu. Elle avait peut-être marché dans la forêt où elle s'était perdue. Elle s'énerva soudain : avaient-ils fait des recherches pour la retrouver ? Elle risquait de geler. François, avec un peu moins de patience, reprit ses explications. Alors, elle imagina un autre scénario : Jacinthe s'était enfuie avec un amoureux. Elle n'en avait parlé à personne de crainte qu'il ne leur plaise pas. François perdit son sang-froid et se mit à crier qu'il ne servait à rien de se raconter des contes de fées : Jacinthe ne reviendrait pas parce qu'elle était morte. Elle s'était noyée dans le lac. Même si on n'avait pas trouvé son corps, les preuves matérielles étaient formelles. Monsieur Ménard s'interposa en le priant d'avoir la décence de parler correctement à sa mère, et il s'enferma dans un silence hostile tandis que Louise, désarçonnée d'être privée de l'interlocuteur qu'elle essayait de convaincre, en cherchait un autre. Les êtres affligés qui l'entouraient ne pouvant lui apporter que de la compassion, pas de l'espoir, elle dut finir par accepter la vérité. Alors, il lui fallut accuser quelqu'un.

Elle se tourna vers Jacques.

— Pourquoi ne l'as-tu pas avertie qu'à cet endroit la glace était fragile ?

C'était justement parce qu'il lui en avait parlé que Jacinthe s'était rendue là, mais il ne le dit pas. Si Louise devinait que sa fille s'était suicidée, elle se reprocherait de ne pas l'avoir aidée. Elle était déjà bien assez malheureuse.

— Réponds, Jacques ! C'est de ta faute : tu ne l'as pas protégée. Tu savais pourtant qu'elle t'aimait.

Cette accusation le bouleversa d'autant plus qu'il s'était dit la même chose et se sentait coupable de ne pas avoir su donner à Jacinthe le goût de vivre. Lucie, le voyant livide, lui prit le bras.

— Allons-nous-en.

Tandis qu'ils partaient, monsieur Ménard vint les rejoindre.

— Je t'en supplie, Jacques, pardonne-lui. Elle est tellement malheureuse qu'elle dit n'importe quoi. Le docteur Vermette s'occupe d'elle. Vous viendrez au service demain, n'est-ce pas ?

Lucie promit et Jacques, incapable de prononcer un mot, hocha simplement la tête.

Le lendemain, après la messe funèbre, les nombreux assistants défilèrent devant les parents Ménard, François et Ann pour leur présenter leurs condoléances. Lucie, Jacques et leur mère allaient se mettre dans la file lorsque le bedeau vint leur dire de la part de François qu'il valait mieux qu'ils s'abstiennent. Ils en furent bouleversés, surtout Julienne qui n'y comprenait rien. Ses enfants la reconduisirent chez elle et lui apprirent la vérité. Puis Jacques s'en alla, laissant Lucie et sa mère passer la journée ensemble, à pleurer Jacinthe, rejointes plus tard par Irène, venue saluer madame Bélanger en rentrant de Québec et que la nouvelle consterna.

Lucie se reprochait de ne pas avoir sauvé Jacinthe, et les dénégations de sa mère et de son amie ne parvenaient pas à alléger sa culpabilité.

— Peut-être que François a raison : il aurait fallu l'interner et la soigner.

— Elle ne le voulait pas, répliqua Irène, puisque c'est cette menace qui l'a poussée à passer à l'acte.

— Mais je n'ai pas su l'empêcher de boire.

— Tu lui as donné ta compréhension et ton amitié. Tu ne pouvais rien faire de mieux.

Sans doute disait-elle vrai. Il lui faudrait pourtant du temps pour l'accepter.

Elle se jeta à corps perdu dans ses études pour repousser le chagrin et le remords, qui étaient toujours là, prêts à resurgir. Jacques, avec qui elle en parla souvent par la suite, ressentait la même chose.

— J'ai pensé à l'épouser, disait-il, mais j'ai cru que cela ne l'aiderait pas. Je n'avais que de l'affection à lui offrir, ce qui n'aurait pas suffi à la rendre heureuse. J'ai peut-être eu tort.

Même s'il ne servait à rien de se torturer ainsi, ils y revenaient toujours. Leurs liens avec la famille Ménard étaient coupés. Ils avaient des nouvelles par leur mère, que Louise continuait à fréquenter de loin en loin.

— Ça lui fait de la peine de me voir, avait-elle expliqué à Lucie, parce que ma présence lui rappelle que moi, j'ai toujours ma fille. Et j'ai aussi un fils en bonne santé. François ne va pas mieux et il est difficile à vivre. Ann a renoncé à travailler à l'hôpital. Chez eux, plus personne ne sourit jamais.

⁂

Richard était revenu au début de l'été 1946. Comme beaucoup de journalistes, il avait quitté Nuremberg à la fin du mois de juin même si les plaidoiries n'étaient pas encore terminées. Les délibérations du jury qui suivraient dureraient vraisemblablement plusieurs semaines et il retournerait brièvement en Allemagne pour l'énoncé du verdict. Les vacances venaient de commencer. Jacques était parti en France faire une sorte de pèlerinage à Fontsavès et Lucie, pour rendre à Richard son appartement qu'elle occupait, s'était installée chez son frère en attendant de trouver une solution à long terme. Elle avait accompagné Jacques à la gare où il avait pris le train pour New York. De là, un bateau lui ferait traverser l'Atlantique jusqu'au Havre et ensuite, il reprendrait le train pour Paris, puis Toulouse et finalement Fontsavès. Après son départ, elle était restée sur place devant un café, à attendre le train qui, le même jour, ramenait Richard.

Ces retrouvailles, elle les souhaitait et les redoutait en même temps. Il avait fallu qu'il annonce son retour pour qu'elle se décide à lui raconter – dans son esprit, le terme qui venait spontanément était *avouer* – la relation qu'elle avait eue avec Edmond. La rupture datait de presque un an et la liaison, qui avait été assez officielle pour déboucher sur des fiançailles, avait également duré pratiquement une année: au total, deux ans de mensonges, même s'ils étaient par omission. Elle avait d'abord commencé sa lettre ainsi: *Avant que tu rentres, il faut que je t'apprenne un épisode déplorable de ma vie*. Mais elle avait achoppé sur le mot déplorable. Cette histoire s'était terminée de la plus pitoyable façon; elle ne pouvait cependant pas renier le bonheur qu'elle avait eu avec Edmond, même s'il était fondé sur une méconnaissance de son véritable caractère. Elle se devait d'être tout à fait honnête. À la place, elle écrivit: *Maintenant que le temps a passé et que je suis capable d'en parler avec détachement, je peux te faire le récit des quelques mois d'illusion pendant lesquels j'ai cru trouver l'homme avec qui partager ma vie.* Dès la lettre envoyée, elle en avait regretté la formulation. *Illusion* convenait, pas *l'homme avec qui partager ma vie.* Elle avait été maladroite. Et surtout, elle avait été sotte de ne pas le lui avoir dit avant, bien avant, quand elle le vivait. Pourquoi ce silence? Ses arguments de l'époque étaient qu'elle ne voulait pas lui faire de la peine – elle avait pourtant rompu et ils étaient libres tous les deux – et qu'elle souhaitait garder son histoire pour elle – mais tout le monde était au courant, puisqu'il y avait eu les formalités de mariage et la fête de fiançailles. En réalité, et ce n'était pas à son honneur, elle avait préféré conserver Richard en réserve, ce qu'il ne manquerait pas de comprendre à la lecture de sa lettre. C'était ce qu'elle avait fini par admettre, dans cette gare où elle était en proie aux affres de l'attente. Elle aurait tant voulu effacer tout cela pour retrouver le Richard d'avant son départ pour l'Italie, le Richard prêt à l'aimer, qui se préparait sans doute à la repousser alors qu'elle avait enfin compris à quel point il lui était cher.

Richard avait toujours eu les bons mots pour la réconforter. Après le suicide de Jacinthe, elle avait ressassé sa culpabilité pendant des semaines. Maintenant encore, même si elle n'en était plus aussi obsédée, elle ne passait pas une journée sans se dire qu'elle s'y était mal prise, qu'elle aurait dû trouver un moyen de l'aider: dans un premier temps, insister pour lui faire rejoindre les Alcooliques Anonymes et ensuite, si cela n'avait pas marché, la forcer à consulter un médecin. Elle n'allait pas jusqu'à penser, comme François, qu'il aurait fallu l'enfermer, mais peut-être avait-elle eu tort de cacher son état à ses proches. La rupture imposée par la famille de Jacinthe qui, en agissant ainsi, la traitait en meurtrière, ajoutait son poids de chagrin à la perte de son amie. Elle n'en parlait plus à Jacques, ne voulant pas raviver ses remords de ne pas avoir répondu aux attentes de la jeune femme. Il était clair pour Lucie que Jacques n'était en rien coupable du suicide de Jacinthe. Peut-être en était-il de même pour elle ? Elle n'arrivait pas à s'en convaincre.

Lettre après lettre, avec une patience et une empathie inaltérables, Richard lui avait répété que Jacinthe était une adulte responsable. C'est en elle-même qu'il lui aurait fallu trouver la force de vivre. Lucie avait fait tout ce que pouvait une amie attentive. Ce qui était arrivé était la faute de la guerre qui broyait les individus. Certains étaient capables d'y survivre, d'autres, comme Jacinthe, étaient trop fragiles pour cela.

Les lettres hebdomadaires de Richard l'avaient aidée, ainsi que l'amitié d'Irène et celle de Denise. Comme Richard, Irène l'assurait qu'elle n'aurait rien pu faire de plus et Denise l'entraînait dans ses indignations et ses combats, une excellente façon de la détourner de son obsession. Il n'était pas de semaine sans que la juriste s'enflamme contre un article de journal ou une décision de Québec. Que le gouvernement de l'Union nationale et son premier ministre Maurice Duplessis ne soient pas favorables à l'émancipation des femmes était le moins que l'on pût dire. Or Duplessis était très populaire et très écouté, surtout depuis la rencontre fédérale-provinciale où il avait eu l'audace de présenter un mémoire de neuf mille mots en français pour exprimer son désaccord. Même s'il n'avait rien obtenu de tangible, il était désormais perçu comme le grand *défenseur des droits de la province.* Il était difficile pour Denise d'exercer une activité professionnelle traditionnellement réservée aux hommes, alors que tout le discours ambiant visait à maintenir les femmes dans leur rôle de mère et d'épouse au foyer et à les convaincre que c'était la meilleure chose qu'elles pouvaient souhaiter. Elle parvenait à survivre, n'ayant, par choix ou par nécessité, que peu de besoins. Le divorce auquel Lucie et Jacinthe avaient apporté leur concours n'était pas réglé, ces sortes d'affaires étant toujours longues, mais le dossier prenait bonne tournure et Denise avait espoir d'obtenir satisfaction pour sa cliente. Tant que cette affaire durait, elle lui procurait une source non négligeable de revenus, car les autres femmes qu'elle défendait étaient le plus souvent impécunieuses.

Denise ne se décourageait jamais, d'autant moins qu'elle était portée par son engagement dans le dossier des droits civils des femmes. Elle faisait partie d'un comité qui rassemblait quelques avocates. Ces militantes faisaient leur possible pour que tout un chacun en entende parler afin de contrer la stratégie gouvernementale qui tendait à faire traîner les choses en longueur dans l'espoir d'épuiser leur combativité. C'était mal les connaître.

L'heure du train de Richard approchait. Lucie était de plus en plus nerveuse. Elle prenait et reposait sans le lire l'exemplaire de *La Revue populaire* dont elle s'était munie pour l'aider à patienter. Elle avait commencé un article dont les mots alignés lui apparaissaient dépourvus de sens. Incapable de se concentrer, elle vérifiait compulsivement son maquillage dans le miroir du poudrier. Son nez lui sembla briller un peu et elle lui donna un coup de houppette. Son rouge à lèvres n'avait ni débordé ni taché les dents. Ses cheveux châtain clair, qui avaient pris des reflets blonds avec le soleil, ondulaient en vagues soigneusement brossées. Elle portait une robe d'été fleurie dont le ton dominant était du même bleu que ses yeux. Très ajustée au corsage, serrée à la taille, elle lui faisait une belle silhouette que les sandales à hauts talons affinaient. Elle ne pouvait pas faire mieux, mais n'était pas plus confiante pour autant.

Lorsque le train fut annoncé, elle se leva précipitamment, oubliant le magazine sur la table, et courut vers le quai comme s'il y avait un risque de manquer l'arrivant alors que le convoi n'était pas encore en gare. Elle se tint un peu en retrait pour ne pas être perdue dans la foule : quand il la chercherait du regard, il la repérerait plus facilement. Elle pensa fugitivement à la dernière fois où elle était venue accueillir quelqu'un et eut un accès de chagrin, car il s'agissait de Jacinthe. Le visage égaré de la jeune femme, son incapacité à s'arracher un sourire, sa panique face aux manifestations de tendresse de sa mère, tout annonçait le dénouement à venir que personne n'avait pourtant su prévoir ni empêcher. Ce jour-là, beaucoup d'uniformes descendaient du train. L'enthousiasme et les larmes de bonheur étaient la norme : c'étaient encore des retours de guerre. Presque un an plus tard, il n'y avait plus que des voyageurs ordinaires. On assistait bien à quelques bruyantes retrouvailles, mais l'ensemble était plus pondéré.

Richard apparut sur le marchepied d'un wagon, élégant, semblable à lui-même. Lucie agita le bras pour attirer son attention puis s'aperçut que tout le monde en faisait autant. Il lui aurait fallu se faufiler jusqu'à lui ; ses jambes, soudées au sol, l'en empêchaient. L'appréhension la ravageait. Il finit par la voir et se dirigea vers elle.

— Bonjour, Lucie, dit-il en déposant un baiser sur sa joue. Tu as l'air très en forme.

Le ton était donné. Pas d'émotion, pas de joie excessive : juste le plaisir de revoir une camarade.

— As-tu fait bon voyage ?

— Raisonnablement. Quelques retards, quelques inconforts. Enfin, je suis arrivé, c'est ce qui compte.

Elle le précéda jusqu'à l'automobile de Jacques.

— Mon frère m'a prêté sa voiture. Si tu en as besoin pendant ton séjour, n'hésite pas. Il m'a recommandé de te le dire. À son arrivée, il a habité chez toi et serait content de te rendre service en retour.

Pendant le trajet, ils eurent une conversation anodine et, parvenus à la maison de la rue Sherbrooke, ils se quittèrent devant la porte de Richard, qui laissa Lucie monter à l'appartement de Jacques en se contentant de la remercier d'être venue le chercher à la gare et sans lui proposer qu'ils se revoient.

La déception était rude. Pour essayer de penser à autre chose, elle entreprit de ranger la chambre qu'elle allait occuper. Ses affaires n'avaient été déménagées que quelques heures auparavant et elle s'était contentée de les entasser. L'appartement était semblable à celui qu'elle venait de quitter et elle eut l'impression étrange d'être à la fois ailleurs et au même endroit.

Elle laissa dans les cartons ses livres de droit et ses notes de cours. Elle n'en avait pas besoin dans l'immédiat et elle comptait trouver assez vite son propre logement.

Elle finissait de placer ses vêtements dans la penderie quand on frappa à la porte. Elle espéra que c'était Richard. C'était lui. Il portait une brassée de linge et elle se souvint qu'elle l'avait oubliée sur la corde de la cour arrière. Heureusement qu'elle avait pensé aux sous-vêtements qui avaient séché dans la salle de bains !

— C'est sec, dit-il en le lui tendant.

Elle le prit en s'excusant:

— Je l'ai complètement oublié. Je suis désolée.

Alors, la nervosité qu'elle avait ressentie toute la journée, sa peine, due au fantôme de Jacinthe qui avait été ce jour-là plus présent que d'habitude et à l'indifférence de Richard, tout cela conjugué se traduisit par une crise de larmes qu'elle n'avait pas sentie venir et qu'elle fut incapable d'endiguer. Elle pleurait à gros sanglots en répétant :

— Je suis désolée. Je suis tellement désolée.

Richard lui tendit un mouchoir et demanda :

— Tu ne crois pas que c'est beaucoup de larmes et de désolation pour quelques robes oubliées sur une corde à linge ? À moins que tu sois désolée pour une autre raison ? Parce que tu es une menteuse, par exemple ?

Et il la planta là.

Dans les jours qui suivirent, Lucie ne revit pas Richard. Elle se demandait s'il était seulement en train de bouder ou s'il avait décidé de cesser toute relation avec elle. Elle eut beau s'exercer à la patience, il vint un moment où elle n'y tint plus et, munie du dérisoire prétexte de lui rendre son mouchoir, elle alla frapper à sa porte. Elle savait qu'il était là pour l'avoir vu arriver par la fenêtre et attendit avec anxiété qu'il lui réponde. Quand il la découvrit sur le palier, son visage se durcit. Il prit le mouchoir qu'elle lui tendait sans proférer un mot. Elle n'avait plus qu'à s'en aller, mais ne parvenait pas à repartir ainsi. D'une voix altérée, elle lui demanda s'ils ne pouvaient pas être amis.

— Je croyais qu'on l'était, répondit-il sèchement.

— Il faut me comprendre, plaida-t-elle: je ne savais pas comment en parler. Et ensuite, c'était du passé.

— Ma confiance en toi est aussi du passé. Trouve quelqu'un d'autre pour te comprendre.

Si elle ne parvint pas à se faire une raison, elle cessa cependant d'essayer de provoquer une rencontre avec Richard. Pour s'occuper, elle se mit en quête d'un appartement. Ce n'était pas plus facile que deux ans auparavant lorsqu'elle voulait quitter ses parents: il y en avait peu de disponibles, et ceux qui l'étaient se révélaient sordides ou trop chers. Malgré cela, elle ne paniquait pas: même si elle n'en avait pas trouvé un au retour de Jacques, ce ne serait pas grave, car elle pourrait cohabiter quelque temps avec lui. Quand elle en avait assez d'arpenter les rues et de visiter des taudis infestés de coquerelles, elle passait chez Denise. Son amie l'accueillait gentiment, lui racontait ses causes, l'informait de l'avancement du dossier du Code civil. Puis elle finissait par poser la question:

— Alors, tu l'as revu?

— On s'est croisés dans l'escalier.

— Il t'a parlé?

— Non.

Parce que Lucie, qui n'en pouvait plus de ressasser sa déception toute seule et n'avait personne d'autre à qui se confier, lui avait raconté ses déboires avec Richard. Son amie ne lui avait pas mâché ses mots.

— À quoi t'attendais-tu? Il s'est senti vexé, trompé, humilié… À mon avis, tu n'as rien à espérer.

Elle espérait quand même elle ne savait quel miracle.

— Tu ferais mieux de renoncer. Tu es assez jolie pour en trouver un autre quand tu voudras.

— Et toi, tu n'as personne dans ta vie? avait-elle un jour demandé.

— Non.

Comme sa réponse avait sonné un peu sèchement, Denise l'étoffa:

— J'ai le travail et le militantisme, ça me suffit. Je n'ai pas envie de m'encombrer de complications sentimentales.

Lucie se le tint pour dit et n'en reparla pas.

⁂

À la fin du mois de juillet, Montréal devint invivable: l'atmosphère était lourde, humide, poisseuse. Parfois un orage éclatait, déversant sur la ville des trombes d'eau qui ne la rafraîchissaient pas vraiment: dès que l'asphalte avait séché, ce qui ne tardait pas, il faisait aussi chaud qu'avant la pluie. Dans ces conditions, il était très difficile de dormir. Lucie avait l'impression d'être entrée en léthargie. Elle se traînait jusqu'au parc Lafontaine avec un livre ou un magazine, passait des heures à l'ombre d'un érable puis revenait étouffer dans l'appartement. Il eût été agréable d'être à Saint-Donat, où elle n'était pas retournée depuis le jour de l'An. Seulement, elle n'était pas prête à le faire.

Jacinthe avait été retrouvée lors de la fonte des glaces comme on le leur avait annoncé. Jacques s'était rendu sur les lieux en compagnie de monsieur Ménard. Le maire leur avait évité l'identification du corps, se contentant de leur montrer le manteau et l'écharpe qu'on avait ôtés à la noyée. Même si le long séjour dans l'eau avait abîmé les vêtements, Jacques les reconnut. François n'était pas là, son père s'y étant opposé, comme il l'avait expliqué à Jacques lors de la conversation qu'ils avaient eue pendant le trajet, en raison de son manque de compassion envers sa sœur, qu'il ne comprenait pas, pas plus que sa rancune à l'encontre des Bélanger. Jacques ne lui fournit aucune explication et monsieur Ménard n'en demanda pas, se contentant de regretter que son fils ne le fréquente plus.

François allait un peu mieux, mais sa santé était encore trop précaire pour envisager des études ou un établissement. Même si monsieur Ménard avait pudiquement évité de parler de son comportement, Jacques avait compris à demi-mot qu'il leur menait la vie dure.

— Si François et Ann avaient un enfant, nous aurions de nouveau une raison de vivre…

Lucie, Jacques et leur mère s'étaient rendus au service funèbre, accompagnés d'Irène et de Simone, qui avaient elles aussi connu Jacinthe. Le prêtre qui célébrait avec pompe l'office des morts, la draperie recouvrant le catafalque qui chatoyait à la lueur des cierges, l'abondance des fleurs blanches, les voix du chœur, tout concourait à faire de cette cérémonie un moment d'émotion et de beauté. Mais qui, dans l'assistance, pouvait oublier l'état du corps qui trônait au milieu de l'église après avoir séjourné plusieurs mois dans l'eau ? Certainement pas Lucie. Elle essayait de convoquer ses souvenirs de Jacinthe belle et heureuse. Ils ne pouvaient pas lutter contre des images qui la menaient au bord de la nausée.

Les Bélanger étaient restés à l'arrière de l'église pour ne pas infliger à la famille une présence qu'elle ne souhaitait peut-être pas. Néanmoins, après la cérémonie, monsieur et madame Ménard étaient allés les remercier d'être venus. Ann s'était jointe à eux pendant que François demeurait en retrait, hostile, le visage buté. Louise avait serré Lucie dans ses bras en disant : *Elle t'aimait tellement.* Elle n'avait pu continuer, étouffée par les larmes. En l'embrassant, Ann lui avait chuchoté : *Je suis sûre que tu as fait tout ce que tu as pu, ne te reproche rien.* Ann, malgré sa vie difficile, était restée telle qu'elle avait toujours été : généreuse et prête à comprendre les autres.

De retour chez elle, Lucie avait longuement écrit à Richard pour lui confier sa détresse et il lui avait fait une réponse pleine de mots justes. Comme chaque fois qu'elle en avait besoin.

La tristesse d'avoir perdu Richard accompagna Lucie tout l'été. Alors que plus rien entre eux n'était possible, elle avait enfin réalisé que c'était lui l'homme qui l'aurait rendue heureuse. Aussi aveugle que Scarlett, l'héroïne d'*Autant en emporte le vent* à qui elle s'était identifiée lorsqu'elle était plus jeune, elle l'avait compris trop tard.

À la mi-août, un jour où ils se croisèrent dans l'escalier, Richard s'arrêta pour lui parler au lieu de se contenter de l'habituelle salutation froide et polie. C'était pour lui annoncer qu'il repartait en Europe le lendemain et qu'il y resterait, car son agence de presse l'avait nommé correspondant permanent à Londres. Si elle le voulait, l'appartement était à elle, il lui suffirait de le confirmer au propriétaire qui était d'accord. Après son départ, un marchand de mobilier d'occasion avec qui il s'était entendu viendrait enlever ses affaires. Elle pourrait s'installer dans ses propres meubles. Lucie, sous le choc, balbutia un remerciement et allait s'engager dans l'escalier lorsqu'il lui proposa :

— Ce soir, des amis organisent une fête pour mon départ. Veux-tu être ma cavalière ?

Trop sidérée pour répondre, elle resta muette. Regrettant son impulsion, il fit aussitôt machine arrière :

— Oublie ça, c'était une mauvaise idée.

Avant qu'il ne referme sa porte, elle parvint à dire qu'elle l'accompagnerait avec plaisir.

— Dans ce cas, je viendrai te chercher à huit heures.

Elle remonta et passa le reste de la journée dans la fièvre, déterminée à tirer le meilleur parti possible de ses atouts. Le mieux eût été d'aller chez le coiffeur ; elle n'en avait pas le temps. Après avoir appliqué sur son visage un masque à l'argile, elle entreprit de rouler ses cheveux. Les bras en l'air, une mèche dans une main et un bigoudi dans l'autre, elle s'immobilisa soudain, frappée par une réminiscence qui lui coupa le souffle comme un coup de poing à l'estomac. Jacinthe. Elles s'étaient tant de fois apprêtées ensemble, riant du fait que le masque les rendait semblables à des jumelles. Lucie roulait la chevelure courte de Jacinthe qui ensuite lui tressait ses longs cheveux en couronne. Des larmes coulèrent sur ses joues creusant deux sillons dans l'argile. Elle finit sa mise en plis sans entrain. À quoi bon essayer de séduire Richard qui s'en allait demain pour plusieurs années ?

En raison peut-être de sa joie de partir, il fut aimable et prévenant, se prétendant fier d'avoir à son bras la plus belle femme de la soirée. Elle put constater en arrivant au club où se déroulait la fête qu'il y en avait d'autres et de plus jolies qu'elle, mais c'était vrai qu'elle n'était pas mal. Les amis de Richard étaient des journalistes, reporteurs et photographes de presse ; la plupart des femmes présentes, parmi celles qui n'étaient pas des épouses, travaillaient aussi dans le milieu, surtout à titre de secrétaires ou de réceptionnistes, également de journalistes, pour un petit nombre d'entre elles. Il n'y avait cependant pas de reportrices. Elle-même ne l'avait été qu'accidentellement et le talent dont elle avait fait preuve n'avait pas compté. D'ordinaire, elle évitait d'y penser, sachant que les regrets ne servent à rien. Là, elle retrouvait l'atmosphère qu'elle avait connue en Italie et elle dut boire deux martinis coup sur coup pour chasser la nostalgie. Elle n'avait pas l'intention de s'enivrer, elle avait juste besoin d'un peu d'aide pour franchir la soirée. En la voyant avaler le deuxième, un homme qu'elle n'avait pas remarqué l'avertit :

— Eh, doucement ! Si vous buvez à ce rythme, vous allez finir à quatre pattes.

C'était Trudelle, son ancien patron de la *Presse canadienne*. En se reconnaissant, ils furent aussi surpris l'un que l'autre.

— Vous fréquentez toujours Morin ? lui demanda-t-il.

— Plus pour longtemps, puisqu'il part demain.

Elle avait mis dans sa voix une amertume qu'elle aurait préféré ne pas exprimer. L'éclair mesquin dans le regard de son vis-à-vis lui prouva que cela ne lui avait pas échappé.

— C'est vrai, se fit-il un plaisir de répondre, il y tenait beaucoup.

— …

— Et vous, qu'est-ce que vous faites ? Vous avez un emploi ?

— Je viens de finir ma première année de droit.

Il hocha la tête.

— Je vois: vous avez trouvé une autre façon de vous comporter comme un homme.

— Les femmes sont aussi capables que les hommes de faire les métiers qu'on leur interdit. Je vous l'ai prouvé, non?

Il regarda Richard qui parlait avec animation à l'autre bout de la salle et se tourna de nouveau vers elle.

— Il semble que les hommes ne veuillent pas de ces femmes-là dans leur vie.

L'ordure! Lucie avait envie de déverser sur lui un tonneau d'injures. Mais il aurait été trop content qu'elle réagisse de manière épidermique et elle se contrôla. Sans trop de mal, au demeurant: l'armée et l'université lui en avaient donné l'habitude.

La voix maîtrisée, elle répliqua:

— Ça tombe bien: ces femmes-là ne veulent pas d'hommes incapables de les apprécier à leur juste valeur.

Et elle s'en alla vers Richard qui lui faisait signe. Il l'entraîna sur la piste de danse où ils évoluèrent en silence. Les paroles de Trudelle résonnaient encore dans sa tête; elles n'étaient pas fausses, elle le savait. Rares étaient les hommes prêts à accepter que leur femme ait une vie en dehors du foyer. Il y avait les époux des militantes de la Ligue, comme le père de Gisèle et quelques autres. Et il y aurait eu Richard.

Ce fut lui qui engagea la conversation.

— Je t'ai vue parler avec Trudelle. C'était intéressant?

— Très: il m'a demandé ce que je devenais et, quand il l'a su, il m'a informée de ce que les hommes pensent des femmes qui se comportent comme eux.

Il éclata de rire.

— Toujours subtil et ouvert au progrès, le père Trudelle.

— Je ne comprends pas comment il a pu accepter de m'envoyer en Italie.

— Il était mal pris. Et puis tu avais des photos convaincantes.

— Les tiennes.

— Ce que tu as fait par la suite a été du même niveau.

— Merci, tu es généreux.

Gêné, il changea de sujet.

— As-tu des nouvelles de ton frère ?

— Oui et non : j'ai reçu une carte de Toulouse disant que tout allait bien, ce qui ne signifie rien, à part qu'il est arrivé à bon port. À l'heure actuelle, il doit être sur le chemin du retour puisqu'il sera ici dans une semaine.

Ce chapitre épuisé, elle le questionna sur son mandat à Londres.

— En fait, je suis basé en Angleterre, mais je suis correspondant pour toute l'Europe. J'irai d'abord à Nuremberg entendre la lecture du verdict et ensuite, là où ce sera nécessaire.

— Un travail intéressant.

— Très intéressant.

Ils étaient de nouveau à court de sujets et continuèrent d'enchaîner les danses sans plus parler. Au début, leurs corps étaient tendus, comme l'avait été leur conversation ; peu à peu, ils se décontractèrent et Lucie, qui se sentait bien dans ses bras, était consciente que c'était également vrai pour lui. Quand l'orchestre faisait une pause, ils allaient au bar où les amis du reporteur voulaient tous lui offrir à boire avant son grand départ. Lorsqu'ils rentrèrent rue Sherbrooke, ils étaient un peu gris.

Il y eut un flottement devant la porte de Richard.

— Demain, tu pars le matin ? demanda-t-elle.

— Oui. Très tôt. J'ai commandé un taxi pour cinq heures.

— Dans ce cas, je te souhaite un bon voyage.

— Merci.

Elle lui tendit la main, qu'il prit. Il eut une hésitation, puis se pencha vers sa joue. Elle eut alors un élan vers lui et soudainement, ils se retrouvèrent enlacés, l'accolade amicale transformée, comme à leur corps défendant, en baiser passionné. Tout en continuant de l'embrasser, il fouilla dans ses poches d'où il sortit la clé de l'appartement. Toujours soudés l'un à l'autre, ils allèrent jusqu'à la chambre, arrachèrent leurs vêtements et firent l'amour avec une frénésie proche du désespoir. Puis Lucie posa sa tête sur la poitrine de Richard et, bercée par les battements de son cœur, tandis qu'il caressait doucement ses cheveux, elle s'endormit.

Quand elle s'éveilla, elle était seule dans le lit et elle se souvint qu'après l'unique nuit passée avec lui, plus de deux ans auparavant, sa première nuit avec un homme, il n'était pas là non plus, et qu'elle avait rougi de confusion en le voyant entrer nu dans la chambre. Elle souriait à ces souvenirs lorsqu'elle réalisa qu'il faisait grand jour. Elle se précipita à la salle de bains, qu'elle trouva vide, et fit le tour de l'appartement, vide aussi. Richard était parti sans la réveiller, sans lui dire au revoir. Mais il avait dû laisser un mot: il ne pouvait pas l'avoir quittée ainsi après ce qu'ils venaient de vivre. Il y avait effectivement un message. Posé en vue sur la table de la cuisine, il disait: *N'oublie pas que le marchand de meubles arrive à deux heures. Bonne chance dans tes études. Richard.* Elle eut l'impression de tomber dans un abîme.

⁂

Pour occuper la semaine qui précéda le retour de Jacques, Lucie entreprit de meubler l'appartement qui était désormais le sien et qu'elle avait l'impression de ne pas reconnaître maintenant qu'il était vide. Elle l'avait déjà habité un an et demi, d'abord comme un lieu de transition avant de se marier et ensuite, avant… avant quoi? Il était temps de s'installer, d'accepter que c'était chez elle et qu'elle allait vivre là. Seule. Elle commença par le repeindre entièrement. Cela lui prit plusieurs jours et la fatigua assez pour que le soir elle s'endorme comme une masse. Puis elle téléphona à sa mère et celle-ci, lui confirmant que le grenier recélait largement de quoi meubler son appartement, l'invita à venir faire son choix. Contrairement à Denise, qui n'avait trouvé que des vieilleries dans celui de sa famille, Lucie découvrit de belles pièces ayant appartenu à ses grands-parents. Julienne lui expliqua que tout était là depuis son mariage. Lorsque sa mère leur avait laissé la maison pour occuper ce qui était maintenant le logement d'Irène, seule une petite partie du mobilier avait pu être utilisée. Le jeune couple s'étant meublé de neuf, le reste avait été relégué au grenier.

— Je trouve étrange de te voir choisir ceux que je détestais le plus, dit-elle à sa fille. Pour moi, ils représentaient la vie de ma mère, et j'avais hâte de vivre la mienne.

Elle eut un petit rire triste et Lucie enchaîna aussitôt:

— Y aurait-il aussi des tentures quelque part?

— Oui. Il suffit de les trouver. Elles doivent être dans un de ces coffres.

Elles eurent la chance de les découvrir dans le premier qu'elles ouvrirent. Quand elles les eurent étalées, elles les regardèrent avec consternation.

— Tout cela ne vaut plus rien, décréta Julienne: c'est vieux, mité et ça sent la poussière.

— Dommage: c'étaient de beaux tissus.

— Ce n'est plus le cas, trancha-t-elle. On se lave les mains et on part en expédition: je t'offre des rideaux neufs.

Lucie allait protester, mais elle comprit que cela faisait plaisir à sa mère et elle accepta. Il fallut ensuite les coudre, ce qu'elles firent ensemble, sous l'érable du jardin, monsieur Bélanger installé à proximité de sa femme afin qu'elle puisse veiller sur lui, Lucie légèrement détournée pour ne pas le voir. Un homme de peine descendit les meubles du grenier que Simone épousseta et cira avant qu'ils ne soient transportés rue Sherbrooke.

Il y avait une belle table ronde qu'elle utiliserait lorsqu'elle inviterait des amis et une table rectangulaire qui irait très bien dans un angle de la cuisine. Elle avait également trouvé une bergère un peu fanée et un sofa assorti sur lesquels elle poserait des jetés de couleurs vives. Le mobilier de la chambre en bois sombre lui plaisait moins, mais les rideaux et le dessus-de-lit qu'elle avait choisis le rendraient moins austère. Ce qu'elle aimait le plus, c'était les bureaux. Elle n'avait pas pu résister au délicieux secrétaire en bois de rose, dont elle savait qu'elle ne se servirait pas, car il était trop petit. C'était le genre de meuble que les femmes d'autrefois utilisaient pour rédiger leur courrier. Sa grand-mère avait dû s'y asseoir pour écrire des cartes de vœux, des invitations, des condoléances. Elle le placerait dans le salon où il mettrait une touche de raffinement. L'autre bureau, vaste, massif, muni de tiroirs, serait idéal pour travailler.

— C'était le bureau de mon père, avait dit Julienne. Quand je le voyais assis là, je n'osais pas l'approcher tellement il était sérieux et sévère.

Après la mort de Jacinthe, les Ménard avaient envoyé leur bonne récupérer ses affaires, mais Lucie n'avait pas réutilisé la chambre, car elle avait du mal à entrer dans ce lieu associé à tant d'images de son amie qui étaient toutes douloureuses. Maintenant que les meubles de Richard avaient disparu et que les murs avaient changé de couleur, elle pouvait s'y installer de nouveau. Outre le bureau de son grand-père, elle avait placé dans cette pièce deux bibliothèques fermées par des portes vitrées et un fauteuil. Cet endroit serait uniquement consacré à l'étude, elle n'y mettrait pas de lit d'appoint.

Quand tout fut en place, elle en fit le tour et se dit avec satisfaction que c'était devenu un lieu sans passé. Ce qui était faux puisque seuls les rideaux étaient neufs, mais le passé qui était là n'était ni son passé avec Richard ni celui avec Jacinthe, et c'était ce qui importait. Ces objets, au contraire, la rattachaient à des souvenirs heureux: à sa grand-mère, qu'elle avait tant aimée, et à certains épisodes de sa vie dont témoignaient les photos qui ornaient les murs.

Elle les avait soigneusement choisies puis encadrées après les avoir développées et agrandies sous l'œil inquisiteur de Giuseppe. Il trouvait suspecte cette rage de s'installer et de décorer un lieu qu'elle occupait depuis longtemps. Elle prétendit que tout allait bien et qu'elle ne l'avait pas fait avant faute de temps. Dans le salon, elle avait accroché des photos d'Italie, celles qui montraient de beaux monuments de Florence et de Rome. *Quel mensonge*, se dit-elle, *ces images de paix et de prospérité prises dans un pays en proie à la guerre et à la famine*. Elle seule, en les regardant, pouvait savoir ce qu'il y avait eu autour lorsqu'elle les avait prises, *Piazza Pitti* par exemple, où cinq mille réfugiés entassés espéraient que le témoignage des journalistes allait forcer les autorités à s'occuper d'eux. Pour son bureau, elle avait choisi des photos plus fortes, comme celle de l'ouvrière qui sortait des ateliers de la *Vickers*, son premier cliché de rue. D'autres, plus personnelles, étaient des portraits de journalistes avec qui elle avait travaillé en Italie. Il y avait Mike, son associé de l'entrée à Rome, juché sur un tank renversé près d'Anzio et une photo d'elle avec Gloria, dont elle se souvenait qu'elle avait été faite par Gus. Elle avait aussi accroché celle de Jacinthe prise le jour où elles avaient traqué le client adultère de Denise. Elle avait capté un instant où son amie paraissait heureuse, et elle voulait garder cette image d'elle.

Jacques revint apaisé de Fontsavès.

— Je n'oublierai jamais Adrienne, dit-il à sa sœur, mais je peux maintenant tourner la page. Si on veut continuer de vivre, et c'est aussi valable pour toi, il faut enterrer nos morts. Allons tous les deux quelques jours à Saint-Donat.

L'idée de retourner dans ce lieu, de revoir le lac, l'escalier que Jacinthe avait déboulé le dernier soir et la chambre où elle avait pris la décision de jeter le gant, lui était insupportable. Bien qu'elle ait affirmé à Jacques que c'était au-dessus de ses forces, il ne l'avait pas lâchée et, de guerre lasse, elle avait fini par accepter.

Dans la voiture qui les menait au chalet, Jacques lui avait raconté son voyage. Le long trajet en train, en bateau, puis de nouveau en train lui avait permis de se préparer à ce qu'il allait affronter.

— Depuis deux ans, avait-il dit, il n'y a pas eu de jour sans que le hasard d'un mot, d'une situation, d'une odeur même, me rappelle un épisode ou l'autre de ce séjour à Fontsavès. Cependant, excepté l'occasion où je t'en ai fait le récit l'été dernier, je m'empressais toujours de repousser les souvenirs, car ils faisaient trop mal. Je savais que dès que je serais là-bas, ils afflueraient et que je devais être prêt. Alors, je me suis tout remémoré, minutieusement, parce que je ne voulais pas qu'une image oubliée me frappe à l'improviste.

Il s'était d'abord arrêté à Toulouse où il avait fait la connaissance de la mère et de la sœur d'Adrienne. Cette dernière avait pris l'initiative de lui écrire peu après le drame, et ils avaient échangé quelques lettres. Au printemps, elle lui avait annoncé que les démarches pour rapatrier le corps de sa sœur afin de l'ensevelir dans le caveau familial avaient enfin abouti. Lorsque Jacques vit Paulette, venue le chercher à l'hôtel, il fut soulagé de constater qu'elle ne ressemblait pas à sa sœur. Par contre, quand il rencontra sa mère, qu'ils rejoignirent chez elle où elle avait convié Jacques à dîner, il eut un choc: sa voix était la même que celle d'Adrienne, cette voix tant aimée qu'il entendait encore dans ses rêves.

Sur le buffet de la salle à manger trônait une photo de la jeune morte, différente de celle qu'il possédait, mais tout aussi souriante. Assis en face de la photo, qu'il voyait chaque fois qu'il levait les yeux, exposé à cette voix qui le transportait dans un passé au cours duquel il avait entrevu la possibilité d'un grand bonheur et où cet espoir avait été fracassé, Jacques passa le repas dans une sorte d'état second, avec une impression d'irréalité qui ne le lâcha pas. Ensuite, ils se rendirent ensemble sur la tombe d'Adrienne où une plaque de marbre témoignait de son court passage sur cette terre. Tout ce gâchis parce qu'elle était allée puiser de l'eau au mauvais moment…

Jacques fut soulagé de quitter ces deux femmes qui lui rappelaient au-delà du supportable celle qu'il avait perdue. Il comprit que c'était aussi le cas pour la mère: alors que Paulette avait été heureuse de rencontrer l'homme aimé de sa sœur, pour elle, cela avait ajouté à la douleur en suscitant des images d'une existence que sa fille avait souhaité connaître.

Il avait redouté qu'à Fontsavès ce soit pire, mais curieusement, ce ne le fut pas. À Toulouse, il avait vu une mère et une sœur inconsolables et une tombe; à Fontsavès, la vie avait repris même si tout le monde restait marqué par la tuerie. À la messe du dimanche que le prêtre, à sa demande, avait dite pour le repos de l'âme d'Adrienne, il y avait eu des bruits de sanglots retenus et à la sortie, les yeux rougis n'étaient pas rares ; cependant la nécessité de sacrifier à la routine avait rendu au village son aspect habituel. À son arrivée, Adèle, sa logeuse, l'avait pris dans ses bras et serré très fort, puis elle s'était mise à lui donner des nouvelles avec volubilité sans jamais prononcer le nom de celle qui était si présente entre eux. Peut-être en était-elle incapable ?

Elle lui apprit que les restrictions n'étaient pas levées et que la misère était plus grande que jamais.

— Elle a beau être finie, cette guerre, on a l'impression qu'on n'en sortira jamais. Ici, c'est vrai, on a toujours des choux pour la soupe et un morceau de porc à mettre dans la marmite, mais n'espère pas du café demain matin.

— Je me contenterai de la confiture de reines-claudes.

— Ah, tu t'en souviens ! dit-elle avec un rire content.

Son fils José, l'adolescent renfermé, faisait son apprentissage chez un électricien de Meilhaurat. Il y allait à vélo et revenait tous les soirs. Lasbordes, le facteur, était toujours là.

— Tu verras, sourit-elle, il n'a pas changé.

Quand il rentra de sa tournée, il emmena Jacques boire un canon au café Amagat où il fut accueilli gentiment, mais avec quelque réserve. Il supposa que sa présence leur rappelait des souvenirs qu'ils essayaient d'oublier.

— On ne joue plus aux cartes, l'avait informé Lasbordes. Le chef de gare ne vient plus. Il ne se remet pas d'avoir perdu son aîné. Quant au postier, il a demandé une autre affectation. La mort de leur fils unique a rendu sa femme à moitié folle et il a pensé que changer de lieu lui ferait peut-être du bien.

Il haussa les épaules.

— Je n'ai aucune nouvelle. Ça m'étonnerait qu'elle aille mieux.

— Le nouveau postier ne joue pas aux cartes ?

— Non. Il a mieux à faire.

Il lui raconta avec un clin d'œil entendu que c'était un homme jeune et qu'il avait trouvé du charme à Pauline Casalès, la fille des fermiers chez qui Jacques avait fait les foins.

— Ils vont se marier. Le père Casalès n'est pas tout à fait content parce qu'il perd une paire de bras. Il aurait préféré un homme de la terre qui se serait installé à la métairie et aurait travaillé avec eux.

Lorsqu'il se rendit chez eux, la nouvelle lui fut confirmée par une Pauline rayonnante. Ainsi, pensa Jacques, qui se souvenait de ce qu'Adrienne lui avait dit à son sujet, elle ne sera pas postière, mais femme de postier.

La jeune fille lui avait aussi annoncé, les yeux brillants:

— Je vais être secrétaire de mairie. Actuellement, c'est un vieil instituteur à la retraite qui s'en occupe, mais il m'apprend. Je m'y rends tous les mercredis et quand je serai prête, je prendrai sa place.

Le mercredi… comme autrefois. En remplacement d'Adrienne. Mais Adrienne ne serait pas restée à Fontsavès et elle aurait été contente que Pauline échappe au sort qui lui semblait promis.

Casalès était toujours aussi généreux de son vin et sa femme toujours aussi rébarbative. Quant à Justin, il n'était pas là: il faisait son service militaire en Allemagne dans l'armée d'occupation. C'était pour cela que le mariage de Pauline avait été repoussé à l'hiver: la présence de la jeune fille à la ferme était nécessaire pour les récoltes.

Au château, rien n'avait changé: Maupas était toujours le maire du village et son épouse rabrouait avec une égale conviction leur fille qui montrait trop de spontanéité pour une demoiselle bien éduquée. La première chose que Marie-Pierre avait apprise à Jacques était le mariage de sa cousine avec le policier toulousain. Il admit avec elle qu'ils étaient assortis.

Il resta quelques jours à Fontsavès, et les vives pointes de douleur du début finirent par s'estomper. Le premier soir, quand il s'assit en solitaire sur le banc de la tonnelle, le parfum des roses le bouleversa et il pleura comme il n'était encore jamais parvenu à le faire. Mais il y retourna soir après soir jusqu'à ce que la douceur de la mélancolie prenne le pas sur la souffrance. La veille de son départ, Adèle avait sorti son ratafia de noix et ils avaient trinqué avec Lasbordes. José, fidèle à lui-même, ne s'était pas montré malgré les appels de sa mère. Ils s'étaient promis de s'écrire et s'enverraient probablement des cartes de vœux au Nouvel An. Jacques, invité à revenir quand il voudrait, savait qu'il ne retournerait jamais à Fontsavès. Ce pèlerinage avait été indispensable et avait joué son rôle en lui rendant la paix. Il devait maintenant regarder en avant.

Le récit de Jacques avait ému Lucie et l'avait suffisamment captivée pour éloigner sa pensée de Jacinthe, mais lorsqu'ils arrivèrent devant le chalet, elle fut prise d'une violente émotion et son frère dut faire preuve de fermeté pour la convaincre de quitter la voiture.

— Si tu ne le fais pas aujourd'hui, tu ne le feras jamais.

Le paysage d'été était tellement différent de celui de l'hiver que cela ne semblait pas être le lieu où ils avaient patiné et fait du ski de fond, et elle finit par se résoudre à rejoindre son frère. Il s'était rendu directement au ponton et trempait sa main dans l'eau pour en vérifier la température.

— Elle est parfaite. On va se baigner.

— Non, je ne peux pas.

— Déchargeons d'abord la voiture. Je m'occupe des valises, prends la nourriture.

Elle hésitait, pressentant qu'à l'intérieur les mauvais souvenirs l'assailliraient, quand elle vit sortir la mère de Madeleine et de Simone. La fermière était venue préparer le chalet et était restée à les attendre. Lucie lui fut reconnaissante de sa présence. Tout en l'aidant à vider le véhicule, la femme lui demanda des nouvelles de ses parents, qu'elle n'avait pas revus depuis l'accident de santé du notaire. En retour, Lucie s'informa de sa famille et fut heureuse d'apprendre que Madeleine était enceinte. C'était très récent, sa mère ne le savait que de la veille.

— Ce sera mon premier petit-enfant, dit-elle avec beaucoup de joie et de fierté.

Et elle ajouta :

— Votre mère aussi doit avoir hâte d'être grand-mère. Vous êtes en âge, votre frère et vous, il va falloir y penser.

Lucie, qui n'avait pas de fiancé ni aucune perspective de cet ordre, accusa le coup, et sa vis-à-vis s'aperçut que quelque chose n'allait pas. Elle s'excusa :

— Je parle, je parle… Vous devez être fatiguée par la route. Et puis… c'est la première fois que vous revenez. Cette pauvre mademoiselle Jacinthe, si gentille…

Pour permettre à Lucie de se reprendre, elle raconta de petites histoires du village, parla du curé, qui défrayait la chronique en conduisant sa voiture exagérément vite et en écrasant les poules sur son passage.

— Je vous le dis : il finira dans le champ ! Quand on le voit arriver, on se tasse.

— Vous avez changé de curé ?

— Non, c'est toujours le même. Ça vous étonne, vous aussi, d'un homme si calme et qui marche si lentement. Eh bien, dès qu'il est dans son engin, on dirait qu'il va éteindre un feu. Bon, je vous laisse. Venez à la ferme si vous avez besoin de quoi que ce soit.

Elle refusa que Jacques la reconduise en voiture.

— En coupant par la prairie, j'y suis tout de suite.

Après son départ, Jacques se baigna. Malgré son insistance, il ne parvint pas à convaincre sa sœur d'en faire autant.

— Je sais que c'est stupide, mais j'en suis incapable. Plus tard, peut-être, quand le temps aura passé…

En elle-même, Lucie était persuadée que le temps n'y changerait rien. Elle garderait une invincible répugnance à se baigner dans ce lac et le chalet aussi resterait englobé dans son rejet. Le suicide de Jacinthe était le pire des mauvais souvenirs rattachés à ce lieu, mais il y avait eu également l'affrontement avec son père, qui avait abouti à une très longue punition et à sa révolte, et la rupture avec Edmond, survenue un an auparavant, alors qu'il faisait ce jour-là aussi un temps idéal pour se baigner. Comme l'année précédente, elle était seule avec Jacques après une déception sentimentale et elle pensa que sa vie n'était qu'une succession d'échecs et d'épreuves.

Pour son frère, par contre, les choses allaient mieux cette année, et elle en était heureuse pour lui. Il était sur le point de commencer les études de médecine auxquelles il aspirait depuis si longtemps et il avait décidé de se tourner vers l'avenir. Il avait demandé à Lucie si Irène fréquentait un homme et, sur la réponse négative de sa sœur, il lui avait confié ressentir pour la jeune femme une vive attirance. Il était prêt maintenant à lui proposer de sortir avec lui.

— Il ne me reste qu'à espérer qu'une étudiante de quatrième année ne se sente pas déshonorée de se montrer avec un étudiant de première année, avait-il dit en riant.

Une lettre d'Angleterre attendait Lucie au retour de Saint-Donat. Persuadée que Richard regrettait de l'avoir quittée sans un mot et qu'il voulait s'en excuser et reprendre ses relations avec elle, elle la décacheta avec une joie fébrile. Ce qu'il lui écrivait était tellement aberrant qu'au premier abord elle ne saisit pas le sens du message. Il commençait par *Chère Lucie* et terminait en la suppliant de lui donner de ses nouvelles. Donc, tout allait bien, il se souciait d'elle à nouveau. Cependant, il parlait de médecin. Lui-même en avait consulté un et elle devait le faire aussi. Elle n'y comprenait rien. Alors, elle s'assit pour relire posément la lettre et le mot qu'elle n'avait pas voulu voir finit par s'imposer: blennorragie. Richard s'excusait, certes, et plutôt deux fois qu'une, mais de tout autre chose que ce qu'elle avait espéré. Sur le bateau, il avait découvert qu'il avait contracté cette maladie, dont le séjour italien avait appris à Lucie qu'on l'associait d'ordinaire aux soldats permissionnaires. Elle se souvenait que ceux qui restaient à la base conseillaient en ricanant grassement à leurs camarades plus chanceux: *Fais attention de ne pas revenir avec la chtouille!* Ils l'appelaient aussi la chaude-pisse, et elle ne voulait pas imaginer pourquoi. Richard, qui craignait de la lui avoir transmise, lui disait de consulter un médecin au plus vite même si elle ne ressentait rien, parce que chez la femme, les symptômes étaient plus lents à apparaître. Cela se soignait avec de la pénicilline, mais il ne fallait pas attendre sous peine de graves séquelles. Il s'en voulait terriblement et la suppliait de lui donner de ses nouvelles dès qu'elle aurait subi un examen médical.

En proie à une grande agitation, elle arpentait son logement d'un pas coléreux, vouant au diable Richard qui par deux fois avait pris son plaisir sans penser aux conséquences. Une première fois avec une femme infectée, probablement une prostituée, et la deuxième avec elle, qui se trouvait maintenant victime de son imprudence. Comment se tirerait-elle de là ? Il y avait des années qu'elle n'avait pas été malade et ne connaissait que le docteur Vermette. Pas question d'aller chez ce vieil ami de son père qui l'avait terrorisée pendant toute son enfance ! Alors où ? Il y avait le gentil docteur Deslauriers dont elle avait été la réceptionniste le printemps précédent, mais elle n'oserait jamais, elle aurait trop honte. Puis elle pensa que Richard péchait peut-être par excès de prudence. Puisqu'elle ne ressentait absolument rien, il était possible qu'elle ne soit pas malade. Elle allait attendre quelques jours.

Elle se prépara un thé qu'elle but debout, devant la fenêtre, en observant les passants se diriger vers le parc Lafontaine à la recherche d'un peu de fraîcheur. Même si le mois d'août touchait à sa fin, il faisait toujours aussi chaud à Montréal.

Ensuite, elle relut la lettre de Richard. Il parlait de *graves séquelles*. Quelles *séquelles* ? Et *graves* ? *Graves* comment ? Très *graves* ? Avant toute chose, elle devait s'informer sur cette maladie dont elle ignorait tout, ce qui lui éviterait peut-être une confrontation humiliante avec un médecin. Une jeune femme célibataire avec une maladie vénérienne ! Elle imaginait le praticien la regardant avec dégoût en la traitant de fille perdue. Son dictionnaire lui apprit que la blennorragie était *une inflammation microbienne de la muqueuse des organes génitaux*. Elle n'était pas plus avancée. Ce qu'elle voulait savoir concernait sa contagiosité, son traitement et les fameuses séquelles qu'elle pouvait entraîner. Il aurait fallu consulter un dictionnaire médical. Elle ignorait si sa qualité d'étudiante en droit lui donnait accès à la bibliothèque de médecine, ce qui lui fit penser à Irène. Irène, bien sûr ! Pourvu qu'elle soit rentrée de Québec où elle était partie en vacances dans sa famille ! Elle composa fiévreusement son numéro et Irène répondit.

Après un échange de civilités qu'elle écourta le plus possible, Lucie demanda à son amie ce qu'elle savait de la blennorragie.

— La blennorragie, répéta Irène interloquée.

— Oui, c'est ça, qu'est-ce que tu en sais ?

— Eh bien, des généralités. C'est au programme de cette année, nous ne l'avons pas encore vu. Il faudrait que je vérifie dans mes livres pour être précise.

— Pourrais-tu le faire rapidement, s'il te plaît ?

— Qu'est-ce qui se passe, Lucie ? C'est pour toi ? Qu'est-il arrivé ?

— Peu importe, j'ai besoin de savoir.

— Voilà ce que je vais faire : je consulte mes documents et je viens chez toi. On en parlera.

— Ce n'est pas la peine de te déranger.

— Ça ne me dérange pas. Ce soir, je sors avec Jacques. Il était prévu qu'il passe me prendre, mais je vais l'avertir que je serai chez toi.

Sans que Lucie puisse protester davantage, elle lui dit *À tout de suite* et raccrocha. Elle serait obligée de tout raconter à Irène, mais elle aurait pu se douter que son amie ne se contenterait pas de vagues explications. Après tout, c'était mieux ainsi. Irène allait lui expliquer ce qu'il en était exactement et elle la conseillerait.

Les nouvelles qu'apportait l'étudiante en médecine n'étaient pas bonnes : la blennorragie était très contagieuse et se transmettait lors d'un rapport sexuel. Chez la femme, cela commençait par des douleurs en urinant, suivies d'écoulement vaginal, parfois de saignements vaginaux et de douleurs abdominales.

— Je ne ressens rien de tout ça, dit Lucie.

— Tant mieux. Ainsi, ce sera soigné dès le début et ça diminuera les risques de séquelles.

— Qui sont?

— Graves, et même très graves: inflammation pelvienne, infertilité…

— Je ne pourrai pas avoir d'enfant?

— C'est le traitement par la pénicilline qui souvent bouche les trompes et provoque la stérilité. Mais pas toujours.

— Et si je ne fais pas le traitement?

Irène soupira.

— Ça peut aller jusqu'à des dommages permanents aux articulations, au cœur ou au cerveau.

— Si je résume, ma vie est finie.

— Rien n'est sûr à cent pour cent, à part la nécessité de te faire soigner. Tu connais un docteur en qui tu as confiance?

— Non. Notre médecin de famille est un vieil ami de mon père. Il est exclu que j'aille chez lui.

— Avec un inconnu, ce sera très difficile.

— C'est le moins qu'on puisse dire: je vais mourir de honte.

— Plus encore que tu ne crois. Si tu étais mariée, ce serait différent… Avec un peu de chance, il sera simplement moralisateur, mais ça risque d'être pire…

Irène, qui avait du mal à lui dire la vérité, bafouillait.

— Arrête de tourner autour du pot: qu'est-ce que ça signifie?

Son amie finit par avouer qu'il la traiterait probablement comme une prostituée.

— Une prostituée?

Lucie était atterrée.

— Je sais que c'est terrible, mais il vaut mieux que tu en sois avertie. Si j'étais médecin, je te soignerais moi-même. Tu sais que je ne le suis pas encore.

— Je suis incapable d'affronter ça. Qu'est-ce que je vais faire?

— Il y a quelqu'un à qui je pourrais demander…

— Qui?

— Jocelyn.

— Non!

— Lucie, sois raisonnable, tu n'as pas le choix. Un médecin inconnu sera sans indulgence. Jocelyn ne te jugera pas.

— Non, surtout pas lui.

Jacques arriva, ce qui mit fin à la discussion. Il proposa poliment à sa sœur de se joindre à eux. Elle refusa. Même si elle avait eu envie de sortir, ce qui était loin d'être le cas, elle savait l'importance de cette soirée pour son frère et elle ne se serait pas imposée.

En l'embrassant, Irène lui chuchota :

— Réfléchis. Je ne le lui demanderai pas sans ton accord. Seulement, je te répète que c'est le mieux.

En l'espace de quelques heures, la vie de Lucie avait une fois de plus basculé. Richard en qui elle avait eu tellement confiance, qui l'avait soutenue pendant des années, lui insufflant du courage quand elle perdait pied, Richard lui avait transmis une maladie honteuse dont elle allait subir les conséquences durant toute son existence. Elle n'avait pas pensé avoir des enfants dans un avenir proche, car ses études primaient comme elle l'avait signifié à Edmond, mais elle n'avait pas imaginé qu'elle n'en aurait jamais. Élevée en vue de devenir épouse et mère, elle n'avait pas rejeté ce destin. Ce qu'elle avait refusé, c'était de n'être que cela. Eh bien, maintenant, elle ne serait que le reste : une avocate sans vie privée. Aucun homme n'épouserait une femme devenue stérile par suite d'une maladie vénérienne, et elle ne dissimulerait pas un fait de cette importance, car elle n'était pas une tricheuse. Elle allait devoir se faire à cette idée. Denise s'accommodait de sa vie solitaire ; elle y arriverait sans doute aussi. Avant cela, il lui fallait s'humilier devant Jocelyn. Même si elle avait violemment protesté lorsqu'Irène avait suggéré de faire appel à lui, elle savait qu'elle n'avait pas le choix. Elle se souvint de leur rencontre lors du décès du mari de Josette. Ils s'étaient crié des horreurs avant de se quitter furieux l'un contre l'autre. Comment allait-il se comporter ? Il aurait le beau rôle et elle ne serait pas en position de répliquer. Pire : elle devrait lui exprimer sa gratitude. Elle fut soudain prise de la crainte qu'il refuse. Dans ce cas, elle serait obligée de s'adresser à un inconnu qui la traiterait comme une prostituée. Le désespoir la submergea et elle résolut de suivre l'exemple de Jacinthe : elle allait se soûler. Elle fouilla ses armoires à la recherche d'une bouteille et ne trouva qu'un fond de gin qu'elle avala d'un trait sans qu'il lui procure le moindre soulagement. Elle eut envie d'aller se servir chez Jacques, dont elle avait conservé la clé, mais il faudrait ensuite qu'elle s'excuse et qu'elle s'explique, et elle renonça. Soudain, il lui vint à l'esprit que la maladie avait peut-être commencé et que son sexe était rongé par l'infection. Elle se précipita dans la salle de bains, qu'elle verrouilla comme si elle n'était pas seule, et s'examina à l'aide d'un miroir à main. Il n'y avait rien de visible, ce qui ne voulait rien dire, Irène le lui avait affirmé. Elle retourna dans le salon, s'assit sur le sofa et resta là, prostrée, jusqu'à ce que l'on frappe à sa porte. Il était tard. C'était sans doute Jacques qui rentrait. Elle eut envie de ne pas répondre, de faire comme si elle dormait, parce qu'elle n'était pas sûre de pouvoir se composer une façade, seulement il avait dû voir la lumière à sa fenêtre et il s'inquiéterait.

Ce ne fut pas Jacques qu'elle trouva sur le palier, mais Irène.

— J'ai demandé à ton frère de faire un détour par ici avant de me ramener. Je lui ai dit que tu couvais quelque chose, une angine probablement, et que je voulais m'assurer que tu allais bien.

— Où est-il ?

— Il m'attend dans la voiture. As-tu réfléchi ? C'est d'accord pour Jocelyn ?

— Et s'il refuse ?

— Il acceptera. Je l'appelle demain matin et je te tiens au courant.

Elle la serra dans ses bras en disant *Courage, ça va aller* et Lucie se retrouva seule de nouveau. La sollicitude d'Irène l'avait réconfortée, sa certitude que Jocelyn accepterait aussi. Elle retourna s'asseoir sur le sofa en prenant soin d'éteindre la lumière : ainsi, quand Jacques rentrerait, il la croirait couchée et ne viendrait pas vérifier si elle avait besoin de lui. Plus tard, elle l'entendit monter les escaliers et elle finit par se mettre au lit, persuadée qu'elle ne parviendrait pas à dormir. Au contraire, elle sombra aussitôt dans un sommeil sans rêves dont elle ne sortit que lorsque la sonnerie du téléphone la réveilla. C'était Irène.

— Tu vas bien ? s'inquiéta-t-elle. Tu as mis beaucoup de temps à répondre.

— Je me suis endormie tard et là, je dormais profondément.

— Parfait. J'ai parlé à Jocelyn. Il faut faire une analyse de sang et d'urine pour vérifier si tu es infectée.

— Il est donc possible que je ne le sois pas ?

— N'espère pas trop. Il m'a répété ce que disent mes livres : c'est très contagieux. Recueille ton urine dans un récipient propre qui se ferme. Il le prendra dans la matinée quand il viendra pour la prise de sang.

— Chez moi ?

— Oui. Ce sera plus discret.

— Qu'est-ce que tu as dit à Jocelyn ?

— La vérité. C'est toujours ce qu'il y a de plus simple, tu ne crois pas ?

— …

— Ne t'inquiète pas, Lucie, tout ira bien.

Jacques téléphona un peu plus tard. Il était inquiet et proposait de venir s'occuper d'elle. Elle prétendit qu'elle était sur le point de se rendre chez le médecin et promit de l'appeler à son retour. Puis elle se mit à attendre Jocelyn qui se présenta un peu avant midi. Elle s'était demandé quelle serait son attitude et croyait avoir imaginé tous les cas de figure, de l'agressivité à la compassion, mais elle n'avait pas pensé qu'il pourrait tout simplement se conduire en médecin. Le seul signe qu'il la connaissait fut un *Bonjour Lucie* de commande. Il la fit asseoir. Pendant qu'il préparait la seringue, il lui expliqua qu'il allait commander les analyses en priorité et viendrait lui faire le traitement dès qu'il aurait les résultats.

— S'ils sont négatifs, ce ne sera pas nécessaire.

— Si ton partenaire a une blennorragie, ils seront positifs. Je dois simplement m'en assurer pour te traiter correctement.

Avant qu'il ne parte, elle le remercia de ce qu'il faisait pour elle. Il ne répondit rien à cela, mais lui demanda d'une voix neutre :

— Es-tu réconciliée avec ta mère ?
— Oui. Depuis longtemps.
— Comment va-t-elle ?
— Aussi bien que possible. Plutôt mieux qu'avant.
Et il s'en alla.

Lucie passa les jours qui précédèrent le traitement et ceux qui le suivirent dans un état d'abattement qui la poussa à éviter tout autre qu'Irène. Jacques fut difficile à éloigner, mais elle prétendit qu'elle avait effectivement une angine, comme son amie l'avait deviné, et que la pénicilline la fatiguait beaucoup. Pour la fatigue, c'était vrai. Dès la confirmation du diagnostic, Jocelyn était venu lui faire une injection.

— Le traitement se fait en une seule fois, lui avait-il annoncé, il est donc très fort. Tu dois te reposer plusieurs jours. Il faudra ensuite refaire des analyses pour s'assurer que tu es guérie.

Il n'avait pas été froid comme à sa première visite, au contraire. Il s'était assis près d'elle et lui avait pris les mains pour lui expliquer, avec la voix pleine de gentillesse qu'elle lui avait connue au dispensaire du boulevard Saint-Joseph, que désormais elle serait probablement stérile.

— Est-ce qu'il y a des chances que ce ne soit pas le cas ?
— Infimes.

Lors de sa première visite, la froideur de Jocelyn l'avait aidée à rester digne ; sa compassion eut raison de ses défenses et elle s'effondra. Il la prit dans ses bras et lui prodigua des mots de consolation qu'elle ne comprenait pas, mais qui n'avaient aucune importance, puisqu'il n'y avait pas de consolation possible. Il ne la quitta que lorsqu'elle eut épuisé ses larmes. Avant de partir, il appela Irène pour qu'elle vienne la soutenir. Son amie resta présente pendant tous ces jours sombres. Il ne lui fut pas facile de tirer Lucie d'une apathie en grande partie provoquée par la rudesse du traitement. Il y avait aussi le sentiment que sa vie était détruite et qu'il ne lui arriverait jamais rien de bon. Quand elle alla un peu mieux, Irène l'entraîna dehors pour une promenade au cours de laquelle elles croisèrent malencontreusement une femme poussant un landau. Lucie s'arrêta et la fixa d'un air hébété. Irène lui prit la main qu'elle serra, ne sachant que dire. Son amie se secoua.

— Ce n'est pas grave, je vais m'y habituer.

La rentrée approchait. Irène était contente de commencer sa quatrième année de médecine et Jacques enthousiaste à l'idée d'entreprendre enfin les études qu'il voulait faire depuis si longtemps. La relation entre les deux jeunes gens, que Lucie voyait de plus en plus souvent ensemble, semblait évoluer dans le sens que son frère souhaitait. Bien qu'elle en fût sincèrement heureuse pour eux, cela aggravait son sentiment de solitude et d'abandon.

Ce qui lui manquait pour la remettre sur les rails lui vint du coup de colère engendré par une missive inquiète et éplorée de Richard. Ce fut dans le fiel de son ressentiment qu'elle plongea sa plume pour lui répondre : *La pénicilline a eu raison de la blennorragie et, dans la foulée, de ma capacité à être mère. Épargne-moi tes regrets, tout ce que tu pourrais dire serait de trop.* Après cela, elle se sentit prête à faire de nouveau partie du monde des vivants.

DEUXIÈME PARTIE

février 1949 – juillet 1949

Sur les trottoirs encombrés de la rue Sainte-Catherine, Lucie, à l'affût d'une scène intéressante, observait les passants, son nouveau Rolleiflex calé dans la main droite au fond de la poche de son manteau. Même si elle n'avait jamais cessé de faire des photos, avant d'étudier la proposition d'Yvon Gadbois, elle voulait vérifier si elle était encore capable de réaliser un reportage photographique. Il pourrait s'intituler *Le Montréal des affaires à l'heure du dîner*. Vite captivée par son projet, elle ne pensa plus qu'à cela. Elle assista à quelques scènes comiques de chutes sans gravité sur le sol glissant et capta sans qu'ils s'en aperçoivent les têtes ahuries de passants se retrouvant subitement dans la *sloche* les quatre fers en l'air. En espérant qu'un reflet intempestif ne viendrait pas gâcher la photo, elle prit un cliché de la vitrine d'un *delicatessen* où des dîneurs mordaient tous d'un même mouvement dans des hot-dogs parfaitement semblables. Elle photographia aussi un couple, probablement illégitime, qui s'embrassait avec une sorte de désespoir avant de se séparer. Elle fit également quelques photos de mendiants dont les oripeaux contrastaient violemment avec les vêtements des gens qui sortaient des bureaux. Un peu honteuse, comme chaque fois qu'elle exploitait l'image de la misère, elle traversa la rue pour leur donner une pièce. Quand elle eut fini deux rouleaux de pellicule, elle pensa qu'il était temps de vérifier les résultats de son travail. Le tramway la conduisit jusqu'au chemin de la Côte-des-Neiges, au *Studio Rossi*, où elle expliqua l'affaire à Giuseppe.

Lorsque les photos furent développées, ils les examinèrent ensemble. Il y en avait beaucoup de bonnes, surtout celle du restaurant qui montrait, parfaitement cadrées sous le nom de l'établissement peint en arc de cercle au-dessus de leurs têtes, trois personnes la bouche ouverte à un pouce de leur hot-dog.

— Si tu n'étais pas rassurée sur tes capacités et la vivacité de ton coup d'œil, lui dit Giuseppe, maintenant tu devrais l'être. Tu vas accepter ?

— Oui…

— Tu n'as pas l'air d'en être certaine.

— Bien sûr que si.

Giuseppe ne s'était pas trompé : elle était encore réticente. Et ce n'était pas à cause du projet, car il l'emballait. Elle avait envie d'aller voir ce qui se passait à Asbestos, de rencontrer les gens, de découvrir comment les femmes vivaient la situation, de fixer les événements sur la pellicule pour qu'ils soient gardés en mémoire. Seulement, il y avait Richard. Tout l'après-midi, elle avait évité de l'évoquer, mais le délai que son amie lui avait accordé était sur le point d'expirer. Elle devait se décider. En réalité, elle n'avait jamais eu vraiment de doute professionnel. Tout ce qu'elle avait fait depuis qu'elle avait quitté le bureau de l'avocate avait eu pour unique but de repousser le moment de penser à Richard et de se demander si elle était capable d'envisager une rencontre avec lui.

Le reporteur, après plus de deux ans à Londres, était revenu au Québec. Quoi qu'elle ait bien voulu se dire à elle-même, ce qu'elle savait de lui n'était pas tout à fait dû au hasard : tout au long de son absence, elle avait suivi sa signature dans les journaux et, un jour de janvier, elle avait eu un choc en découvrant que cette fois, il n'écrivait pas d'Angleterre ou d'un autre pays d'Europe : il était à Trois-Rivières où il avait couvert un déplacement du premier ministre Duplessis dans sa circonscription. Ils ne s'étaient pas vus depuis son retour, ce qui était normal, car ils ne fréquentaient pas les mêmes milieux. Depuis qu'elle faisait son stage, Lucie se tenait au bureau de maître Berland ou au tribunal où elle l'accompagnait souvent et quand elle sortait, elle n'allait jamais dans les bars qu'affectionnait le monde journalistique. Pour qu'il y eût rencontre, il eût fallu que l'un des deux la provoque, ce qu'ils n'avaient pas fait.

Lucie avait mis des mois à accepter qu'elle ne serait jamais mère, une période durant laquelle elle avait ressassé à l'égard de Richard une rancune sans limites. Maintenant, elle n'y pensait plus qu'à l'occasion, lorsque le hasard lui faisait rencontrer une jeune mère épanouie, et si elle n'avait pas pardonné, elle avait fini par appréhender son existence autrement qu'en fonction de ce qu'elle considérait comme son infirmité. Ayant écarté le mariage, elle avait aussi renoncé à avoir une vie sentimentale, repoussant toutes les tentatives de flirt, de crainte de s'attacher à un homme qu'il lui faudrait quitter. Pour compenser, elle s'était jetée à corps perdu dans ses études en espérant travailler avec Denise une fois devenue avocate. Malheureusement, son amie venait de lui apprendre que c'était impossible.

Comment allait-elle gagner sa vie ? Dès qu'elle serait assermentée, elle n'aurait plus de ressources, car le legs de sa grand-mère était destiné à lui permettre d'étudier, pas de vivre sans revenus professionnels par la suite. Les options qui s'offraient à elle n'étaient pas nombreuses : elle pourrait s'installer comme avocate, à l'exemple de Denise, et gagner, dans le meilleur des cas, de quoi payer son loyer. Elle aurait aussi la possibilité de proposer ses services à un bureau d'avocats ayant pignon sur rue. Là, même si ses compétences lui valaient de faire un travail de juriste, en raison de son sexe, elle serait rémunérée et traitée comme une secrétaire. Ses talents seraient exploités mais non reconnus et les perspectives de promotion, nulles. La mission qui lui était proposée lui donnerait le temps de réfléchir, avec toutefois l'inconvénient qu'à Asbestos, il y avait Richard. Après la réponse qu'elle avait faite à sa lettre demandant de ses nouvelles, il avait respecté son désir d'interrompre leurs relations. Dans la petite ville minière, cependant, ils ne pourraient pas éviter de se croiser.

Elle se sentait prise dans un piège, car elle ne pouvait pas refuser l'offre d'Yvon Gadbois sans en expliquer la véritable raison à Denise. Celle-ci ignorait ce qui s'était passé avec Richard. Seuls étaient au courant Irène, qui ne lui en parlait pas, et Jocelyn, qu'elle ne voyait jamais. Si elle laissait croire à Denise qu'elle refusait par manque de confiance en elle ou parce qu'elle ne voulait pas prêter bénévolement son concours, elle la décevrait. Or il n'était pas plus concevable de décevoir Denise que de lui dire la vérité. Elle n'avait donc pas le choix : elle devait aller à Asbestos.

⁂

Après un détour à la gare où elle vérifia l'horaire des trains, Lucie téléphona à Denise afin qu'elle avertisse Gadbois de son arrivée le lendemain en fin de matinée. Elle prépara ensuite ses affaires, ce qui fut rapide, car son matériel photographique était déjà passablement volumineux et elle ne voulait pas trop se charger ni encombrer ceux qui allaient la recevoir. Dans le fond de la valise, elle mit ses livres de droit et ses notes de cours ainsi qu'un bloc de papier qui lui servirait à tenir un journal de ses activités de photographe. Pour ne pas oublier les circonstances de prise des clichés, elle noterait chaque jour ce qu'elle avait fait et vu. Elle ouvrit ensuite sa penderie qu'elle examina d'un œil critique. Laissant de côté les tenues sobres et élégantes qu'elle portait au bureau et au tribunal où elle assistait Denise, elle mit dans son bagage des vêtements sans prétention qui lui permettraient de se mêler aux grévistes. Délaissant les bottines à talons hauts si flatteuses pour les jambes, elle prit des bottes plates et confortables afin d'être capable de courir lors des reportages de rue. Avant de refermer la valise, comme il restait un peu de place, elle glissa néanmoins une robe et ses plus jolis souliers. Puis elle guetta le pas de son frère qui revenait toujours à peu près à la même heure de l'université. Lorsqu'elle l'entendit, elle sortit sur le palier pour lui demander si Irène rentrait souper, disant qu'elle voulait la voir. Comme elle n'allait pas tarder, n'étant pas de garde ce soir-là, il l'invita à partager leur repas.

Irène et Jacques s'étaient mariés à la fin de l'année 1946, pendant les vacances de Noël. Ils avaient jugé inutile de prolonger leurs fiançailles alors qu'ils avaient correspondu plus d'un an et s'étaient vus très souvent l'année suivante, ce qui leur avait permis de se connaître assez pour savoir qu'ils voulaient vivre ensemble. La cérémonie s'était déroulée à Québec et avait donné lieu à la grande fête à laquelle les parents d'Irène tenaient beaucoup. La mariée avait essayé en vain de les faire changer d'avis parce que les Bélanger seraient réduits à la portion congrue : en effet, il n'y aurait que sa sœur pour accompagner Jacques, Julienne Bélanger ayant prétexté l'impossibilité de laisser son mari pour s'abstenir. En réalité, elle aurait pu y aller, car Louise Ménard lui avait proposé de s'installer chez elle le temps nécessaire. Avec Simone et la garde-malade qui venait quotidiennement, elle s'en serait tirée sans problème. Mais Julienne ne voulait pas se rendre dans la famille d'Irène, qui était aussi celle de Jocelyn, qu'elle aurait revu à cette occasion. C'est du moins ce que Lucie avait deviné même si elle n'en avait rien dit. Jocelyn, lui, était présent et il lui avait demandé des nouvelles de sa mère, comme il l'avait fait les rares fois où ils s'étaient rencontrés. Il était évident qu'il n'était pas guéri de son amertume, mais au moins, depuis qu'il l'avait soignée, il avait cessé d'être agressif envers Lucie. Après un bref échange, ils avaient pris soin de s'éviter pendant le reste des festivités.

Julienne avait espéré qu'après le mariage son fils et sa bru viendraient s'installer dans l'appartement qu'Irène occupait, mais c'était l'inverse qui s'était produit : la jeune femme était partie habiter rue Sherbrooke parce que Jacques ne voulait pas vivre dans la même maison que ses parents, même si le logement était indépendant. Julienne l'avait alors proposé à Lucie qui elle aussi avait refusé. Elle ne l'avait pas reloué dans l'espoir que sa fille, qui ne semblait pas disposée à se marier, finirait par changer d'avis.

On ne pourrait rêver couple mieux assorti, se dit Lucie en s'installant à la table de son frère et de sa belle-sœur. Elle pensait cela chaque fois qu'elle se trouvait avec eux. Ils s'entendaient sur tout ce qui comptait, et le fait qu'elle ait plusieurs années d'avance sur lui dans ses études ne les gênait ni l'un ni l'autre. Il n'y avait guère d'hommes que Lucie pût imaginer s'accommoder d'une telle situation. Edmond ne l'aurait pas supporté et combien d'autres ?

Irène avait fini ses études médicales l'année d'avant et avait commencé sa spécialisation dans les affections pulmonaires à la clinique Bruchési. Elle s'intéressait plus particulièrement aux maladies industrielles telles que la silicose et l'amiantose. C'était la raison pour laquelle Lucie tenait à la voir avant son départ pour Asbestos. Depuis l'article de Burton LeDoux, paru en mars dernier dans la revue des Jésuites *Relations*, qui dénonçait la mort de dizaines de travailleurs d'une mine de kaolin exposés à des poussières provoquant des maladies incurables, elle lisait tout ce qui s'écrivait sur le sujet. Le même Burton LeDoux avait publié sous le titre « La morgue d'East-Broughton » un brûlot dans *Le Devoir* du 12 janvier précédent, et Lucie croyait se souvenir qu'Irène collectionnait les articles. C'était le cas, en effet, et elle accepta de lui prêter son dossier.

— Tu y trouveras des textes sur les maladies industrielles et aussi ce qui a déjà été dit au sujet de la grève d'Asbestos. Étant donné que l'élimination des poussières qui sont responsables de ces maladies est au cœur des revendications ouvrières, j'ai l'intention de suivre de près son déroulement.

— Il y a un article de Richard Morin, fit remarquer Jacques. Je te croyais très liée avec lui et je suis surpris que tu ne me l'aies jamais présenté.

Prise de court, Lucie resta interdite, ce qui suscita la curiosité de son frère.

— Il s'est passé quelque chose entre vous ?

— Non. C'est le hasard qui fait qu'on ne se voit pas, prétendit-elle.

Irène se porta à son secours en faisant dévier la conversation. Elle lui demanda quel serait son rôle à Asbestos, où elle logerait, à quelle heure partait le train, si ses bagages étaient prêts… Mais lorsqu'elle la raccompagna à la porte, elle lui chuchota :

— Ça ira avec Richard ?

— Ne t'en fais pas. Tout ça est loin.

Quand elle l'embrassa en lui disant *Prends bien soin de toi*, Irène la serra fort, et Lucie comprit que son amie n'était pas dupe.

Avant de dormir, elle survola l'ensemble du dossier, se réservant d'en faire plus tard une lecture attentive. Dans ses articles, Burton LeDoux ne mâchait pas ses mots. Il disait, entre autres, à propos d'East-Broughton, qu'*un village de trois mille âmes étouffait dans la poussière à cause de la cupidité d'une compagnie et de l'imprévoyance du gouvernement*. La grève avait commencé à Asbestos quatre jours plus tôt, le 13 février, et Thetford Mines avait suivi le 14. Le gouvernement exigeait le recours à l'arbitrage que les grévistes avaient refusé. La réplique n'avait pas tardé : dès le lendemain la grève avait été déclarée illégale. Si les mineurs ne se laissaient pas impressionner, il y avait gros à parier que les jours à venir seraient mouvementés. Lucie eut hâte, soudain, d'aller sur place suivre les événements. Indignée par leurs conditions de travail, elle était de tout cœur avec les grévistes et se réjouissait de la possibilité qui lui était donnée de leur apporter son aide de reportrice.

Dans le train, en relisant plus attentivement les articles du dossier d'Irène, Lucie pensait aux jours à venir en se disant qu'en raison de l'intervention du gouvernement, tout pouvait arriver. Si les grévistes cédaient, elle faisait ce voyage pour rien : à son arrivée, ils se prépareraient à retourner au travail. Tant qu'à être là, elle en profiterait pour rendre visite à Madeleine qui y vivait depuis son mariage. Si, par contre, les mineurs décidaient de désobéir, que ferait Duplessis ? Lors de la grève du textile de Valleyfield, il n'avait pas hésité à envoyer les forces de l'ordre. Dans ce cas, il y aurait de la violence et elle pourrait être en danger. Sa vie, si calme et si tranquille, devenait soudain plus excitante.

Yvon Gadbois était venu l'attendre à la gare. Il l'accueillit avec chaleur et entreprit aussitôt de la mettre au courant des derniers développements.

— Il va y avoir une assemblée très importante aujourd'hui pour décider de la suite de la grève vu que le gouvernement l'a déclarée illégale.

Lucie, obligée de trottiner pour le suivre, se promit de porter désormais ses bottes de marche. Surexcité par les événements, Gadbois avançait vite, accompagnant son discours de grands gestes. Quand il s'était emparé de sa valise en lui disant qu'il habitait tout près et qu'ils iraient à pied, il avait saisi l'objet de la main droite, dans un réflexe de droitier, mais il l'avait rapidement changée de côté. Maintenant qu'il avait récupéré son bras droit, son geste, ample ou véhément, était si caractéristique de l'habitué des prétoires que Lucie croyait voir l'effet de manche. Aurait-elle un jour, elle aussi, l'air de cette caricature d'avocat ? Elle espérait que non.

Gadbois avait un physique étonnant : un buste un peu court, de longues jambes de faucheux et une tête qui semblait trop grosse pour son corps. Il n'était certes pas beau, mais quand il souriait, il émanait de lui une grande bienveillance. Elle avait du mal à croire à l'avertissement de Denise qui lui avait dit de ne pas se fier à son air bonasse, car il pouvait être un adversaire redoutable.

Gadbois regrettait de ne pas avoir fait appel à Lucie dès le premier jour.

— Cette liesse dans les rues le lendemain de la décision de faire grève aurait mérité d'être photographiée. Les gens se promenaient en riant et en plaisantant et le soir, il y a eu des veillées. Les grévistes chantaient et dansaient. Maintenant que le gouvernement a réagi, l'atmosphère n'est plus la même.

Bien que la femme de l'avocat lui fît bonne figure, Lucie ressentit un malaise dès l'entrée sans pouvoir déterminer si elle en était la cause.

— Montre-lui sa chambre, avait-il dit, puis on mange rapidement parce qu'il faut que j'y aille.

Lucie suivit Albertine qui portait dans ses bras le petit Justin. Appuyé sur l'épaule de sa mère, qui tournait le dos à l'arrivante qu'elle précédait, le bambin observait l'inconnue d'un regard curieux. Lucie lui sourit, et quand il lui sourit en retour, elle eut un pincement au cœur.

— La pièce n'est pas grande, s'excusa Albertine.

— Mais c'est la chambre du petit ! Où dormira-t-il ?

— Nous avons mis sa couchette de bébé dans la nôtre. Il y tient encore.

— Ça va vous gêner. On ne pourrait pas trouver une autre solution ?

— Ne t'en fais pas. Ce n'est pas pour longtemps, de toute façon. Peut-être qu'ils décideront dès ce soir de reprendre le travail.

— J'espère que non, intervint son mari. S'ils cèdent tout de suite, ils n'obtiendront rien.

— Et s'ils continuent une grève illégale, objecta-t-elle le visage soucieux, le gouvernement va réagir. Ça deviendra dangereux.

— Ce ne sont pas des hommes violents, ne t'inquiète pas.

Il partit aussitôt sa dernière bouchée avalée en disant que le soir il faudrait manger tôt à cause de l'assemblée.

— En attendant, conseilla-t-il à Lucie, fais un tour de ville pour avoir une idée des lieux et de l'état d'esprit des gens.

Albertine se mit à la vaisselle et son invitée prit un linge pour l'essuyer.

— On peut sortir ensemble, proposa la jeune mère. Je vais promener Justin dans son carrosse. La grève, au moins, nous donne du bon air, il faut en profiter.

— Tu veux dire que lorsqu'ils travaillent, il y a de la poussière à l'extérieur de la mine ?

— Quand les ventilateurs des moulins soufflent, on croirait qu'il neige.

Elle ajouta amèrement :

— Cette poussière nous tuera tous. D'ailleurs, Justin a commencé de tousser.

— Ce n'est peut-être qu'un rhume, hasarda Lucie.

— Il vaudrait mieux pour *lui*, répliqua-t-elle les dents serrées.

Lucie devina que *lui* se rapportait à son mari qu'elle semblait tenir pour responsable de la situation.

Lorsque le bébé fut si bien emmitouflé qu'on ne lui voyait plus que les yeux, les deux jeunes femmes s'engagèrent dans la rue. Il ne faisait pas très froid et Lucie s'en réjouit parce qu'elle ne pouvait pas photographier avec des gants. Dans sa poche, sa main droite tenait le Rolleiflex prêt à être utilisé en quelques secondes. Les gens saluaient Albertine d'un respectueux *Bonjour madame Gadbois* et elle leur répondait sans s'arrêter.

— Tout le monde me connaît, mais moi, je ne connais personne, dit-elle avec amertume. Leurs femmes sont trop intimidées pour fréquenter l'épouse de l'avocat et celles des contremaîtres sont des Anglaises dont les maris considèrent le mien comme un ennemi.

Le regard exercé de la photographe passa des ouvrières à la bourgeoise, et elle pensa que l'élégance de cette dernière concourait certainement à éloigner d'elle les autres femmes. Elle ne voulut pas la chagriner en le lui disant : elle était bien assez malheureuse. Albertine finit par changer de sujet et demanda à son invitée dans quel quartier elle habitait. Elles eurent la surprise de découvrir, en devisant de choses et d'autres, qu'elles avaient fréquenté le même couvent. Elles ne s'étaient pas connues parce que Lucie était un peu plus âgée. Tout excitées, elles parlèrent avec admiration de leur professeur de français et se moquèrent de la sœur qui enseignait le maintien, ce qui ramena la jeune femme à sa rancœur.

— Beau dommage d'avoir appris les règles du savoir-vivre, pour ce que ça m'est utile ici.

Elle avait été élevée à Outremont où ses parents résidaient.

— Nous avions prévu d'y vivre nous aussi. Pourtant, lors d'un repas dans la parenté d'Yvon, son cousin, un membre important du syndicat des mineurs, a réussi à le convaincre qu'ils ne pouvaient pas se passer de lui. Crois-moi, il n'a pas ménagé son éloquence pour me persuader qu'on serait bien ici. Tout devait être idyllique : une petite ville où l'on n'est pas anonyme, la campagne tout près, sa famille... C'est vrai que sa famille ne m'a pas déçue, mais pour le reste !

Alors que Lucie observait du coin de l'œil un groupe d'hommes qui parlait avec animation sur le parvis de l'église, l'un d'eux en saisit un autre au collet. Le Rolleiflex fut aussitôt hors de la poche de son manteau et elle enchaîna les clichés jusqu'à ce que la bagarre avorte. Quand ce fut terminé, elle découvrit qu'Albertine la regardait avec curiosité et elle comprit que sa propre expression devait refléter les sentiments qu'elle éprouvait, un mélange d'excitation et de contentement qu'elle avait souvent connu en Italie, puis oublié. Pour la première fois depuis la veille, elle pensa qu'elle avait bien fait de venir. La jeune mère détournée de ses récriminations avait quitté sa moue hargneuse, ce qui donna à Lucie l'idée de faire une série de photos où elle apparaîtrait avec Justin. Elle les lui offrirait pour la dédommager du dérangement occasionné par sa présence.

En faisant le tour de la ville, Lucie put constater à quel point c'était laid et triste. Nul doute que la jeune femme élevée à Outremont se sentait étrangère dans un environnement aussi dépourvu d'attraits. À part les édifices officiels, qui semblaient plus solides, tout avait l'air provisoire et mal bâti. Elles dépassèrent les commerces aux enseignes criardes et arrivèrent aux bâtiments de la compagnie Canadian Johns-Manville.

— C'est l'accès à la mine souterraine, expliqua Albertine. On ne peut rien voir. Viens, je vais te montrer la mine à ciel ouvert. Elle est un peu plus loin.

Tous les abords étaient bâtis et la jeune femme apprit à Lucie que les maisons appartenaient à la compagnie qui les louait aux ouvriers.

— Il y a des petits jardins, mais ils ne servent pas à grand-chose parce qu'il n'y pousse rien: la poussière recouvre tout et étouffe toute velléité de végétation.

Le site de la mine offrait un paysage désolé, sans la moindre trace de vie. L'immense cratère dont les parois grises portaient les blessures de l'extraction était entouré de ce qui semblait être des dunes.

— Les collines autour, expliqua Albertine, c'est les déchets. Quand la mine est en activité, au-dessus, il y a en permanence un nuage de poussière d'amiante et au moindre vent, il recouvre la ville et s'infiltre partout. Sais-tu qu'il faut épousseter quatre fois par jour?

Non, Lucie ne le savait pas, et elle avait du mal à concevoir que l'on pût vivre dans un tel endroit.

— Les hommes qui travaillent là-haut et respirent cette poussière sont parmi les plus exposés et ils ne font pas long feu. Mais tout le monde en pâtit.

Et elle ajouta, la voix dure:

— Tu peux être certaine que je ne laisserai pas l'amiante tuer mon fils.

Albertine attendit que Lucie ait pris quelques clichés, puis elle décida:

— Rentrons maintenant. C'est l'heure du goûter de Justin.

Dès leur retour à la maison, l'enfant, qui avait dormi pendant toute la promenade et que le déshabillage réveilla, se mit à geindre. Inquiète, sa mère le prit dans ses bras, l'examina avec attention et quêta anxieusement l'avis de sa compagne.

— Tu ne trouves pas qu'il est rouge et a les yeux trop brillants? J'ai peur qu'il ait de la fièvre.

Lucie, qui n'était pas habituée aux enfants, ne savait que dire.

— Je vais voir s'il a faim. S'il refuse de se nourrir, ce sera le signe qu'il est malade.

Dès qu'elle l'assit sur sa chaise haute, Justin se mit à pleurer.

— Pourrais-tu le tenir pendant que je prépare sa collation?

D'un geste maladroit, Lucie le prit dans ses bras, puis elle marcha en chantonnant comme elle l'avait vu faire. Il se calma et elle tenta de le rasseoir. Il pleura de nouveau et elle dut reprendre sa déambulation autour de la table de la cuisine. En venant à Asbestos, elle s'était attendue à toutes sortes de difficultés, mais pas à se retrouver avec un bébé dans les bras, elle qui depuis trois ans s'appliquait à changer de direction dès qu'elle en apercevait un. Elle avait même espacé ses rencontres avec Gisèle depuis que celle-ci était mère, s'arrangeant pour la rencontrer hors de chez elle, là où son amie la rejoignait seule ou avec un bébé invisible sous ses couvertures.

Après avoir mangé, Justin se mit à chantonner.

— Il a l'air d'aller bien, dit Lucie.

— Ne nous réjouissons pas trop vite. Il a le nez qui coule.

Pendant qu'Albertine préparait le repas du soir, Lucie se réfugia dans sa chambre pour travailler un peu. Si elle passait une journée entière sans étudier, elle avait mauvaise conscience et craignait de compromettre ses chances de réussite. Assise sur le lit qui occupait presque tout l'espace, elle se plongea dans le programme de droit public et oublia tout le reste jusqu'à ce que la voix d'Yvon lui apprenne son retour.

Quand elle les rejoignit, elle constata qu'Albertine, que la bonne humeur de l'enfant avait fini par rasséréner, arborait de nouveau un visage hostile et renfrogné. Son mari, se comportant comme s'il ne s'en apercevait pas, demanda à Lucie si elle avait exploré la ville.

Albertine répondit à sa place :

— On a promené Justin ensemble et je lui ai fait admirer notre si belle et si plaisante cité. Et encore, elle n'a pas eu la chance de voir la poussière. Quand le travail reprendra, il faut qu'elle reste pour se rendre compte.

Refusant la dispute, Yvon demanda si le souper était prêt.

— Presque. Et même si ça ne t'intéresse pas, je me permets de te donner des nouvelles de ton fils qui est souffrant, mais dont tu ne te soucies pas. La grève est plus importante que ta famille.

Réprimant un soupir, Yvon se pencha vers l'enfant qui lui tendit les bras. Il le prit et le chatouilla. Justin rit aux éclats.

— Je crois au contraire qu'il va très bien, dit-il avant de l'asseoir sur sa chaise qu'il avança jusqu'à la table.

Le début du repas fut un peu tendu, mais Lucie, aiguillée par Yvon sur les professeurs de droit qu'ils connaissaient tous les deux, s'efforça de trouver des anecdotes comiques, réussissant même à dérider Albertine. Avant de partir, l'avocat embrassa sa femme sur la joue en lui recommandant de dormir sans l'attendre parce que l'assemblée risquait de se prolonger. Elle se renfrogna de nouveau et ne lui rendit pas son baiser.

— Elle a un tempérament anxieux, dit-il à Lucie lorsqu'ils furent dans la rue, elle s'inquiète toujours pour rien.

Elle préféra ne pas répondre. De toute façon, il n'y pensait déjà plus. En se dirigeant vers le lieu de l'assemblée, il lui expliqua qu'elle ne pourrait pas y assister en sa compagnie parce qu'il serait sur le podium avec les responsables du syndicat. Il allait la présenter à ses confrères de manière qu'elle ne se sente pas isolée parmi tous ces inconnus. Mais dès leur entrée dans la salle paroissiale, il fut happé par des gens qui l'entraînèrent et elle se retrouva seule, aussi seule que peut l'être une femme au milieu d'une foule d'hommes. Elle pouvait difficilement évaluer le nombre de personnes présentes. Yvon lui avait dit que les deux mille ouvriers en grève viendraient tous à l'assemblée. Qu'ils y fussent réellement tous ou non, ils étaient fort nombreux.

Si elle voulait avoir une chance de faire des photos, il fallait qu'elle s'avance jusqu'au podium. Tandis qu'elle contournait la foule en longeant un des deux murs latéraux, elle aperçut soudainement Richard. Elle demeura figée, incapable de faire un pas de plus. Sachant qu'il serait là, elle s'était préparée à la rencontre, déterminée à afficher la plus totale indifférence ; néanmoins, ses jambes tremblaient et elle se sentait dépouillée de ses forces. Une voix inquiète la sortit de sa transe *Ça va, ma petite dame ?* Elle se ressaisit, rassura le mineur compatissant d'un sourire et se remit en marche. *C'est normal que je ressente un choc,* se dit-elle, *il a eu tellement d'impact sur ma vie. Maintenant, c'est fini, il ne pourra plus me blesser.*

Quand elle fut près du but, elle se faufila devant les gens en s'excusant à droite et à gauche. À la vue de son équipement, ils lui facilitèrent le passage vers les journalistes qui se tenaient au pied de l'estrade, mais elle perçut quelques commentaires sur son physique et sur les perspectives ouvertes par sa présence qui déclenchèrent des rires gras et lui firent hâter le pas.

À part *Le Devoir*, quotidien de Montréal, et *Le Canadien*, hebdomadaire de Thetford Mines, la presse n'avait pas encore manifesté d'intérêt pour la grève. Avec Richard, les journalistes étaient au nombre de trois. Quand ils la découvrirent, bardée de ses appareils, ils l'invitèrent du geste à les rejoindre. Elle se nomma et dit qu'elle avait été recrutée par le syndicat pour faire un reportage à usage interne. Ils lui serrèrent la main en se présentant à leur tour. Bien qu'ils fissent preuve de cordialité, elle sentit, à une modification infime de leur attitude, qu'ils ne la considéraient pas vraiment comme étant des leurs. De leur point de vue, même si elle était là pour réaliser un reportage, elle ne faisait pas du journalisme puisqu'elle était au service du syndicat. Richard, qu'elle salua en dernier sans montrer qu'elle le connaissait, joua le jeu et déclina également son nom et sa raison d'être présent. Elle apprit ainsi qu'il était devenu photographe indépendant et vendait ses clichés à diverses agences. En lui faisant de la place, les trois hommes l'entourèrent, la séparant ainsi des grévistes les plus proches, et elle en fut soulagée.

Après avoir été introduits par Armand Larrivée, président du syndicat d'Asbestos, les orateurs commencèrent de parler. Le président de la Fédération de l'industrie minière, Rodolphe Hamel, rappela que le ministre du Travail, Antonio Barrette, avait promis deux ans auparavant de s'occuper du problème de la poussière et que rien n'avait été fait. Il fut bruyamment approuvé par les assistants qui savaient de première main que c'était vrai. Jean Marchand, secrétaire général de la Confédération des travailleurs catholiques du Canada, aborda ensuite un sujet qui inquiétait les mineurs : la menace du gouvernement d'enlever au syndicat son certificat de reconnaissance. Il expliqua qu'il ne s'agissait que d'une attestation d'existence et que l'on n'enlève pas l'existence à une personne juridique par suite d'infractions civiles. Lucie, qui ne comprenait pas grand-chose à ces arguties, regarda autour d'elle et découvrit qu'à part ceux des journalistes, les fronts s'étaient plissés d'incompréhension. Cela méritait une photo qui avait des chances d'être plus intéressante que celles des orateurs. Elle la prit, même si elle n'avait pas d'illusions sur l'intérêt qu'un tel cliché provoquerait chez Gadbois. On annonça ensuite que les mineurs de la compagnie Flintkote de Thetford avaient refusé de reprendre le travail, même si leurs patrons leur avaient promis une augmentation égale à celle qu'obtiendraient les grévistes des autres compagnies si eux-mêmes cessaient la grève, ce qui déclencha une ovation dans la salle.

Après ces informations et ces mises au point, les chefs syndicaux demandèrent aux grévistes s'ils leur maintenaient leur appui et s'ils voulaient continuer la grève malgré les manœuvres d'intimidation. Il n'y eut pas d'hésitation : les mineurs étaient prêts à aller jusqu'au bout.

Lorsque ce fut terminé, la foule survoltée s'écoula vers la sortie et Richard, qui marchait à côté de Lucie, s'informa :

— Tu as repris le métier ? Je croyais que tu étudiais le droit.

— J'étudie effectivement le droit et je vais passer mon dernier examen au début du mois de juillet. Je suis ici à titre exceptionnel, à la demande de l'ami d'une amie.

Elle avait répondu assez sèchement pour qu'il comprenne qu'elle n'avait pas envie de lui parler et il n'insista pas. Quand ils furent dehors et qu'il vit qu'elle ne suivait pas les deux journalistes vers l'hôtel, il lui demanda où elle logeait. Elle répondit qu'elle était hébergée par celui qui l'avait engagée. D'ailleurs, elle l'attendait pour rentrer avec lui. Comme il n'y avait plus grand monde devant la salle paroissiale et que Gadbois n'arrivait pas, Richard resta. Bien qu'elle eût préféré se passer de sa présence, elle ne protesta pas, car elle craignait de demeurer seule la nuit dans une ville inconnue. Elle resta silencieuse, et il n'essaya pas de forcer la conversation.

Lorsque Yvon arriva enfin avec toute l'équipe du syndicat, ils n'étaient plus que tous les deux, figés dans leur malaise.

L'avocat serra la main du reporteur tout en s'excusant auprès de Lucie d'avoir été un peu long. Ils marchèrent de conserve jusqu'à l'hôtel où ils laissèrent Richard, puis Lucie et Yvon continuèrent tandis que ce dernier, surexcité par la réussite de l'assemblée, ne cessait de la commenter. Parvenu chez lui, il fit signe à Lucie de se taire, alors qu'elle n'avait quasiment pas prononcé un mot depuis qu'il l'avait rejointe, et il ouvrit la porte en prenant soin de ne faire aucun bruit.

Lucie se glissa dans les draps avec soulagement, car il était tard et la journée avait été épuisante. Elle croyait s'endormir tout de suite, mais elle n'était pas assez calme pour cela. Les cris, les gesticulations, l'enthousiasme des grévistes, sa propre excitation engendrée par son activité de reportrice, tout cela l'avait maintenue trop longtemps dans un état de fébrilité pour qu'elle puisse plonger aussitôt dans le sommeil. Elle revoyait les images qu'elle avait captées, se rappelait l'expression d'un visage ou un geste significatif, regrettait une scène qu'elle avait aperçue trop tard. Il y avait aussi le lit inconnu, étroit et dur, auquel elle devait s'habituer. Et puis, surtout, il y avait Richard. Il lui était apparu à la fois semblable à son souvenir, avec cette silhouette svelte qui lui gardait une allure juvénile, et différent à cause des fils d'argent dans sa chevelure blonde et des profondes pattes d'oie marquant désormais le coin de ses yeux. Ces changements ne lui avaient rien ôté de sa séduction, mais elle n'y était plus sensible. Si elle avait été troublée par leur rencontre, c'était en raison de l'absence de la colère à laquelle elle s'était attendue. Le temps, sans doute, l'avait usée, et il ne lui restait qu'une immense tristesse.

⁂

Simone avait donné l'adresse de Madeleine à Lucie qui avait pensé lui rendre visite dans l'après-midi puisque Gadbois était parti pour la journée sans requérir ses services. À peine le repas était-il terminé qu'on frappa à la porte. Yvon avait envoyé un jeune garçon avertir la photographe qu'elle devait immédiatement le rejoindre. Pendant que Lucie allait dans sa chambre chercher le matériel photographique, Albertine bombarda le messager de questions. Elle n'en tira pas autre chose que *Il y a du trouble aux bureaux de la compagnie*. Tout en marchant le plus rapidement possible derrière l'adolescent, qui se retournait de temps à autre pour l'exhorter à se dépêcher, Lucie était aussi contente qu'il se passe quelque chose que soulagée d'échapper à Albertine.

Elle avait espéré consacrer la matinée à l'étude. Malheureusement son hôtesse, qui lui avait généreusement proposé de s'installer avec ses livres sur la table de la salle à manger, n'avait pas cessé de parler. La jeune femme avait besoin d'une oreille compatissante pour déverser ses récriminations. Pour elle, cette grève tombait fort mal, car elle venait d'obtenir de son mari qu'ils quittent Asbestos pour Montréal. Le départ était maintenant remis à la fin du conflit. La veille, elle avait espéré que les mineurs se laisseraient intimider par le gouvernement et reprendraient le travail. Pressée de connaître le résultat, elle avait essayé d'attendre le retour d'Yvon, mais avait cédé au sommeil et ce n'était qu'au matin qu'elle avait appris la nouvelle. Lucie, qui s'en serait passée volontiers, avait assisté à la scène. Elle n'avait d'ailleurs pas duré parce que l'avocat s'était enfui au plus vite loin des cris et des larmes en annonçant qu'il ne pourrait pas rentrer à midi. Lucie avait tenté de la raisonner : puisqu'il lui avait promis de partir à la fin du conflit, ce n'était que partie remise. Cette grève ne durerait pas éternellement.

— Tu ne comprends pas, s'obstinait-elle : je n'en peux plus !

C'était clair. Il était pourtant tout aussi évident que son mari ne bougerait pas tant que ce ne serait pas terminé. La compassion première de Lucie pour Albertine s'était muée en un agacement qui menaçait de tourner rapidement à l'exaspération. Elle se demandait comment elle allait parvenir à cohabiter avec ce couple. Elle avait déjà du mal avec la promiscuité, car elle vivait seule depuis longtemps et n'était plus habituée à partager la salle de bains ni à voir des gens au petit-déjeuner. Si en plus ils se disputaient tous les matins, ce serait l'enfer. Et c'était sans compter la présence du petit Justin. Avoir constamment sous les yeux Albertine et son enfant la mettait à la torture en lui faisant mesurer ce qu'elle avait perdu. Elle n'était pas sûre de pouvoir le supporter. Elle résolut, dans un premier temps, de s'enfermer dans sa chambre pour étudier lorsqu'elle n'aurait rien à faire en rapport avec sa mission. Si cela se révélait insuffisant, elle trouverait le moyen de s'installer ailleurs.

Lucie et son guide rejoignirent un cortège d'ouvriers.

— Ils se dirigent vers les bureaux de la compagnie, expliqua le garçon. On va remonter jusqu'à ceux qui marchent devant.

On entendait des tambours dont les roulements devinrent de plus en plus forts à mesure qu'ils approchaient de la tête du cortège. Cela avait un aspect festif et bon enfant, comme une parade. Il fallait se souvenir que les marcheurs étaient des gens en colère, qui avaient décidé de braver l'interdiction du gouvernement afin de faire valoir leurs droits, pour se rappeler que la fête pouvait basculer dans l'émeute à tout moment. Arrivée à proximité des lieux, Lucie retrouva Yvon qui l'attendait et lui apprit qu'ils allaient occuper les bureaux calmement et sans violence. Il voulait que ses photos l'attestent. Elle lui tourna le dos un instant pour photographier les mineurs qui faisaient devant le bâtiment une barrière infranchissable. Quand elle se décida à le suivre, Yvon avait disparu à l'intérieur et un gréviste lui barrait le passage.

— C'est une affaire d'hommes. On n'a pas besoin de femmes dans les jambes.

— Je suis journaliste, il faut que je fasse des photos.

— On n'a pas besoin de journalistes non plus.

— C'est Gadbois qui m'a engagée. Il tient à ce que je sois là.

Il n'y eut rien à faire et elle dut se résigner à attendre qu'on vienne la chercher. Faute de mieux, elle mitrailla l'imposant rassemblement de grévistes qui lançaient des quolibets aux employés contraints par leurs camarades de quitter les bureaux. Lorsque Gadbois ressortit, il l'interpella :

— Pourquoi ne m'as-tu pas suivi ? Je t'avais dit que c'était important.

Elle lui désigna le cerbère.

— Il m'a refoulée. J'ai eu beau insister, il n'a rien voulu savoir.

Gadbois passa un savon à l'homme qui répétait pour se disculper :

— Je pouvais pas deviner, moi, c'est une femme.

Yvon haussa les épaules et entraîna Lucie en disant qu'ils avaient perdu assez de temps. À l'intérieur, où elle retrouva Richard ainsi que le journaliste du *Devoir* et celui du *Canadien*, le piquetage s'organisait : les employés qui n'avaient pas voulu quitter les lieux étaient regroupés au même endroit, sans être molestés et sans même qu'on les touche, et mis sous la surveillance de jeunes grévistes costauds qui prenaient leur rôle très à cœur et à qui on répéta qu'il ne fallait exercer aucune violence.

Les dirigeants du syndicat changèrent de pièce pour faire le point sur l'intervention loin des oreilles de ces prisonniers volontaires dont la présence attestait de leur loyauté envers l'employeur et qui n'hésiteraient pas à rapporter tout ce qu'ils auraient entendu. On invita poliment les journalistes à rejoindre la foule qui battait la semelle dehors et ainsi, ils furent les premiers informés du départ en voiture des représentants de la compagnie, monsieur Foster et maître Sabourin, sur la route de Sherbrooke. Nul doute que c'était pour réclamer une injonction contre le syndicat. Les deux journalistes attachés à un journal se précipitèrent à la poste pour télégraphier la nouvelle à leurs rédactions et Richard proposa à Lucie d'aller se réchauffer au bar de l'hôtel. Elle préféra se rendre chez Madeleine ainsi qu'elle l'avait prévu avant que les événements ne l'en détournent.

⁂

En marchant vers le domicile de son amie, Lucie pensa qu'elle allait encore rencontrer un jeune enfant et elle eut envie de faire demi-tour. Mais elle n'avait pas le choix: comment pourrait-elle expliquer à sa mère et à Simone qu'elle n'avait pas rendu visite à Madeleine? Elle espérait avoir la chance de tomber à l'heure de la sieste. Ce ne fut pas le cas: la jeune femme l'accueillit avec la petite Rosa dans les bras. Pour prendre le manteau de Lucie, elle déposa l'enfant sur le plancher. Celle-ci fit quelques pas en titubant, puis elle se mit à quatre pattes et partit vers la cuisine avec une grande vélocité.

— Il faut que je la surveille tout le temps, dit-elle avec fierté, tout l'intéresse.

Lucie, qui ne put éviter de se retrouver avec Rosa dans les bras, découvrit avec soulagement que c'était déjà plus facile que la veille.

La grève rendait Madeleine soucieuse. Son mari et ses amis étaient très remontés et elle redoutait qu'ils n'aillent provoquer les contremaîtres de la compagnie. Lucie s'abstint de l'inquiéter davantage en lui racontant ce qui venait de se passer, laissant à Basile le soin d'en informer sa femme.

— Pour le moment, je suppose qu'il ne leur arrivera rien, dit Madeleine. Mais quand le travail reprendra, je ne serais pas surprise qu'on apprenne à ceux qui ont crié le plus fort qu'il n'y a plus d'ouvrage pour eux.

Lucie tenta de la rassurer:

— Les représentants syndicaux incluront dans les négociations le retour de tous les employés, c'est ce qui se passe d'habitude.

— Ouais, j'espère. Je ne dis pas qu'ils ont tort de faire la grève. C'est vrai qu'ils en arrachent, surtout ceux qui sont à l'empochage et qui respirent la poussière toute la sainte journée. Basile, lui, travaille dans la mine. Il n'est pas si mal. Et la paye est bonne par rapport à ce que les ouvriers gagnent ailleurs. Sinon, on n'aurait pas tout ça.

D'un mouvement circulaire, elle montrait avec orgueil son logis, modeste mais bien installé.

— Basile ne veut pas finir en crachant ses poumons et on met de côté pour prendre une terre dans quelques années. Si ça dure, les économies… Surtout que moi aussi, j'ai perdu ma job. Je gardais les enfants de quatre femmes qui travaillaient à la filature. Comme ça, je pouvais m'occuper de Rosa en même temps. Elles aussi sont en grève, évidemment. Bon. Assez parlé de moi. Pourquoi êtes-vous à Asbestos ?

Lucie le lui expliqua.

— Alors, vous faites toujours des photos ?

— Toujours, mais je ne gagne pas ma vie avec ça. Je vais être avocate. Ce qui ne me permettra probablement pas de gagner ma vie non plus.

— Parce que vous êtes une femme ?

— Exactement.

Elle ne lui demanda pas de quoi elle vivrait, imaginant sans doute que ce souci était épargné aux bourgeoises nées avec une cuillère en argent dans la bouche. Chacune donna à l'autre des nouvelles de ses connaissances. Madeleine évoqua sans insister *cette pauvre Jacinthe*, ne posa aucune question sur le notaire Bélanger, au sujet duquel Simone devait la tenir informée, s'étonna qu'Irène n'ait pas encore d'enfant et fut surprise d'apprendre qu'elle devait finir ses études avant.

— Ah bon, elle va finir ?

— Bien sûr. Et ensuite, elle exercera comme médecin.

Madeleine ne commenta pas, mais son incompréhension était visible.

— Et vous, mademoiselle Lucie, vous ne vous mariez pas ?

— Non.

Comme cela n'avait pas l'air de suffire, elle ajouta :

— Je n'ai pas trouvé celui qui me convient.

Il y eut un silence et elles burent leur café pour se donner une contenance. Puis Lucie sortit son Rolleiflex.

— Je vais faire quelques photos de vous deux. Je les développerai quand je serai de retour à Montréal.

Madeleine, radieuse, posa avec sa fille dans les bras. Rosa sourit à Lucie qui réussit à tirer deux ou trois clichés avant que la petite ne découvre l'appareil dont elle voulut aussitôt s'emparer. N'obtenant pas satisfaction, elle se mit à crier et à pleurer en se tortillant pour échapper à sa mère, les menottes tendues vers l'objet de son désir. Pendant que Madeleine, mortifiée, s'excusait, Lucie pensait que les photos seraient bonnes. Surtout la dernière, mais celle-là, elle se garderait de la lui donner, parce que pour la jeune mère, sur une photo, il fallait être à son avantage.

⁂

Après avoir quitté Madeleine, Lucie retourna aux bureaux de la Compagnie. Le même planton gardait l'entrée. Cette fois cependant il ne fit pas de difficultés. Au moment où elle franchissait la porte, elle l'entendit même expliquer à ses voisins qu'elle travaillait pour Gadbois et qu'il ne fallait surtout pas l'en empêcher. Yvon confirma à Lucie ce qu'elle avait deviné à l'extérieur : il ne s'était rien passé de nouveau.

— Tu peux retourner à la maison, lui dit-il. Ils ne pourront pas agir avant demain.

Quand elle ressortit, elle eut la surprise de voir Richard alors que les deux autres journalistes n'étaient pas revenus. La voiture des représentants de la compagnie étant obligée de passer devant l'hôtel à son retour, ils en seraient informés sans avoir à geler dehors.

— Est-ce que dedans ils savent ce que le tribunal a décidé ? lui demanda-t-il.

— Non, pas encore.

— Moi, je le sais par mon informateur de Sherbrooke à qui j'ai téléphoné. Viens boire quelque chose de chaud, je te mettrai au courant.

Malgré son désir de fuir, Lucie le suivit, car elle pensait que le meilleur moyen d'éviter que le passé ne surgisse dans la conversation était de se comporter comme s'ils étaient de simples camarades.

Devant un thé fumant, Richard lui apprit que la compagnie avait obtenu une injonction contre les grévistes pour faire cesser le piquetage et les activités illégales. De plus, elle intentait une poursuite en dommages de cinq cent mille dollars contre le Syndicat de l'amiante d'Asbestos, la Fédération nationale de l'industrie minière et la Confédération des travailleurs catholiques du Canada.

— Demain, les forces de l'ordre vont disperser les grévistes. Il sera dangereux de traîner dans les rues.

— Pourtant, Yvon m'a dit que les policiers étaient trop peu nombreux pour faire quoi que ce soit.

— Ils vont recevoir des renforts. Qu'as-tu l'intention de faire ?

— Des photos de ce qui se passera. Je suis ici pour ça.

— Chaque fois que la police a réprimé une grève, elle l'a fait avec beaucoup de violence. Tu pourrais attraper un mauvais coup.

— Ils doivent quand même éviter les journalistes de peur que leur photo se retrouve dans le journal.

— Une fois qu'ils ont cassé l'appareil, ils ne risquent plus grand-chose de ce côté-là.

— Est-ce que tu essaies de me dire que je devrais rester à l'abri loin des événements ?

— Je ne veux pas qu'il t'arrive du mal.

— Trop tard.

La réplique était venue spontanément et elle la regretta aussitôt. Richard était devenu pâle et elle craignit qu'il n'aborde le sujet dont il n'était absolument pas question qu'elle discute avec lui.

— Je ferai le travail pour lequel je suis ici, dit-elle en se levant.

— Au moins, conseilla-t-il, habille-toi comme une ouvrière, tu seras moins repérable.

Pendant qu'il lui tenait la porte, il lui proposa :

— Si tu veux, on peut travailler ensemble.

Elle s'en alla sans répondre, refusant même d'y penser, mais en se dirigeant vers le domicile de Gadbois, elle réfléchit à son conseil de changer de vêtements, ce qui lui donna l'idée de mettre un pantalon. En Italie, cela lui avait facilité les choses sur le terrain, car les hommes ne la considéraient pas de la même manière et il était beaucoup plus facile de se déplacer.

Albertine était avide de nouvelles. Pour éviter un nouveau drame, Lucie aurait préféré lui cacher la vérité comme elle l'avait fait avec Madeleine, mais si elle voulait lui emprunter un pantalon de son mari, il fallait qu'elle lui explique pourquoi. Elle eut droit à une diatribe contre cet égoïste qui n'hésiterait pas à mettre sa vie en danger, la laissant seule avec un enfant, et elle eut toutes les peines du monde à la raisonner. Quand la jeune femme fut un peu calmée, Lucie lui présenta sa requête. D'abord sidérée, Albertine trouva l'idée amusante et alla lui chercher le plus beau pantalon de son mari.

— Je préférerais un vieux.

— Non. Prends celui-là. Ce sera bien fait pour lui si tu l'abîmes.

— Si je veux un pantalon, c'est pour essayer de me fondre dans la foule des ouvriers. Avec ce beau vêtement, je n'ai aucune chance.

Bien que déçue que sa petite vengeance ne fonctionne pas, Albertine retourna fureter dans la penderie et déclara forfait.

— Je ne sais pas, moi. Choisis toi-même.

Lucie les examina tous sans trouver son bonheur : ces vêtements étaient de trop bonne qualité pour passer inaperçus au milieu de ceux des ouvriers.

— Il n'a pas un vieux pantalon qu'il met pour bricoler au jardin, ce genre de chose ?

— Il ne fait jamais ce genre de chose, ricana Albertine. Il est trop occupé à sauver le monde.

Alors que Lucie allait se résigner à en prendre un, n'importe lequel, la jeune femme eut soudainement une inspiration.

— J'ai un sac de vieux habits démodés que j'oublie toujours d'apporter à la paroisse. Viens.

Ce que Lucie y trouva était beaucoup plus adapté. Albertine la fit monter sur une chaise pour marquer l'ourlet avec des épingles.

— Comme il ne le porte plus, on va pouvoir couper un morceau de tissu. Il tombera mieux.

Qu'il tombe bien n'était pas la priorité de Lucie, mais Yvon était beaucoup plus grand qu'elle et l'ourlet serait plus facile à faire s'il n'y avait pas toute cette étoffe excédentaire. Elle passa le reste de la journée à mettre le pantalon à sa taille, tenant compagnie à Albertine qui, fort heureusement, parla de temps en temps d'autre chose que de son mari. Quand il rentra, tout recommença. Lucie, prétextant la fatigue, alla se coucher très tôt. Elle n'était arrivée que de la veille et ne supportait déjà plus de vivre là. Y avait-il une autre possibilité ? Si elle allait à l'hôtel, il faudrait qu'elle paie elle-même. Ce n'était pas le plus grave : pendant quelques jours, elle pouvait le faire. Le vrai problème était la présence de Richard qu'elle verrait constamment, ce qu'elle ne voulait pas. Elle conclut qu'elle était obligée de demeurer chez les Gadbois.

Le lendemain matin, Yvon proposa à Lucie d'attendre à la maison qu'il l'envoie chercher s'il avait besoin d'elle. Elle préféra le suivre plutôt que de rester avec Albertine. Il fut très étonné de la voir apparaître dans un de ses vieux pantalons et plus encore quand elle y ajouta le manteau trois-quarts qu'il portait lorsqu'il était étudiant.

— L'Halloween, c'est à l'automne, fit-il remarquer.

— Mais les troubles c'est peut-être aujourd'hui, rétorqua-t-elle en rassemblant ses cheveux dans une casquette. Dans cette tenue, il me sera plus facile de passer inaperçue et surtout, de courir si nécessaire.

— Pour courir, je l'admets.

Il vit le front plissé de sa femme et ajouta vivement :

— Bien que je me demande pourquoi ce serait nécessaire.

— Si ta dernière phrase est pour moi, intervint Albertine, ce n'est pas la peine, je sais à quoi m'en tenir.

— Tu ne sais rien du tout. Personne ne sait rien.

— Je peux donc aller me promener avec Justin ?

— J'aimerais mieux que tu restes à la maison aujourd'hui.

Ravie de l'avoir piégée, elle triompha :

— Tu vois !

Il lui laissa la satisfaction du dernier mot pour lui échapper plus vite.

Ses réserves à propos de la tenue de Lucie se révélèrent justifiées : tous les gens qu'ils croisaient la regardaient avec curiosité et malgré l'heure matinale, il y avait dans la rue bien du monde en quête de nouvelles.

— D'accord, concéda-t-elle, on me remarque. Mais avec mes propres vêtements, je tranchais aussi.

Comme plus tôt avec sa femme, il n'insista pas. Ils s'arrêtèrent plusieurs fois en chemin, parlant aux uns et aux autres, et prirent ainsi connaissance d'une rumeur qui s'était répandue disant qu'un contingent de policiers provinciaux devait arriver à Asbestos le jour même. Afin d'essayer de savoir ce qu'il en était réellement, ils se rendirent au siège de la police municipale où régnait une certaine fébrilité. Étant donné que le maire, monsieur Goudreau, qui était aussi député de l'Union nationale, n'avait pas nié la nouvelle, tout le monde la tenait pour certaine, bien qu'il ne l'eût pas confirmée non plus. Le chef de la police, persuadé que la présence de policiers provinciaux allait créer des difficultés, était soucieux. Il ne pouvait pas faire grand-chose, à part renforcer ses troupes, au demeurant fort peu nombreuses puisqu'il ne disposait que de six constables. Il en engagea quatre nouveaux et assermenta une quinzaine de grévistes dans l'espoir que cela suffirait au maintien de l'ordre.

Dès que l'arrivée d'une centaine de policiers provinciaux fut confirmée, les chefs syndicaux, voulant éviter les affrontements, appelèrent les grévistes à participer à une assemblée générale. Lorsque les policiers déboulèrent sur la ville en fin de matinée, il fut évident que cela avait été une bonne initiative, car nombre d'entre eux étaient pris de boisson et avaient clairement envie d'en découdre. Ils allèrent directement aux bureaux de la compagnie où ils furent surpris par l'absence de piquetage, puis aux mines, qui n'étaient pas occupées non plus. Frustrés de ne rencontrer aucune résistance, ils investirent la ville, provoquant les hommes qu'ils croisaient, faisant des remarques insultantes aux femmes, se rendant odieux instantanément.

Lucie, qui n'était pas allée à la salle paroissiale où il n'y avait rien d'intéressant à photographier, avait finalement suivi Richard qui avait suggéré d'attendre l'arrivée des policiers au bar de son hôtel d'où ils ne les rateraient pas à cause de sa proximité avec les bureaux de la compagnie. Malgré sa crainte qu'il aborde le sujet dont elle refusait de parler si elle restait avec lui, elle avait accepté sans discussion qu'ils travaillent ensemble. Les commentaires entendus dans la matinée l'avaient convaincue qu'il y aurait danger et que celui-ci serait accru si elle opérait seule. Ils s'assirent devant une boisson chaude et abordèrent des sujets neutres, comme les études de Lucie. Elle s'employa à être diserte afin d'éviter que le silence ne s'installe entre eux et prélude à une conversation plus personnelle à laquelle elle sentait que Richard aspirait.

Quand elle vit arriver les troupes comme en terrain conquis, elle eut la confirmation de la justesse des rumeurs : il ne fallait pas tomber entre les pattes de ces hommes-là sous peine de le regretter.

— C'est le moment d'y aller, décida Richard.

Il la regarda de la tête aux pieds et ajouta :

— Toi, tu ferais mieux de ne pas sortir. Tu pourrais photographier depuis la fenêtre de ma chambre qui surplombe l'entrée des bureaux. Nos clichés se compléteront.

Sans attendre de réponse, il posa une clé sur la table et s'en alla en toute hâte. Lucie hésita à peine, consciente que ce serait de la folie de se mêler à ces hommes brutaux et avinés, elle-même habillée en homme, ce qui, au lieu de la mettre à l'abri comme elle l'avait pensé, l'exposerait davantage. Elle aurait été mieux inspirée d'emprunter des vêtements à Madeleine, car elle aurait eu l'air d'une ouvrière, ce qui lui aurait facilité les choses. Quoique dans les circonstances, quelle que soit la tenue portée, la rue n'était pas un lieu sûr pour une femme seule. Elle se promit de se procurer des habits adéquats dès que la ville serait moins dangereuse.

Le numéro de la chambre était indiqué sur la clé. Elle se dirigeait vers l'escalier lorsque la patronne l'interpella :

— Hé, vous, là, où allez-vous ?

Trop maquillée, la cigarette vissée au coin de la bouche et les yeux plissés à cause de la fumée, Irma Callier avait une voix rauque de grosse fumeuse.

— Je suis journaliste et je travaille avec Richard Morin, répondit-elle en lui montrant son Rolleiflex. C'est trop dangereux dans la rue et je vais photographier depuis la fenêtre de sa chambre.

— Hum… C'est juste pour les photos, hein ? Après, vous redescendez. Je ne tolère pas que des femmes aillent dans les chambres. C'est un endroit respectable, ici.

— Bien sûr, répondit Lucie en rougissant, je suis logée chez Gadbois. Vous le connaissez ?

— Tout le monde le connaît. Et qu'est-ce que c'est, cette tenue de carnaval que vous portez ? C'est la mode en ville ?

— J'espérais me confondre parmi les ouvriers, répondit Lucie qui se sentait de plus en plus ridicule.

— Une réussite, commenta moqueusement la femme.

— Je m'en suis aperçue. Je peux y aller, maintenant ? Sinon, je vais tout rater.

La femme regarda vers les locaux de la compagnie.

— Vous ne raterez rien du tout. À mon avis, ça va durer longtemps. Beaucoup plus qu'on voudrait.

Penchée à la fenêtre ouverte, Lucie découvrit qu'en effet, la manière dont les policiers provinciaux investissaient l'espace public montrait leur intention de s'y installer. Certains de ces hommes entraient et sortaient des bureaux de la compagnie où ils semblaient avoir établi leur quartier général. Elle vit aussi des ouvriers quitter les ateliers. Il s'agissait probablement de ceux qui étaient préposés à l'entretien des machines, les seuls postes dont les grévistes assuraient le fonctionnement depuis l'arrêt de travail. Ils furent bousculés au passage, mais ne répliquèrent pas, et elle fit plusieurs clichés de la scène. La porte de la chambre s'ouvrit derrière elle et la patronne de l'hôtel entra.

— On gèle, ici. Vous allez refroidir toute la maison.

Lucie ferma la fenêtre.

— Je ne la rouvrirai que si je vois quelque chose d'intéressant. Ne vous inquiétez pas, madame Callier.

— Appelez-moi Irma, comme tout le monde.

Elle lui tendit des vêtements posés sur son bras.

— Mettez ça à la place de votre accoutrement si vous voulez ressembler aux femmes d'ici.

— C'est très gentil de votre part.

Elle haussa les épaules.

— Si ça peut vous aider... Il faut les photographier, ces sans-dessein qui s'en prennent au pauvre monde. Comme ça, ils ne pourront pas prétendre que ce n'est pas vrai.

— C'est la raison pour laquelle Gadbois m'a fait venir.

— Vous m'avez dit que vous travailliez avec Morin.

— On travaille ensemble, mais chacun pour soi.

Bien que ce ne soit pas très clair, la femme s'en contenta.

— Je vous laisse, j'ai à faire en bas.

Lucie se rendit dans la salle de bains pour se changer. L'odeur de l'après-rasage de Richard y flottait encore et elle ferma les yeux un instant, assaillie par des souvenirs qu'elle pensait avoir oubliés, mais qu'elle eut le déplaisir de découvrir vivaces. Elle se raidit, refusant toute faiblesse, et se dévêtit. La porte s'ouvrit de nouveau et elle crut que la femme revenait.

— Je me change, cria-t-elle. J'en ai pour une minute.

Elle ôta rapidement le pantalon qu'elle remplaça par une jupe en lainage grossier. Il y avait aussi un manteau qui avait été beaucoup porté et un foulard. C'était parfait : elle était désormais vêtue comme n'importe quelle ouvrière. En ouvrant la porte, elle découvrit que ce n'était pas la patronne de l'hôtel qui était dans la chambre, mais Richard.

— Habillée comme ça, tu peux sortir, approuva-t-il. Viens, il est temps de manger. Ensuite, on ira à l'assemblée des chefs de la Ligue ouvrière catholique.

Ils s'installèrent au restaurant de l'hôtel où on leur servit un pâté chinois qu'ils avalèrent rapidement. Richard apprit à Lucie qu'elle n'avait vu de sa fenêtre que la pointe de l'iceberg : les policiers provinciaux s'étaient répandus dans toute la ville où ils faisaient les fiers-à-bras dans le but évident d'allumer des bagarres qui leur permettraient de procéder à des arrestations.

— Les dirigeants syndicaux vont devoir être très convaincants pour persuader les grévistes qu'ils doivent se laisser traiter avec mépris sans protester.

Sur le chemin de la salle paroissiale, ils croisèrent des policiers en groupes de trois ou quatre. Quelques-uns titubaient au milieu de la rue, se passant une bouteille d'alcool qu'ils buvaient au goulot.

— Ne les regarde pas, recommanda Richard à Lucie en lui prenant le bras. Ils ont perdu tout sens de la mesure et pourraient croire que tu les provoques.

L'un d'eux, prouvant qu'il était au-delà de toute inhibition, urinait contre le mur d'une maison. En le voyant, Lucie donna un coup de coude à Richard et le lui désigna du menton.

— Vas-y, lui dit-il, je te cache.

Il déboutonna promptement son manteau et enlaça la jeune femme en l'entourant de son vêtement comme pour la protéger du froid. Ce faisant, il tourna le dos aux compagnons de leur sujet qui, lui, ne voyait que le sol à ses pieds. Et encore, il devait être flou. Richard maintint ses bras légèrement écartés pour laisser à Lucie sa liberté de mouvement. Elle prit plusieurs clichés pour être certaine d'en avoir un bon. Quand elle eut terminé, ils se remirent en marche sous les commentaires salaces des policiers qui croyaient les avoir vus s'embrasser. Ils échangèrent un regard content : ils avaient fait du bon travail.

À l'assemblée, Lucie découvrit le curé Camirand, dont Gadbois lui avait dit grand bien et qui était à l'origine du rassemblement.

Dès le début du conflit, il avait déclaré que s'il était mineur, il serait gréviste, et ces derniers, sachant qu'il les soutenait, écoutaient ses avis. Il les exhorta à répondre aux provocations par l'indifférence, leur répétant à plusieurs reprises que s'ils répliquaient, il y aurait très vite une escalade et qu'ils ne seraient pas les plus forts. Leur seule chance d'obtenir satisfaction était que la grève soit exempte de désordres et de violence.

— Mais c'est eux qui commencent, cria dans la foule une voix coléreuse rapidement suivie de plusieurs autres.

Patiemment, il réexpliqua que les policiers voulaient qu'ils perdent leur sang-froid afin d'avoir un prétexte pour intervenir. S'ils répondaient aux insultes, ils feraient le jeu de la police provinciale, c'est-à-dire du gouvernement, et par conséquent de la compagnie que le gouvernement soutenait. Il parvint à les calmer, non sans mal.

L'exécutif du syndicat et le conseil municipal s'en allèrent rencontrer l'inspecteur général Labbé, chef de l'escouade policière. Le curé, quant à lui, donna rendez-vous aux grévistes à l'église pour qu'ils récitent ensemble un chapelet. Ils s'y rendirent après avoir défilé dans toute la ville en ordre et calmement derrière leur bannière, sous les regards déçus des policiers qui avaient espéré assister à quelque acte répréhensible justifiant l'utilisation des matraques. Lucie et Richard se mêlèrent aux ouvriers, ce qui leur permit de réaliser quelques intéressants clichés de policiers où l'on voyait clairement qu'ils jouaient les agents provocateurs, ce qu'ils faisaient à grand renfort d'insultes et de gestes indécents. Dans la ville, désertée par les femmes qui avaient eu la sagesse de se terrer chez elles, il n'y avait que ces hommes qui défilaient et ces autres hommes qui les narguaient. L'atmosphère était oppressante et Lucie, invisible et protégée entre Richard et le journaliste de Thetford, eut le sentiment que cette paix factice ne pouvait pas durer. Considérant qu'elle en avait assez vu, elle profita de leur passage à proximité de chez Gadbois pour quitter le cortège. Richard l'accompagna, même s'il n'y avait qu'une courte distance à franchir, et elle eut la surprise de découvrir qu'Albertine et lui se connaissaient. Il refusa la tasse de thé proposée par la jeune femme et partit rejoindre les grévistes pendant que Lucie, qui avait accepté l'infusion, écoutait Albertine lui raconter une partie de la vie de Richard qu'elle ignorait.

Elle savait que sa famille était composée de sa mère, d'un frère, d'une sœur cadette mariée et mère de cinq enfants vivant dans l'Estrie ainsi que d'une sœur religieuse missionnaire en Chine, mais Albertine lui apprit que le lieu de résidence de la famille était à quelques milles d'Asbestos, à East-Broughton, la ville dont parlait Burton LeDoux dans son article sur l'amiantose. Le père de Richard, un mineur, était mort de cette maladie des années auparavant et c'était pour cela que le journaliste était aussi passionné qu'Yvon par les événements actuels.

— Yvon et Richard se connaissent depuis longtemps ?

— Depuis toujours. En fait, c'est Jean, le frère aîné d'Yvon, qui est l'ami de Richard. Ils sont du même âge et ils ont fait leur cours classique ensemble.

Lucie quitta Albertine pour se réfugier dans la chambre de Justin sous le prétexte d'étudier. En réalité, elle avait besoin de s'isoler. Lorsque Denise lui avait fait part du désir de Gadbois de lui voir réaliser un reportage, elle avait été très surprise. Les arguments de son amie disant qu'elle donnerait le point de vue d'une femme l'avaient convaincue et elle ne s'était pas questionnée davantage. Maintenant, elle se demandait si elle n'avait pas été manipulée et si Richard, profitant de la complicité d'Yvon, n'était pas à l'origine de sa présence à Asbestos. À quoi servait-elle réellement ici ? Pas à grand-chose. Si Richard n'avait pas été présent, elle aurait été utile, mais ce que ses photos montreraient de la vie quotidienne dans la ville minière en grève, ses clichés à lui le feraient également voir. À l'idée que Richard l'avait sans doute attirée en ce lieu en tablant sur son désir de reprendre pour un temps un métier qu'elle aimait, elle se sentit envahie par la colère. Si les rues n'avaient pas été pleines de policiers dont elle avait tout à craindre, elle serait partie sur-le-champ lui dire son fait. Il était impossible de sortir. Ce serait pour le lendemain. En attendant, il fallait qu'elle se calme: elle ne pouvait pas rester dans un tel état d'énervement dans cette minuscule pièce où elle étouffait. Le seul moyen, celui qui lui avait permis de survivre à la mort de Jacinthe, à la maladie et à toutes les épreuves, c'était le travail.

Il ne lui fut pas facile de se concentrer. Dans un premier temps, elle n'arrivait même pas à comprendre ce qu'elle lisait, mais elle finit par s'apaiser et étudia jusqu'au retour d'Yvon. En entendant sa voix, la colère revint et elle eut du mal à se persuader qu'il serait stupide de lui demander des explications, car cela l'obligerait à en donner elle aussi. Elle inspira et expira profondément à plusieurs reprises et ne sortit de sa chambre que lorsqu'elle eut maîtrisé son emportement.

Pendant le repas, Yvon répondit aux interrogations de sa femme, s'efforçant de la rassurer. Il lui affirma que puisque les grévistes étaient calmes et ne réagissaient pas aux provocations des policiers, il ne se passerait rien et il n'était pas en danger. D'ailleurs, à l'assemblée prévue ce soir-là, un représentant de la compagnie viendrait parler aux mineurs et personne n'avait intérêt à ce qu'il y ait des incidents.

— Parce que tu ressors? s'indigna Albertine.

— Tu sais que je dois assister à toutes les réunions.

— Tu ne seras pas seule, intervint Lucie. Je reste avec toi.

Elle se fit confirmer par Yvon que sa présence n'était pas nécessaire.

— D'ailleurs, ajouta-t-elle, je ne suis pas sûre d'être très utile en règle générale. Morin aurait pu se charger de ce que je fais.

— Non. Je le lui avais demandé, il a refusé. Il m'a expliqué que s'il travaillait pour le syndicat, il ne pourrait pas vendre de photos à des agences de presse. Ça le discréditerait parce qu'il serait soupçonné de partialité. C'est là qu'il m'a parlé de toi. Je me suis souvenu de ce que tu avais fait à la Ligue et j'ai pensé que c'était une excellente idée, ce que Denise m'a confirmé.

Pendant qu'Albertine bavardait sans arrêt comme une écolière, Lucie, qui ne l'écoutait guère, réfléchissait à ce qu'Yvon lui avait dit au sujet de Richard. L'avocat n'était pas complice : il avait simplement accueilli favorablement une suggestion. Heureusement qu'elle n'avait pas cédé à son impulsion de lui demander des comptes. Le seul responsable était Richard. Il ne s'agissait quand même pas d'une machination : il s'était contenté se suggérer son nom et cela avait fonctionné. Qu'attendait-il d'elle ? Qu'elle l'écoute, sans doute. Il devait mal accepter de ne pas avoir pu s'expliquer. Mais elle ne voulait pas l'entendre et elle ne voulait pas lui pardonner. Ce qui était arrivé par sa faute était trop grave. Tout un aspect de la vie qui s'offrait aux autres femmes lui était fermé à cause de lui. Soudainement incapable de supporter plus longtemps le verbiage d'Albertine, elle la quitta abruptement pour aller s'enfermer dans le noir où, cessant de lutter, elle laissa la tristesse l'envahir.

Le lendemain était un dimanche et Lucie accompagna les Gadbois à la messe. Sur le chemin de l'église, Yvon leur fit part du refus des grévistes d'accéder à la demande de monsieur Sears, le responsable de la sécurité de la compagnie Canadian Johns-Manville, de laisser travailler les gardiens. Leur refus était motivé par la colère que le comportement des policiers avait suscitée. Ces hommes méprisables étaient toujours omniprésents dans la ville, quoique moins agressifs que la veille. Nul doute qu'ils recouvreraient leur arrogance dès que les effets de leurs excès seraient dissipés.

Le curé Camirand réitéra en chaire son soutien aux grévistes et ses appels au calme. Il devait compter sur leurs femmes pour que ces conseils leur soient répétés à satiété. Sur le parvis, après la messe, Richard vint saluer les Gadbois et Lucie. Il se pencha vers Justin, à qui il caressa la joue en disant, pour le plus grand plaisir de sa mère, combien il était mignon. En se redressant, il croisa le regard dur de Lucie et se tut. Yvon lui proposa de manger avec eux. Il refusa, ayant promis à sa sœur de partager le repas dominical de sa famille.

— Il faudrait que tu prennes le temps d'emmener Lucie à East-Broughton, suggéra Gadbois. Comme ils ne sont pas en grève, elle pourrait faire des photos de la ville sous la poussière.

Il répondit que c'était une bonne idée et Lucie ne dit rien.

Elle trouva la journée du dimanche interminable. Sur les instances d'Albertine, Yvon la passa à s'occuper d'elle et de leur fils. Dans l'après-midi, ils allèrent visiter sa famille et Lucie, qui refusa de se joindre à eux, put s'installer dans la salle à manger pour travailler en leur absence, ce qui la soulagea de la sensation d'étouffement qu'elle ressentait dans sa chambre. De temps à autre, ses pensées quittaient le manuel qu'elle étudiait et elle se demandait, sans parvenir à y répondre, si elle avait eu raison de venir à Asbestos. Elle avait envie de rentrer chez elle, de réintégrer son appartement, de cesser de voir Richard. En même temps qu'elle aspirait à retrouver sa vie paisible, elle avait le sentiment qu'en s'en allant elle trahirait les grévistes dont elle se sentait solidaire. L'attitude des policiers l'indignait et elle éprouvait de la satisfaction à photographier leurs comportements abjects. Le refus de la compagnie de dépenser de l'argent pour protéger ses ouvriers de maladies qu'elle savait mortelles la révoltait et elle ressentait une profonde empathie pour Madeleine à qui l'avenir faisait peur. À cause de cela, elle devait rester afin de témoigner des événements, même si elle avait, plus que de toute autre chose, envie d'être loin d'Asbestos.

Finalement, elle retourna à Montréal, mais ce ne fut pas par choix. Dans la soirée, elle reçut un appel de Jacques l'avertissant que leur père avait eu une nouvelle attaque et qu'elle devait rentrer au plus tôt. Elle lui promit de prendre le train du matin. Les Gadbois compatirent et s'efforcèrent de la distraire. Albertine fit même l'effort d'observer une trêve dans sa guerre contre son mari. Lorsqu'elle fut seule, Lucie se demanda une fois de plus si la perte de son père la toucherait. Il avait eu deux autres attaques au cours de l'automne et de l'hiver et chaque fois, elle s'était posé la question. Elle supposait que cela ne ferait guère de différence qu'il soit vivant ou mort puisqu'elle évitait de se trouver en sa présence quand elle allait voir sa mère. C'était presque comme s'il n'était plus là depuis des années, mais ce ne serait quand même pas la même chose. Pour Julienne, il était sûr que la vie changerait radicalement. Après n'avoir vécu qu'en fonction de lui, sa liberté nouvelle risquait de la désorienter. Cependant, on n'en était pas là: il avait déjà survécu à trois attaques et il n'y avait pas de raison que celle-ci fût la dernière.

Au matin, Gadbois lui renouvela son soutien moral et lui demanda de revenir dès qu'elle le pourrait parce qu'il tenait à son témoignage photographique. Elle fit une réponse vague ne l'engageant pas, et il attribua son manque de fermeté à l'inquiétude et au chagrin. Quand le train se mit en marche, elle eut le sentiment de fuir un danger. Elle étudia durant tout le voyage pour éviter de penser à ce qui l'attendait. Arrivée chez elle, elle téléphona à la maison familiale où Simone lui passa Jacques. Son frère lui apprit que le docteur Vermette ne leur avait donné aucun espoir. Elle prit un taxi pour les rejoindre au plus vite.

⁂

La maison semblait déjà en deuil: la bonne et l'infirmière se déplaçaient à pas feutrés, Jacques et sa mère étaient assis de chaque côté du lit et n'échangeaient que de rares paroles, ce qu'ils faisaient à voix basse, et le mourant gisait, figé comme il l'était depuis sa première attaque, il y avait presque cinq ans de cela. L'unique différence consistait en ses paupières closes et Lucie put enfin poser les yeux sur lui sans avoir à affronter la haine qu'il avait réussi à exprimer jusqu'au bout par son seul regard. Elle embrassa sa mère, visiblement très fatiguée, et suivit Jacques hors de la pièce.

— Mère est à son chevet depuis que c'est arrivé hier après-midi. Elle est épuisée, mais refuse de se reposer. Essaie de la convaincre d'aller s'allonger, veux-tu? Il peut survivre un jour ou deux et si elle ne dort pas, elle finira par s'effondrer. Il faut éviter ça à tout prix parce que les jours prochains vont être éprouvants et elle doit garder ses forces.

— Je vais essayer.

Ils retournèrent dans la chambre et Lucie avança une chaise pour s'asseoir près de sa mère dont elle prit la main.

— Vous devriez dormir un peu, lui dit-elle. Vous êtes très lasse.

— J'aurai tout le temps de dormir après. Mon devoir est de l'accompagner jusqu'à la fin.

— Il n'en est même pas conscient. Et il est très entouré : nous sommes là et il y a l'infirmière.

— Si je le quitte, je ne me le pardonnerai pas.

Lucie se creusait la cervelle à la recherche d'un argument convaincant quand on sonna à la porte. Jacques alla répondre et revint avec le docteur Vermette. Lorsque le médecin découvrit Lucie, il eut un haut-le-corps.

— Tu n'as rien à faire dans cette pièce, lui dit-il sèchement.

— Pardon ? demanda-t-elle, sidérée.

— C'est de ta faute s'il est dans cet état. Il a eu sa première attaque à cause de toi.

Jacques s'interposa :

— Vous n'avez pas le droit de dire ça.

— J'en ai parfaitement le droit, à titre de médecin et à titre d'ami.

— Lucie est sa fille et sa place est ici. Désormais, c'est moi le chef de famille et je vous prie de vous taire ou bien de sortir.

— Puisque c'est ainsi…

Il tourna les talons et quitta la chambre en arborant une expression outragée. Julienne, bouleversée, voulut le retenir. Jacques l'en empêcha, doucement mais avec fermeté.

— Laissez-le partir, mère. C'est un imbécile intolérant.

— Jacques, voyons ! C'est un vieil ami de ton père. Tu ne peux pas lui enlever son aide en ce moment.

— Plus personne ne peut l'aider : il n'est conscient de rien et n'a aucune chance de guérir.

— Mais s'il est venu, c'est parce qu'il croyait peut-être…

— Non. Il est venu en ami et s'est conduit de manière inqualifiable.

— Il va nous falloir un docteur, pourtant.

— Soyez sans inquiétude, j'en trouverai un.

Elle retourna s'asseoir, résignée. Jacques s'aperçut alors que Lucie n'était plus là et partit à sa recherche. Il la découvrit dans son ancienne chambre, debout devant la fenêtre. Du bout de l'ongle, elle grattait machinalement le givre du carreau.

— Tu penses que c'est vrai ? lui demanda-t-elle sans se retourner.

— Non.

Il la força à lui faire face.

— Lucie, ne te laisse pas impressionner par cet homme. Tu le connais depuis toujours : c'est la méchanceté incarnée.

— Tout de même, l'attaque est survenue lorsqu'il a appris que je partais en Italie.

— C'est arrivé parce que son corps était usé et malade. L'élément déclencheur aurait pu être n'importe quoi. Une colère contre un automobiliste, par exemple. Tu te souviens comme il se mettait à hurler quand quelqu'un faisait une faute de conduite ou une imprudence ? On aurait cru qu'il voulait le tuer.

En effet, elle s'en souvenait.

— Et puis, il y avait le gin dont il abusait depuis longtemps. Tu le savais, je suppose ?

— Oui.

— Une forte contrariété, et je ne nie pas que tu lui en aies infligé une, n'aurait eu aucune conséquence sur la santé d'un homme bien portant.

— Ce serait peut-être arrivé bien plus tard.

— Probablement pas. Ne te tracasse pas avec ça.

Il la serra dans ses bras et déposa un baiser sur son front.

— Mère a besoin de toi. C'est autrement important que les radotages d'un vieil homme aigri. Va la rejoindre pendant que je m'occupe de trouver un autre médecin.

— Tu comptes chercher au hasard ou tu penses à quelqu'un ?

— Irène a une amie qui exerce depuis deux ans. Je vais l'appeler.

Quand Lucie reprit sa place au chevet de son père, sa mère lui posa la main sur le bras.

— Oublie ce qu'il a dit : c'est moi la responsable. Si je m'étais comportée comme mon devoir l'exigeait, tu ne serais jamais partie.

— Ce n'est pas vrai. Jacques vient de m'expliquer que ce serait arrivé de toute façon parce qu'il était en mauvaise santé et qu'il buvait trop.

Julienne sursauta.

— Il ne...

Lucie l'interrompit.

— Je le savais. Nous le savions tous.

Elle tenta de le défendre.

— Ce n'était pas tous les jours.

Devant le silence de sa fille, elle admit :

— Mais c'était souvent. Surtout les dernières années.

Jacques revint en leur annonçant que l'amie d'Irène viendrait en fin d'après-midi à moins qu'il se produise du nouveau d'ici là. Dans ce cas, il suffirait de l'appeler pour qu'elle arrive tout de suite. Il répéta à sa mère qu'elle devrait aller s'allonger et prendre un peu de repos. Elle refusa.

— S'il ouvre les yeux, il faut que je sois là.

— Il ne les ouvrira pas, lui dit-il patiemment, il n'en est plus capable.

Elle ne bougea pas pour autant et il reprit place sur sa chaise sans insister. Les heures s'écoulèrent lentement sans que rien ne change. Le seul signe de vie de l'homme alité était sa respiration légèrement sifflante. Lucie, silencieuse et immobile, comme sa mère et son frère qui étaient eux-mêmes perdus dans leurs pensées, le considérait avec rancune. Elle lui en voulait de mourir maintenant. S'il avait vécu quelques mois de plus, elle aurait pu lui montrer le diplôme attestant qu'elle avait réussi ses examens du barreau. Il aurait refusé de poser les yeux dessus et aurait feint de ne pas comprendre, mais elle aurait su qu'il le savait. Cela signifiait-il qu'elle pensait avoir quelque chose à lui prouver ? Qu'elle voulait l'impressionner ? Qu'il ne lui était pas aussi indifférent qu'elle souhaitait le croire ? Était-ce possible, tant d'années après la rupture, alors qu'elle avait cessé peu après son retour d'Italie d'aller le saluer quand elle rendait visite à sa mère ? Il lui semblait pourtant que non. C'était peut-être le docteur Vermette qui avait déclenché cette réaction. Avant son passage, elle n'avait ressenti que de l'indifférence.

Cet homme qui allait mourir, personne ne le regretterait : Jacques ne lui avait jamais pardonné d'avoir contrarié sa vocation, ce qui avait eu pour conséquence de l'amener à faire la guerre en tant que soldat et non à titre de membre du personnel soignant, elle-même l'avait rayé de sa vie lorsqu'il l'avait reniée le jour de ses vingt et un ans et il avait rendu sa mère malheureuse. Une existence tout entière consacrée à faire le malheur de ses proches. Quant aux amis qui semblaient se plaire en sa compagnie, le notaire Ménard et le docteur Vermette, ils s'étaient déshabitués de le fréquenter depuis toutes ces années qu'il était muet et grabataire. Sa mort ne changerait rien pour personne, à l'exception de sa femme. Pour celle qu'il avait tenue sous sa coupe tant qu'il était valide et que sa maladie avait carrément réduite en esclavage, la vie serait transformée du tout au tout : à cinquante ans, Julienne Bélanger allait se retrouver libre après avoir passé toute son existence dans l'asservissement. Ce n'était même pas imaginable.

Le docteur Sauvé, amie d'Irène, arriva comme promis en fin d'après-midi. Elle confirma ce que le docteur Vermette avait dit la veille : il restait à Adélard Bélanger peu de temps à vivre. Il allait s'éteindre doucement, mais nul ne pouvait prédire si cela prendrait quelques heures ou quelques jours. Irène arriva sur ces entrefaites. Devant sa surprise de découvrir Agathe Sauvé chez ses beaux-parents,

Jacques lui dit qu'il le lui expliquerait plus tard. Les deux médecins échangèrent quelques propos au sujet du malade, mais Irène savait à quoi s'en tenir depuis le début. Après son départ, Simone vint les avertir que le repas était prêt. Julienne refusa tout d'abord de quitter la chambre de son mari. Jacques lui fit observer qu'elle ne pouvait pas rester sans manger et qu'il serait ridicule de le faire sur ses genoux. Elle finit par céder et s'attabla avec ses enfants pendant que l'infirmière veillait seule le malade. Jacques raconta à sa femme ce qui s'était produit avec le docteur Vermette. Irène en fut indignée.

— Il n'aurait jamais dû dire ça. C'est ridicule. Si monsieur Bélanger avait été en bonne santé, rien ne lui serait arrivé.

— Tu en es sûre ? insista Lucie.

— Oui.

Elle se tourna vers sa mère.

— Vous avez entendu ce qu'a dit Irène ? Elle sait de quoi elle parle.

Devinant que madame Bélanger se sentait coupable, Irène posa affectueusement sa main sur la sienne.

— Ce n'est la faute de personne : une partie de son corps a cessé de fonctionner pour de multiples raisons. Il faut tout simplement l'accepter.

Quand ils retournèrent dans la chambre afin d'entamer une longue nuit de veille, l'infirmière, qui avait profité de leur absence pour donner les soins du soir, fut libérée jusqu'au matin. Après quelques heures, Jacques obligea Irène à aller dormir, car elle travaillait de bonne heure le lendemain. Devant ses réticences à les quitter, Julienne ajouta sa voix à celle de son fils, promettant à la jeune femme qu'ils feraient appel à elle si cela devenait nécessaire, et elle partit se coucher dans la chambre de Jacques. Tant qu'elle avait été là, ils avaient échangé quelques mots ; après son départ, ils demeurèrent silencieux. À mesure que la nuit avançait, la fatigue se faisait plus pesante et les yeux de Lucie et de Jacques se fermaient de temps à autre. Ils ne dormaient que quelques instants, car leur corps, se relâchant en position assise se trouvait déséquilibré, et ils s'éveillaient en sursaut juste avant de tomber. Alors, ils se levaient, faisaient quelques pas pour se dégourdir et annonçaient qu'ils allaient faire du thé ou du café. Seule Julienne ne dormait pas. Elle ne quittait pas des yeux l'homme qui gisait, guettant sa respiration sifflante, unique signe qu'il vivait encore.

Il mourut aux premières lueurs du jour. Jacques était aux toilettes et Lucie faisait une nouvelle fois du thé lorsqu'un cri strident de leur mère les ramena près du lit. Elle était penchée sur son mari, affolée.

— Jacques ! Je ne l'entends plus ! Appelle Irène !

Il s'approcha et prit le pouls de son père.

— Son cœur ne bat plus.

— Fais quelque chose ! Un massage cardiaque ! Je ne sais pas, moi.

Irène entrait, que Lucie était allée réveiller, et Julienne se jeta sur elle, agrippa son bras et la tira vers le lit.

— Vite !

La jeune femme vérifia les signes vitaux.

— C'est fini, confirma-t-elle.

— Mais ce n'est pas possible ! Il respirait. Et puis, tout à coup…

Sentant qu'il lui fallait des preuves, Jacques demanda à Lucie d'aller chercher un miroir. Elle revint avec son petit miroir de poche qu'elle tendit à Irène. Celle-ci l'approcha de la bouche du mort et dit à sa belle-mère :

— Regardez, il ne se ternit pas. C'est vraiment fini.

— C'est vraiment fini, répéta-t-elle d'un air égaré.

Ses deux enfants l'encadrèrent, la prirent doucement par les bras et la conduisirent dans la cuisine où Irène leur servit du thé à tous. Un moment passa, dans le silence, chacun étant plongé dans ses réflexions. Simone, qui venait de se lever, entra dans la cuisine. Les voyant tous réunis, elle comprit.

— Madame… commença-t-elle. Et elle s'arrêta, ne sachant comment continuer.

Son arrivée les ramena à l'instant présent, rompant le charme morbide qui les avait tenus là. Ils se levèrent, Julienne remercia

Simone de ce qu'elle avait voulu exprimer et ils quittèrent la pièce pendant que la bonne s'affairait à préparer le petit-déjeuner. Lucie et Irène dressèrent la table. Julienne, refusant de manger, s'était approchée de la fenêtre. Elle leur tournait le dos et fixait le jardin sans le voir.

Jacques la rejoignit et posa son bras sur ses épaules.

— Au moins, vous allez vous reposer.

— Je ne pourrai pas.

Il insista:

— Il n'a plus besoin de vous maintenant. Vous avez fait votre devoir jusqu'au bout, vous devez dormir quelques heures. Nous nous occupons de tout. Il vous faut reprendre des forces pour recevoir les visites de condoléances.

N'ayant plus l'énergie de protester, elle abdiqua.

— Comme tu veux.

Irène lui tendit un somnifère et un verre d'eau. Julienne eut un geste de dénégation.

— S'il vous plaît, ça vous aidera.

Elle haussa les épaules et avala le médicament. Puis elle suivit docilement Lucie qui la conduisit à sa chambre.

⁂

Après les obsèques, Julienne Bélanger semblait tellement perdue, tellement pathétique dans ses habits de veuve qui la faisaient paraître sans âge, que Lucie décida d'habiter avec elle le temps qu'elle se prenne en main. Elle ne voulait pas la brusquer, mais au contraire l'amener progressivement à reprendre goût à la vie. Lorsque Gadbois la contacta pour lui demander quand elle comptait revenir, elle lui répondit qu'elle ne pouvait pas laisser sa mère seule dans l'état de détresse morale où elle se trouvait. Néanmoins, devant son insistance, elle finit par accepter d'y retourner quelques jours s'il se passait du nouveau. Yvon, obligé d'admettre que rien de neuf ne justifiait de se précipiter, dut se contenter de cette promesse. Il ne se doutait pas qu'elle l'avait faite pour s'en débarrasser et n'avait aucune intention de l'honorer à cause de la présence de Richard. Car pour ce qui était de sa mère, elle savait qu'elle pouvait la quitter au besoin: Jacques prendrait le relais et Louise Ménard, déjà souvent présente auprès d'elle, le deviendrait davantage et lui apporterait son soutien, faute d'être capable d'amener de la joie.

La mère de Jacinthe, si joyeuse autrefois, ne s'était jamais remise de la mort de sa fille. S'il y avait eu un enfant dans la maison, comme elle le répétait souvent, elle aurait sans doute retrouvé une raison de vivre, mais Ann avait fini par retourner en Angleterre. Scandalisée par la façon dont son fils la traitait, Louise avait aidé sa bru à s'enfuir. François s'en doutait et lui en voulait, comme il en voulait au monde entier. Lorsque sa santé s'était améliorée, il avait repris les études de notariat commencées avant la guerre. Il avait présumé de ses forces et avait dû les abandonner, ce qui l'avait aigri davantage. Les pas de Louise, qui désertait la maison pour lui échapper, la conduisaient fréquemment chez son amie Julienne et Lucie pensa qu'elles pourraient trouver ensemble des activités qui les distrairaient de leur chagrin respectif maintenant que sa mère était libre.

Lucie réintégra l'ancienne chambre de Jacques qui lui avait tenu lieu de bureau lorsqu'elle étudiait au *Bélanger Business College*. Les souvenirs de ce temps lui revinrent tandis qu'elle disposait ses livres et ses notes de cours. Elle était jeune alors et naïve. Depuis cette époque marquée par la tyrannie de son père, elle avait vécu tellement de choses qu'elle avait l'impression que les cinq ans écoulés avaient duré beaucoup plus. Elle était indépendante et ne répondait plus de ses actes devant personne depuis si longtemps qu'elle avait du mal à se revoir dans ce rôle de jeune fille craintive auquel il lui avait été si difficile d'échapper. Elle avait dû le faire en cachette et avec la complicité de sa mère sans qui elle ne serait jamais parvenue à ses fins. De cela, elle lui serait toujours redevable, quoi qu'il ait pu se passer par la suite. À deux reprises, elle s'était opposée à son père: la première fois à Saint-Donat, où elle avait cédé, la deuxième le jour de ses vingt et un ans, où elle avait tenu bon. Il avait perdu la face ce jour-là et la paralysie avait suivi de peu leur affrontement. De temps à autre, l'idée qu'elle était responsable de son état l'effleurait encore, même si Jacques, Irène et le docteur Sauvé lui avaient assuré qu'il n'en était rien.

Le premier dimanche, elle accompagna sa mère à la messe. Il y avait longtemps qu'elle n'y était pas allée. Après son retour d'Italie, elle avait fréquenté la paroisse Saint-Louis-de-France, située à proximité de son domicile, en compagnie de Jacques lorsqu'il était à son tour revenu de la guerre, puis de Jacinthe. La mort de leur amie y avait mis fin. Pas plus que son frère, elle n'avait voulu retourner dans l'église où ils allaient avec elle, et l'habitude de la messe s'était perdue sans qu'elle lui manque. Irène non plus ne pratiquait pas, sauf quand elle était à Québec avec sa famille.

Lorsqu'elle arriva à l'église, où elle n'était revenue que trois fois depuis qu'elle avait quitté la maison familiale, lors du service funèbre suivant la disparition de Jacinthe, puis pour son enterrement et celui de son père, Lucie se sentit observée. Nombre de paroissiens, et surtout de paroissiennes, devaient se poser des questions à son sujet. À presque vingt-six ans, ayant coiffé la sainte Catherine, nul doute qu'ils commençaient de la considérer comme une vieille fille, ce qu'elle allait immanquablement devenir. Une vieille fille d'un genre nouveau cependant puisqu'elle gagnerait sa vie grâce à une profession ayant nécessité des études supérieures. Mais pourrait-elle vraiment exercer ce métier d'avocate pour lequel elle travaillait si fort ? Elle voulait le croire malgré l'avertissement de Denise qui lui avait fait prendre conscience des difficultés qui l'attendaient. Son amie lui avait conseillé de profiter de son séjour à Asbestos pour réfléchir. Elle n'en avait pas eu le temps. De toute manière, cela ne pressait pas : on n'était qu'à la fin du mois de février et elle avait jusqu'en juillet.

Ses anciennes amies, ou plutôt ses compagnes, celles avec qui elle était allée au couvent et avait fait des colis aux soldats, étaient mariées et mères pour la plupart. Sous couvert d'amabilité, elles lui posèrent des questions insidieuses, relayées par la vieille madame Langevin qui fonça sur elle toutes voiles dehors en tonitruant :

— Il était temps que tu rentres à la maison. Pour ton père, c'est trop tard. Au moins, tu feras ton devoir auprès de ta mère.

En ajoutant le mépris de François, qui était là avec ses parents mais affecta de ne pas la voir, la coupe fut pleine. De retour à la maison, elle annonça à sa mère qu'elle ne remettrait plus les pieds dans cette église et Julienne, qui avait été témoin des vexations subies par sa fille, n'essaya pas de la faire changer d'avis.

Les trois membres restants de la famille Bélanger se rendirent le lundi après-midi à la convocation de maître Rhéaume pour la lecture du testament. Lucie éprouva une violente émotion en pénétrant dans l'étude où avait eu lieu la rupture avec son père en ce jour dont elle avait espéré tant de bonheur et qui avait mal tourné de bout en bout. Au regard peu amène qu'il posa sur elle, elle comprit que le notaire pensait lui aussi aux circonstances de leur dernière rencontre. Comme il était l'ami du docteur Vermette, elle supposa qu'il partageait ses vues et la rendait responsable de l'attaque.

— Je me trouve dans une situation aussi étrange qu'inhabituelle, commença-t-il d'un ton sec après les avoir fait asseoir. Un testament est censé exposer les dernières volontés d'un défunt, or dans ce cas-ci, je sais pertinemment que ce n'est pas le cas. Adélard Bélanger ne souhaitait pas, ou plutôt ne souhaitait plus ce que dit ce document. Avant de quitter cette pièce le jour de tes vingt et un ans, Lucie, il m'a demandé d'en rédiger un nouveau qui te déshériterait, et nous avons convenu d'une date pour qu'il vienne le signer. Cela n'a jamais été fait parce que ton père a eu son attaque la veille du rendez-vous. Quant à toi, Jacques, je crois pouvoir affirmer que s'il avait su que tu te destinais à la médecine au lieu du notariat, tu aurais également été rayé de son testament. Il n'en reste pas moins que ce document est valide, puisqu'il est le seul existant. Après avoir éclairci ces points, ce que je me devais de faire au nom de l'amitié qui me liait à mon collègue Adélard Bélanger, je vais maintenant vous le lire.

Ils apprirent d'abord que le défunt léguait à son fils son étude de notaire.

— C'était pour que tu prennes la suite après avoir obtenu ton diplôme au retour de la guerre. Puisque tu as choisi une autre voie, j'imagine que tu voudras t'en défaire?

— Je vais y penser, répondit Jacques.

— Sache que si tu décides de vendre, j'ai un acheteur à te proposer: c'est l'ancien clerc de ton père. Il la fait fonctionner depuis son incapacité et souhaiterait s'en porter acquéreur. Si tu veux, nous pourrons nous rencontrer ultérieurement à ce sujet.

— Très bien.

— Quant à ses avoirs financiers, maître Bélanger les a répartis entre son épouse et sa fille à raison de deux tiers pour la première et d'un tiers pour la seconde.

Sur ce, il énonça des chiffres qui leur firent ouvrir des yeux ronds avant de conclure qu'elles se trouvaient toutes deux à l'abri du besoin et même mieux que cela en ce qui concernait la mère.

— Je ne comprends pas, s'étonna Julienne. Il n'avait pas de fortune.

— Il n'en avait pas, mais il l'a gagnée, grâce à des années de travail, une excellente clientèle ainsi que de bons placements effectués sous ma gouverne. D'ailleurs, chère amie, si vous le souhaitez, je peux continuer d'administrer vos biens. Les tiens aussi, Lucie.

N'ayant encore aucune idée de ce que la nouvelle, si inattendue, représentait pour leur vie future, elles firent une réponse polie ne les engageant pas. Ils quittèrent tous les trois l'étude de maître Rhéaume en disant de vagues amabilités en réponse à celles qu'il leur prodiguait. Le notaire, aimable depuis le début envers la veuve, l'était aussi devenu avec les enfants: leur ayant fait clairement comprendre sa désapprobation, il entendait désormais tourner la page et les ménager dans l'espoir de conserver leur clientèle.

— Ce vieux cloporte! dit Jacques lorsqu'ils furent dehors. Je vais lui envoyer mon propre notaire et je ne veux plus le revoir.

— Voyons, Jacques ! protesta sa mère.

— Vous, vous pourrez continuer avec lui. Que je m'en sépare ne changera rien.

Lucie ne s'en mêla pas, mais elle était aussi déterminée que son frère à rayer de sa vie ce vieil ami de son père dont elle savait qu'il ne cesserait jamais de la juger et de la condamner.

Jacques les quitta et Lucie raccompagna sa mère avant de se rendre chez Denise, qu'elle n'avait pas revue depuis son départ pour Asbestos. C'était la première fois que Julienne allait se retrouver seule, et elle hésitait un peu à la laisser. Celle-ci la rassura :

— Ne t'occupe pas de moi, Lucie. J'ai des choses à faire.

Elle ignora le regard interrogateur de sa fille et la poussa à partir.

— Va ! dit-elle. À plus tard.

⁂

Elle se préparait à sonner à la porte de son amie quand en sortit maître Dumont, un de ses professeurs de droit qui afficha une certaine gêne à être surpris là. Pour sa part, elle en fut tellement stupéfaite qu'elle n'eut pas la présence d'esprit de dissimuler sa réaction. Ils se saluèrent brièvement et il s'en fut tandis qu'elle suivait Denise à l'intérieur.

— Ça alors ! s'exclama-t-elle en entrant. Dumont en personne requiert tes services ! Je n'en reviens pas. Qu'est-ce qu'il lui arrive ? Le grand homme voudrait-il divorcer en toute discrétion en te consultant après les heures de bureau ?

Denise eut un rire sans joie.

— Maître Dumont n'a certes pas l'intention de divorcer.

— Mais alors…

Lucie s'arrêta net : elle venait de comprendre. Elle n'était pas pour autant capable d'assimiler l'information, tellement lui paraissait improbable une relation adultérine entre le sévère et distant professeur Dumont, grand bourgeois distingué, et la militante féministe qui défendait gratuitement les femmes nécessiteuses.

— Une chance qu'on est en hiver, commenta cette dernière, avec ta bouche grande ouverte, tu avalerais les maringouins.

— Tu admettras que je puisse être abasourdie.

— Je l'admets.

— Bien. On fait comme si j'étais arrivée cinq minutes plus tard ou alors tu m'en parles ?

— Je n'en ai jamais parlé à personne. Le temps est peut-être venu de faire une exception… Assieds-toi. Je vais d'abord nous servir un petit remontant.

La liaison de Denise avec maître Dumont, que Lucie ne s'accoutumait pas à l'entendre nommer Jean-Joseph, datait de plusieurs années. Tout avait commencé le jour où elle avait reçu son diplôme du barreau : il l'avait invitée au restaurant afin, avait-il dit, de fêter son succès. Elle avait accepté, curieuse de voir quel genre de personne il était en dehors de la salle de cours et aussi quelle suite il entendait donner à ces regards qu'il posait sur elle depuis des mois et qu'elle n'avait eu aucune peine à décrypter.

— Que ce soit clair : je me suis lancée là-dedans en toute connaissance de cause.

Ce premier soir, elle avait découvert sans surprise un brillant causeur, mais aussi un homme plein d'humour, ce qui était moins prévisible. Il n'avait rien ménagé pour la séduire : restaurant élégant, repas soigné. Il lui avait même offert un cadeau, du genre qu'elle pouvait accepter : le beau sous-main en cuir qui était le seul objet de luxe de son bureau.

— Je pensais que ça ne durerait pas et je me suis laissé prendre comme une idiote. Je ne parviens pas à rompre. Pourtant, je souffre d'avoir aussi peu de place dans sa vie. Et il n'y a aucun espoir de changement : à lui, ça lui convient très bien.

Il n'y avait pas grand-chose à dire ni à faire, à part reprendre un verre, ou peut-être deux. Un peu grises, elles finirent par rire de leurs contradictions : alors qu'elles tenaient opiniâtrement à leur indépendance, elles auraient bien aimé avoir un compagnon. En pouffant comme des couventines, elles firent la liste des qualités que l'élu devrait posséder et en conclurent que la perle rare n'existant pas, elles étaient bonnes pour terminer leurs vies de vieilles filles avec douze chats.

Lorsqu'elle s'était rendu compte que la soirée avançait, Lucie avait téléphoné à sa mère pour la prévenir qu'elle passerait la nuit rue Sherbrooke, car elle ne voulait pas la réveiller en rentrant. Elle était un peu inquiète de l'abandonner. Julienne l'avait rassurée, affirmant qu'elle était parfaitement capable de vivre sans elle. De toute façon, elle n'était pas seule: il y avait Simone. Lucie rentra chez elle en ressassant des pensées moroses. Elle avait reçu les confidences de Denise, mais elle-même n'en avait pas fait, lui laissant croire qu'elle n'avait rencontré aucun homme assez intéressant pour avoir envie de vivre avec lui. Ce qui était faux. Au cours des années écoulées, elle en avait côtoyé deux ou trois qui n'estimaient pas qu'une femme doit se consacrer uniquement à son foyer et qui étaient dotés de qualités physiques et morales séduisantes. Même s'ils avaient manifesté leur attirance pour elle et s'ils lui plaisaient également, elle n'avait pas poussé plus avant, sûre que malgré leur ouverture d'esprit, ils auraient fui en courant à la mention des mots «blennorragie» et «infertilité». Sa rancune envers Richard s'en trouva renforcée et, sa légère ivresse aidant, pensant à maître Dumont qui condamnait Denise à rester elle aussi stérile en la confinant au rôle ingrat de maîtresse, le pas fut vite franchi d'englober tous les hommes dans son ressentiment. Son père avait gâché l'existence de sa mère et Jocelyn avait fait le reste. Edmond avait voulu lui imposer sa conception passéiste de l'épouse. François avait été odieux avec Ann. Yvon plaçait sa vie professionnelle avant sa femme et son fils. Roland ennuyait Gisèle à mourir.

Elle introduisait maladroitement sa clé dans la serrure, quand elle entendit des pas derrière elle: c'était Irène qui rentrait d'une longue journée de travail. Elle la salua à peine avant de lui demander abruptement:

— Comment ça va avec Jacques ?

— Tu veux parler de notre relation ? lui répondit-elle, déconcertée.

— Oui. Est-ce qu'il te déçoit ?

— Non ! Tout au contraire. Qu'est-ce qui se passe ? Pourquoi cette question ?

— Rien. Excuse-moi d'avoir été indiscrète. Bonsoir.

Irène ne l'entendit pas ainsi. Elle la suivit, s'assit d'autorité dans le salon et attendit. Lucie fut forcée de s'expliquer.

— Quand je t'ai vue arriver, j'étais en train de penser que tous les hommes faisaient souffrir leur femme et j'ai voulu savoir si c'était la même chose pour toi ou si votre couple était une exception.

— Rassure-toi : nous nous entendons et nous sommes heureux. Et je ne crois pas que nous soyons exceptionnels.

Lucie s'excusa de nouveau. Irène l'interrompit.

— Dis-moi plutôt ce qui t'arrive. C'est à cause de Richard ?

Irène était la seule à qui elle pouvait parler de ce qui la rongeait et elle ressentit le besoin de cet exutoire.

— J'avais réussi à ne plus y penser, dit-elle. Seules mes études comptaient et ma future vie professionnelle. Mais à Asbestos, j'ai vu des bébés. Celui de Madeleine et celui des Gadbois. Leurs mères me les ont mis dans les bras… Et puis, oui, j'ai revu Richard… Et ce soir, j'ai appris qu'une de mes amies avait une liaison avec un homme marié qui ne quittera pas sa femme et qu'elle n'aurait jamais d'enfant elle non plus. Voilà. On a bu des martinis et j'en voulais à tous les hommes.

— Et avec Richard, comment ça s'est passé ?

— Je suis restée froide et distante. Il souhaiterait s'expliquer et s'excuser, j'en suis certaine, mais je ne veux pas l'entendre.

— Pourquoi ?

— Parce qu'il a détruit ma vie et rien ne peut justifier ça.

— Il a peut-être aussi détruit la sienne par la même occasion.

Elle s'indigna :

— Tu voudrais que je lui pardonne ?

— Je n'ai rien dit de tel. Cependant, je pense qu'il serait plus sain que tu aies une conversation avec lui à ce sujet, ne serait-ce que pour le lui reprocher. Tu as gardé ça pour toi pendant des années, sans en parler à personne. Je suis la seule à être au courant, n'est-ce pas ?

— Oui.

— Et même avec moi, tu n'y fais jamais allusion.

— J'ai tellement honte.

— Tu n'as pas à avoir honte de ce dont tu n'es pas responsable.

— …

— Penses-y, dit-elle en se levant. Maintenant, je vais me coucher, je suis épuisée.

— Pardonne-moi.

Irène la serra dans ses bras.

— Je suis ton amie.

Lucie la poussa vers la porte.

— Je le sais.

Elle n'avait pas voulu discuter, mais elle n'était pas d'accord avec la suggestion d'Irène : parler avec Richard ne pouvait que lui faire du mal.

Le lendemain, Lucie trouva sa mère échevelée et les joues rouges en train de se livrer à un autodafé.

— Mère ! Que faites-vous ?

— J'efface toutes les traces de ma vie passée, répondit-elle en lançant une liasse de lettres enrubannées dans le foyer.

Lucie, qui se demandait si elle n'était pas devenue folle, jeta un regard à Simone qui haussa les épaules et leva les yeux au ciel. Les taches de poussière et de suie sur le tablier de la bonne prouvaient qu'elle était embrigadée dans la destruction, même si elle avait signifié par sa mimique qu'elle s'en désolidarisait.

— Tu devrais retourner chez toi, lui conseilla Julienne. Tu ne pourras jamais étudier ici : il y aura trop de remue-ménage et de désordre dans les jours à venir.

Comme sa fille restait stupéfiée, elle expliqua :

— Je vais déménager. Je n'aurais pas cru en avoir les moyens ; il se trouve que si. Jacques pourra se charger du bureau : l'essentiel de ce qu'il contient doit concerner l'étude. Ça ne devrait pas demander trop de travail parce qu'un premier tri a été fait par son clerc quand il a pris la relève.

Lucie n'avait toujours pas prononcé une parole, alors Julienne précisa :

— Je ne veux plus rien savoir de cette maison. Tu pourras l'habiter si tu le souhaites : elle est à toi de toute façon.

— Mais grand-mère a précisé que tu devais en jouir.

— C'était soi-disant pour que je ne sois pas à la rue. En réalité, elle voulait humilier ton père : elle a toujours feint de croire qu'il ne pourrait pas m'offrir un toit.

— Vous changerez peut-être d'avis quand vous aurez brûlé tout ce qui vous dérange.

— Non. Il y a trop longtemps que je hais cette maison.

Elle arrêta de lancer ses papiers dans le feu, se planta devant sa fille et la regarda dans les yeux :

— Lucie, maintenant, je suis indépendante. Tu entends ? In-dé-pen-dan-te. Pour la première fois de ma vie. Si quelqu'un est capable de comprendre ça, c'est toi, n'est-ce pas ?

— Bien sûr, mère, répondit sa fille commotionnée.

— Parfait. Alors, prends tes affaires et va travailler dans ton appartement. Je t'appellerai dans quelques jours, quand j'aurai fini.

Le ton de Julienne, d'ordinaire doux et conciliant, était sans appel, et Lucie lui obéit sans protester. Alors qu'elle s'en retournait rue Sherbrooke, un tourbillon de questions tournait dans sa tête. Comment sa mère, toujours si soumise, pouvait-elle soudainement montrer tant de fermeté ? Mais avait-elle été aussi soumise qu'il paraissait ? Certainement pas. C'était la manière qui avait changé. Du temps de feu son époux, lorsque Julienne Bélanger en faisait à sa tête, c'était par en dessous, en se cachant. Si elle n'affrontait jamais le tyran, elle l'avait souvent manipulé et avait contré sa volonté sans qu'il s'en aperçoive. Cela avait été le cas quand elle l'amenait à prendre une décision en lui faisant croire qu'elle souhaitait l'inverse ou bien lorsqu'elle s'était faite la complice des études de sa fille. Cependant, même lorsqu'elle parvenait à ses fins, elle devait ressentir la peur d'être découverte et l'humiliation d'avoir dû recourir au mensonge. Adélard Bélanger n'avait rien compris à sa femme, qu'il avait prise pour une tête de linotte sans volonté alors qu'elle était tout le contraire, et il l'avait maintenue en état de sujétion par la crainte qu'il lui inspirait. Lucie se demandait s'il l'avait déjà frappée. Elle avait posé la question une fois à sa mère qui lui avait répondu que non. Devait-elle la croire ? Sans doute, puisqu'elle non plus, il ne la battait pas, ce qui ne l'empêchait pas d'être terrorisée. Et Jacques aussi, à dix-huit ans, avait eu assez peur de son père pour accepter de renoncer à sa vocation.

Son premier étonnement passé, Lucie se réjouit de l'attitude de sa mère. Elle l'avait vue si abattue pendant l'agonie de son époux et dans les jours qui avaient suivi le décès qu'elle avait craint qu'elle ne sombre dans la dépression, et voilà qu'elle ressuscitait. Lorsqu'elle en fit part à Jacques et Irène le soir même, son frère resta interdit tandis qu'Irène s'exclamait que c'était merveilleux : à cinquante ans, il n'était pas trop tard pour commencer une nouvelle vie. Si l'enthousiasme des deux jeunes femmes ne convainquit pas tout à fait Jacques que la rage destructrice de sa mère était une excellente nouvelle, il n'en dit rien, se réservant de voir comment elle se comporterait ensuite avant de se réjouir.

Les deux premières semaines du mois de mars, Lucie partagea son temps entre ses livres de cours et l'étude de Denise Berland. Le samedi, à la Ligue, elle parla de la grève devant une assistance très intéressée. Elle en expliqua les enjeux, raconta les interventions policières et décrivit la situation des femmes qui attendaient de l'aide pour nourrir leurs familles. Sur le travail féminin dans les usines d'amiante, on lui posa des questions pour lesquelles elle n'avait pas de réponses, car elle n'avait eu le temps de s'intéresser qu'aux seuls événements. Elle promit de s'en informer si elle était rappelée à Asbestos. En rentrant chez elle, elle pensait à ces ouvrières dont elle aurait elle aussi aimé apprendre les conditions de travail.

Elle regrettait de ne pas pouvoir en témoigner, mais elle ne voulait pas y retourner.

Lucie appelait sa mère tous les soirs et celle-ci lui répondait invariablement qu'elle allait bien et qu'elle préférait ne pas avoir de visites tant qu'elle n'aurait pas fini son grand ménage. Malgré cela, le samedi, en sortant de chez Giuseppe, Lucie se présenta au domicile familial comme elle avait l'habitude de le faire. Sa mère devait s'y attendre, car elle ne montra aucune surprise. Ce fut Lucie qui resta sans voix: Julienne ne se ressemblait plus. Tout était changé, de la couleur de ses cheveux, qui arboraient maintenant des reflets cuivrés, à ses vêtements et ses chaussures. Quoique noirs – deuil oblige –, ses habits étaient beaucoup plus seyants et elle paraissait rajeunie.

— Vous avez l'air d'une jeune fille, la complimenta-t-elle.

— Ne me flatte pas. Je sais que je suis une vieille femme.

— Pas du tout, je vous assure.

Dans l'entrée, il y avait une grosse pile de vêtements.

— Ce sont ceux de ton père et les miens. Ils sont pour les pauvres, expliqua-t-elle.

— Tous les vôtres?

— Oui.

Aucune des deux ne commenta. Simone vint les informer que le repas était prêt et elles passèrent à table. Lucie voulut savoir si sa mère avait toujours l'intention de déménager.

— Plus que jamais. J'ai fini les rangements. Je commencerai de chercher un logis la semaine prochaine. Viendras-tu vivre ici?

— Non. C'est beaucoup trop grand pour moi.

— Qu'est-ce que tu veux en faire? Le louer?

— Je ne sais pas. Je n'y ai pas pensé. Vous allez emporter vos meubles?

Elle émit un ricanement sans joie.

— Mes meubles de jeune mariée? Tu plaisantes, je suppose?

— Excusez-moi, mère. Tout ceci est tellement inattendu.

— Crois-moi, je suis aussi surprise que toi. C'est le testament qui m'a donné un coup de fouet. Les premiers jours, j'étais trop lasse pour envisager quoi que ce soit et puis j'étais étouffée par la culpabilité. Mais vous m'avez tous répété, médecins compris, que je n'étais pas responsable de son état. Et le reste… Eh bien, il ne l'a pas su. C'est toi que j'ai fait souffrir, pas lui.

— N'en parlons pas. J'étais une sotte qui se faisait des illusions.

— Je ne me le pardonne pas.

— Si moi je vous pardonne, vous devez vous pardonner aussi.

C'était la première fois que la liaison de Julienne était explicitement évoquée entre elles, ce qui les rendait toutes deux mal à l'aise. Simone les sauva du malaise dont elles ne savaient comment se dépêtrer. Les trouvant silencieuses lorsqu'elle leur apporta le café, elle en profita pour demander à Lucie si elle savait quelque chose au sujet d'Asbestos. Elle était inquiète pour sa sœur qui lui avait écrit que l'argent commençait à manquer et qu'il devenait difficile d'acheter à manger.

Lucie ne put lui dire que ce que rapportait *Le Devoir*, les autres journaux ne s'intéressant toujours pas au conflit et elle-même n'ayant pas eu de nouvelles directes depuis qu'elle était revenue à Montréal. Malgré l'offre de médiation du ministre du Travail, les négociations piétinaient. En fait, les parties en présence n'avaient même pas commencé d'aborder ce qui avait motivé le déclenchement de la grève : rien n'avait encore été dit sur l'élimination des poussières ni sur le paiement obligatoire des cotisations salariales pour tous les employés ni sur l'augmentation des salaires, pour ne citer que les revendications les plus importantes. Depuis le début, ils débattaient uniquement des conditions de retour au travail, et c'était l'impasse : les représentants des grévistes voulaient des garanties écrites qu'il n'y aurait pas de représailles, ce que les employeurs refusaient.

Simone l'écoutait en essayant d'avoir l'air de suivre, et Lucie finit par se rendre compte que la jeune fille n'y comprenait goutte.

Elle résuma :

— Ils en sont toujours au même point et personne ne veut céder.

— Comment tout ça va se terminer ?

Lucie n'en savait rien, mais elle avait en tête les grandes grèves survenues depuis la fin de la guerre : toutes avaient été longues et dures et certaines avaient échoué. Elle s'abstint d'en faire part à Simone, déjà assez soucieuse, se contentant de dire qu'il fallait espérer le déblocage de la situation. Pour la rassurer, elle lui apprit que les secours s'organisaient dans toute la province afin de collecter des vivres et de l'argent pour les grévistes. La Confédération des travailleurs catholiques du Canada invitait à envoyer les dons rue de Montigny, à Montréal, et Lucie qui y était passée pour compléter son reportage pouvait témoigner de la générosité des gens. Cette grève, perçue comme juste, avait la faveur du public même si le premier ministre la condamnait.

⁂

Le 14 mars, Lucie prenait son petit-déjeuner quand elle reçut un appel de Gadbois. Une partie de la voie ferrée de la Canadian Johns-Manville avait été dynamitée, et il réclamait sa présence pour le cas où il se passerait des choses à propos desquelles un témoignage photographique pourrait s'avérer précieux. Elle accepta sans hésiter. Une fois dans le train, quand elle eut le temps de réfléchir, elle se reprocha d'avoir réagi en journaliste sans tenir compte de sa situation personnelle : un événement important se produisait et elle courait sur place. Or elle n'était plus journaliste et là où elle se rendait, il y avait un membre de cette corporation qu'elle ne voulait pas voir. Comment pouvait-on être aussi sotte ?

Personne ne l'attendait à la gare et elle commença par aller déposer sa valise chez Gadbois. Elle trouva Albertine en train de faire la sienne. La jeune femme la serra dans ses bras en lui présentant ses condoléances. Lucie coupa court et lui demanda si elle partait en voyage.

— Je m'en vais, lui annonça-t-elle. Cette fois, c'est trop. Quand la violence commence, tout peut arriver.

— Ton mari est d'accord ?

— Il n'en sait rien. Il est parti au milieu de la nuit et je ne l'ai pas revu. Quand il rentrera, c'est lui qui ne me verra pas.

— Où vas-tu ?

— Chez mes parents.

Lucie n'insista pas, car la décision de la jeune femme était clairement irrévocable. Elle lui souhaita un bon voyage et l'embrassa avant de se rendre à la salle paroissiale, lieu de réunion des grévistes. Si Albertine ne lui avait pas demandé d'informer Yvon de son départ, elle ne le lui avait pas interdit non plus et Lucie décida de le faire. Elle s'était attendue à ce qu'il se précipite chez lui, mais il ne bougea pas, déclarant qu'il était inutile d'essayer de la raisonner et que, dans ces conditions, il serait plus utile là où il était qu'à la maison à entendre des reproches qu'il connaissait par cœur. Au soulagement qu'exprimait son visage, Lucie devina que les dernières semaines avaient été aussi dures sur le front domestique que sur le front syndical.

Gadbois apprit à sa photographe que le dynamitage, qui avait arraché vingt pieds de la voie ferrée servant à transporter le fret d'Asbestos jusqu'à la ligne principale du Canadien National, avait eu lieu pendant la nuit. Même si tout le monde ignorait qui en était responsable, les policiers et la compagnie n'avaient aucun doute sur la responsabilité des grévistes – c'était du moins leur position –, alors que les ouvriers et leurs représentants étaient persuadés que les auteurs du sabotage étaient des agents provocateurs chargés par la compagnie de discréditer le mouvement de grève.

La réunion syndicale fut une fois de plus consacrée à répéter aux grévistes qu'ils ne devaient surtout pas répondre aux provocations, car c'était cela que les policiers attendaient pour sortir leurs matraques. Il était difficile d'aller dans un lieu où l'on servait de l'alcool sans les rencontrer, et beaucoup d'hommes préféraient se réunir chez les uns et les autres plutôt que d'être en butte aux railleries et aux insultes dont ils étaient prodigues. De plus, l'argent commençait à manquer pour fréquenter le restaurant ou la taverne.

Richard, qui avait quitté quelques jours Asbestos pour faire un autre reportage, était présent, arrivé lui aussi le matin même, mais en voiture.

— Si j'avais su que tu venais aujourd'hui, regretta-t-il, je t'aurais proposé de faire le trajet avec moi.

Elle s'abstint de lui répondre que c'était la dernière chose qu'elle aurait souhaitée. Néanmoins, elle ne refusa pas d'aller glaner des nouvelles en sa compagnie.

En chemin, il lui dit :

— J'ai appris pour ton père… Je sais que vous étiez brouillés, mais…

Elle l'interrompit sèchement :

— Pour moi, c'est comme s'il était mort depuis des années.

Il ne dit plus rien jusqu'à leur arrivée au siège de la police où ils obtinrent quelques rodomontades et l'affirmation que le coupable serait sous les verrous incessamment. Mais il était clair que les enquêteurs n'avaient pas l'ombre du début d'une piste. L'attentat avait été perpétré pendant la nuit et sans témoins. Lorsque les employés conduisant la locomotive qui déblayait la voie l'avaient découvert, ils n'avaient pas aperçu âme qui vive dans les environs. La seule trouvaille des policiers était que la dynamite venait de la compagnie où elle avait été dérobée. Or le vol n'avait pas été commis ce jour-là, et personne ne savait qui en était responsable.

À l'angle d'une rue proche de l'hôtel de ville, Lucie et Richard tombèrent sur un attroupement. Aussitôt en éveil, ils s'approchèrent, prêts à photographier. Une camionnette de la Canadian Johns-Manville secouée par quelques hommes en colère semblait sur le point d'être renversée. Le chef de police et les dirigeants syndicaux accourus pour calmer les assaillants réussirent à leur faire entendre raison et ils lâchèrent le véhicule. En retombant sur ses roues, la camionnette frappa à la jambe un gréviste qui poussa un cri de souffrance. On courut chercher un docteur. Celui-ci, pressé de questions, réserva son diagnostic jusqu'à ce qu'il soit en mesure de faire un examen plus approfondi. Les grévistes suivirent le brancard jusqu'à son cabinet tandis que le chauffeur de la camionnette quittait les lieux sans demander son reste.

Lucie et Richard, qui avaient pris plusieurs photos sans que quiconque s'en avise, se rendirent ensuite à l'hôtel où ils furent rejoints par Gadbois qui s'attabla avec eux. L'avocat expliqua avec embarras à Lucie qu'en raison du départ de sa femme, il ne pouvait plus la loger chez lui, car cela donnerait lieu à des ragots. Albertine avait assez de sujets de rancœur sans les aggraver par des médisances que certaines bonnes âmes ne tarderaient pas à répandre et dont elles se feraient un devoir de la tenir informée. Lucie offrit de retourner à Montréal le soir même, ce qui ne faisait pas l'affaire de Gadbois.

— J'aimerais mieux que tu restes. On n'a pas un gros budget, mais on peut te payer l'hôtel quelques jours.

Comme la patronne leur apportait les plats, il lui demanda si elle avait une chambre.

— Vous n'y pensez pas ! Avec trois corps de police en ville, elles sont toutes occupées.

— Comment se fait-il que j'aie pu en avoir une ? s'informa Richard.

— Je vous l'avais gardée. On a besoin de journalistes pour raconter ce qui se passe.

— Vous n'avez vraiment pas la moindre petite pièce ? insista Yvon.

— Rien, confirma-t-elle en se dirigeant vers une tablée de policiers qui l'interpellait bruyamment. J'ai loué tout ce qui pouvait l'être.

— Il faut pourtant trouver un moyen de te loger.

La seule solution que Lucie voyait était de rentrer chez elle et de revenir de temps à autre passer la journée quand un événement d'importance serait prévu. Yvon objecta que ce qui comptait c'était surtout les développements imprévisibles.

— Là, avec cette histoire de dynamitage, il peut se produire quelque chose aujourd'hui, ce soir ou demain.

Richard intervint pour proposer :

— Faisons un échange : Lucie prend ma chambre ici et moi la sienne chez toi.

Yvon et Lucie répondirent en même temps : lui pour dire que c'était une excellente idée, elle pour refuser, sous prétexte qu'elle ne voulait pas l'obliger à déménager ses pénates alors qu'il avait ses habitudes dans la place.

— Tu sais par expérience, objecta-t-il, qu'un journaliste change de lieu au pied levé. En plus, je ne suis arrivé que de ce matin et je n'ai même pas encore ouvert ma valise.

— Parfait, conclut Gadbois. Moi j'y retourne et je vous laisse vous installer. Albertine t'a donné la clé ?

— Elle m'a montré où elle la laisserait en partant.

Richard expliqua la situation à la patronne de l'hôtel qui accepta le changement de client, puis il monta chercher sa valise et ils allèrent ensemble au domicile des Gadbois.

— Je n'ai pas hésité à donner à l'hôtelière la véritable raison de notre arrangement, confia-t-il à Lucie, parce que le départ d'Albertine sera de notoriété publique avant la fin de la journée. Il est même possible que ce commérage évince le dynamitage à la veillée.

Lucie n'avait pas envie de parler des problèmes conjugaux des Gadbois et elle ne voulait pas davantage que la conversation emprunte un tour personnel, alors elle se lança dans un récit de la lutte de la Ligue pour les droits civiques que Richard écouta sans l'interrompre.

Chez Gadbois la maison était vide ; Albertine était partie. Ils se contentèrent de laisser dans l'entrée le bagage de Richard et de prendre celui de Lucie qu'ils portèrent à l'hôtel. Ils repartirent aussitôt, d'abord au siège de la police, puis à celui du syndicat. Tout le monde était énervé. Dans les rues, l'agitation était palpable. Le dynamitage, perçu comme une manœuvre de la compagnie, suscitait de la colère, et cette colère s'ajoutait à la frustration provoquée par l'engagement de briseurs de grève toujours plus nombreux au fil des jours. Ces hommes étaient recrutés dans les villages environnants où l'inaction due à l'hiver les rendait disponibles et désireux de gagner quelque argent. Même s'ils étaient loin d'être en nombre suffisant pour faire tourner la mine, ils présentaient une menace que les représentants de la compagnie amplifiaient dans leurs déclarations. Les grévistes voulaient les empêcher de se rendre au travail, mais la police les protégeait. Pour le moment, il y avait eu surtout des altercations. Cependant, le ton montait. Richard craignait qu'ils n'en viennent aux coups.

— Il suffirait de très peu pour mettre le feu aux poudres, dit-il.

Comme au siège du syndicat il ne se passait rien d'autre que des parlottes, Lucie décida de se rendre chez Madeleine pour voir comment elle se débrouillait. Elle voulait également, par son intermédiaire, prendre le pouls des femmes de grévistes. Richard proposa de l'accompagner parce que les rues n'étaient pas sûres.

— Si ça ne te dérange pas, je souhaiterais entendre ce que Madeleine pense de ce conflit qui dure depuis maintenant un mois. Ça me permettrait de faire un papier plus intéressant que si j'interroge des inconnues.

— Tu te charges aussi des articles ?

— Oui. En tant qu'unique correspondant à l'étranger, je devais fournir les textes et les photos. De retour ici, j'ai continué. Je préfère traiter moi-même l'information au complet.

C'était ce qu'elle avait fait en Italie et elle aussi avait aimé la formule.

Le visage de Madeleine s'éclaira en les reconnaissant, et si la présence de Richard l'étonna, elle n'en montra rien. Connaissant les relations que Lucie avait entretenues avec son père, elle se contenta de brèves condoléances avant de s'enquérir de la santé de sa mère. Puis elle les fit entrer dans une cuisine reluisante de propreté, les invita à s'asseoir et commença à préparer du café.

Les pleurs de Rosa l'interrompirent et elle alla chercher la petite qui se calma dès qu'elle fut dans les bras de sa mère. L'enfant posa sur les visiteurs un regard curieux puis elle les gratifia d'un magnifique sourire et d'un gazouillement joyeux ressemblant à une formule de bienvenue. Malgré sa gorge nouée, Lucie réussit à prononcer *Elle est adorable.* À côté d'elle, elle sentait la tension de Richard.

— Tu veux aller avec matante Lucie pendant que je prépare ta bouillie ? dit Madeleine à Rosa en la tendant à son amie.

Quand Lucie eut le bébé dans les bras, elle fut saisie d'une impulsion méchante à laquelle elle ne résista pas.

— Je suis sûre que Richard serait ravi de tenir Rosa, dit-elle en lui donnant la petite.

Sa subite pâleur lui prouva que le coup avait porté. Madeleine ne s'aperçut de rien, et il apparut vite que le reporteur savait comment se comporter avec les enfants.

— Vous faites ça aussi bien que si vous en aviez une trâlée, remarqua la jeune mère.

— J'ai plusieurs neveux que j'ai souvent eu l'occasion de prendre sur mes genoux, expliqua-t-il.

Elle glissa un regard vers Lucie et commenta :

— Si vous décidez un jour d'en avoir à vous, vous ne serez pas embarrassé.

Lucie, qui regrettait son geste dont les suites la mettaient au supplice, enchaîna :

— Nous aimerions savoir ce que les femmes des mineurs pensent après un mois de grève.

Le visage de Madeleine devint grave.

— On pense que ça a déjà beaucoup trop duré. On voudrait que le travail reprenne. Les gens n'ont plus d'argent. Nous, on épargnait pour acheter une terre, mais il ne reste plus beaucoup de sous. Tout est si cher ! Et quand il n'y en aura plus, qu'est-ce qu'on fera ? Si personne ne vient à notre secours, je ne sais pas ce qu'on va devenir.

Elle ouvrit un tiroir du buffet et en sortit plusieurs enveloppes.

— Regardez. La compagnie n'arrête pas de nous écrire.

Lucie et Richard prirent connaissance des missives dont le but était de semer le doute chez les grévistes et de les inquiéter au sujet de leur avenir. Le discours, mélange de promesses et de menaces voilées, était à peu près le même que celui des messages diffusés par la compagnie dans les pages publicitaires des journaux : la grève était illégale et pourrait donner lieu à des poursuites judiciaires ; la compagnie perdait beaucoup d'argent et les grévistes aussi ; ceux qui persistaient à faire la grève ne seraient pas réembauchés ; les ouvriers souhaitaient le retour au travail, mais ils étaient manipulés par leurs représentants syndicaux ; la compagnie était prête à négocier dès que le travail aurait repris.

— Et ton mari, que dit-il ?

— Il veut continuer, comme tous les autres. Ils disent que s'ils retournent à la mine maintenant, ils ont fait un mois de grève pour rien. On le sait bien, mais c'est les femmes qui doivent mettre à manger sur la table tous les jours, et c'est de plus en plus difficile.

Lucie lui confirma l'information que le curé leur avait donnée au sujet de la collecte de nourriture et d'argent.

— Je suis allée au siège de la Confédération à Montréal et j'ai vu qu'ils ont déjà pas mal de marchandises. Ils sont en train de s'organiser pour vous les envoyer.

Madeleine soupira.

— Tant mieux, mais il ne faudrait pas que ça tarde.

Lucie, qui se souvenait des questions de ses collègues de la Ligue sur les conditions de travail des ouvrières, lui demanda si elle pouvait lui en présenter quelques-unes qui accepteraient d'en parler.

— Aucun problème. Je vais inviter les mères des enfants que je gardais avant la grève à venir boire un café. Lundi après-midi, ça vous convient ?

— Parfaitement, je te remercie.

Lucie et Richard prirent congé et se retrouvèrent dans la rue.

— Je suis tellement désolé, commença Richard.

— Je ne veux pas en parler, répondit-elle sèchement.

Elle partit d'un pas vif, remâchant ses rancœurs, et il la suivit sans plus rien dire. Elle se demandait si elle ne ferait pas mieux de retourner le jour même à Montréal quand un incident attira son attention à proximité de l'hôtel de ville. Alors, le Rolleiflex apparut dans sa main et plus rien ne compta que le cliché à réussir. Un ingénieur de la compagnie n'ayant pas pu résister au désir de narguer des grévistes en les croisant avait aussitôt été encadré par quelques costauds qui l'obligèrent à marcher avec eux. Les deux journalistes suivirent. Le groupe parvint assez vite à une maison particulière où l'un des grévistes frappa brutalement à la porte. Elle s'ouvrit sur une femme affolée à qui ils dirent de s'écarter, puis ils poussèrent son mari à l'intérieur.

— Plus de peur que de mal, commenta Richard. La prochaine fois, il se fera plus discret.

Lucie, qui aurait préféré ne pas manger avec lui, jeta un coup d'œil vers les autres clients. Cela la dissuada de s'attabler seule. Il s'agissait de policiers qui la gratifiaient de regards hostiles. Ils n'aimaient pas les journalistes, mais évitaient de s'en prendre directement à eux parce qu'ils craignaient ce qu'ils pourraient écrire dans leurs journaux. Avec une femme journaliste, ils n'étaient pas inquiets, persuadés qu'il n'y aurait rien de plus facile que de l'intimider. Leur attitude était parfaitement claire et Lucie savait qu'elle n'avait pas intérêt à sortir sans un compagnon. À l'intérieur de l'hôtel, elle supposait pouvoir compter sur la patronne, mais elle ne voulait pas provoquer des situations difficiles.

À son grand soulagement, Gadbois vint les rejoindre. L'avocat ne paraissait pas se rendre compte qu'il faisait presque seul les frais de la conversation. Il dissertait sur la mauvaise foi des patrons et la partialité du gouvernement, deux sujets à propos desquels il était intarissable.

Avant de les quitter, il leur annonça qu'il se rendait à Montréal le lendemain.

— Je vais chez mes beaux-parents faire amende honorable. Même s'il n'est pas vraiment opportun de m'absenter, je n'ai pas le choix si je veux sauver mon ménage.

Lucie, oubliant le rendez-vous avec Madeleine, pensa que ce serait une bonne occasion de repartir. Elle allait lui demander de l'emmener quand il ajouta :

— Trois membres du syndicat m'accompagneront. Ils iront au siège pour coordonner l'acheminement des vivres.

La voiture serait pleine. Ou elle prenait le train, ou elle restait à Asbestos. Si elle partait, il faudrait fournir une explication à Yvon. Rester était plus simple. Elle pensa qu'elle passerait la journée à étudier dans sa chambre, mais l'avocat avait une idée pour l'occuper. Il suggéra à Richard :

— Tu pourrais la conduire à East-Broughton pour qu'elle fasse des photos d'une ville minière sous la poussière.

Celui-ci émit un son vaguement approbateur et Lucie ne dit rien faute de trouver immédiatement une parade. Comme il n'y fit aucune allusion lorsqu'il se séparèrent, elle supposa qu'il n'avait pas l'intention de donner suite à cette suggestion. Elle espérait ne pas le voir de la journée, car elle avait besoin de ce répit pour se ressaisir. La proximité de Richard la perturbait. Parfois, elle oubliait ses griefs et elle retrouvait le plaisir qu'elle avait toujours eu à être avec lui : il était serviable et attentionné, et lorsqu'ils travaillaient, ils étaient en accord, se comprenant à demi-mot. Mais soudain, tout lui revenait : l'humiliation, la douleur, la vie gâchée, et elle le détestait de toutes ses forces. La veille, avec Rosa, elle avait vu le père qu'il aurait pu être, ce qui avait augmenté sa rancune. Elle dormit mal et s'éveilla de mauvaise humeur.

⁂

Lorsque sa pensionnaire féminine se présenta pour le petit-déjeuner, Irma Callier lui demanda si Morin venait le prendre avec elle. Sur sa réponse négative, elle l'emmena dans la cuisine en expliquant :

— Je ne veux pas vous voir seule au milieu de ces brutes. Ils ne savent pas se tenir et il y aurait des histoires.

Lucie ne se fit pas prier pour se mettre sous la protection de la femme, qui était de taille à se défendre et à protéger ceux qu'elle avait décidé de prendre sous son aile. Elle ne craignait pas vraiment pour sa personne : si elle avait la prudence de ne pas s'isoler, ils n'oseraient rien lui faire, mais elle préférait ne pas s'exposer à des remarques insultantes et surtout, elle avait peur pour son matériel qu'ils n'hésiteraient pas à briser *par inadvertance*. Après avoir déjeuné, elle remonta travailler un moment dans sa chambre qu'elle quitta pour se rendre à la messe. Ce serait l'occasion de s'imprégner de l'atmosphère et, le cas échéant, de faire quelques clichés.

Elle s'agaça de trouver Richard dans l'entrée de l'hôtel. Il était venu déjeuner et se proposait d'aller voir ce qui se passait à l'église. Supposant que c'était son intention à elle aussi, il l'attendait. Ils quittèrent l'hôtel pour se mêler aux gens qui convergeaient vers le parvis. Tout le monde parlait du dynamitage. Le ton était à l'indignation : pas un gréviste qui ne pensât qu'il était dû à des agents provocateurs, et ils avaient visiblement envie d'en découdre. Leurs femmes, inquiètes, tentaient de les apaiser et le curé, comme à son habitude, s'y employa aussi. Il répéta qu'il les soutenait et que c'était la raison pour laquelle il leur conseillait de se calmer. Les conversations à la sortie de la messe montrèrent que le prêche n'avait pas vraiment atteint son but.

— Tu crois qu'il y aura des incidents ? demanda Lucie à Richard.

— Pas aujourd'hui. Leurs femmes vont les traîner à la maison le plus rapidement possible et les obliger à passer le dimanche en famille. D'ailleurs, c'est mon intention à moi aussi. Viens avec moi : ma sœur sera ravie d'avoir de la visite de la ville et ensuite, je te montrerai East-Broughton.

— Non.

À cet instant, ils virent un groupe de policiers faire des gestes obscènes à des femmes pour exaspérer leurs maris. D'un même mouvement, ils sortirent leurs appareils et les mitraillèrent. Un des policiers s'en aperçut et les interpella grossièrement. Alertés par ses invectives, ses compagnons délaissèrent leur cible pour se diriger vers les photographes d'un pas menaçant. Richard prit la main de Lucie.

— Viens !

Ils coururent vers la voiture. La foule s'ouvrait devant eux et se refermait après leur passage, freinant leurs poursuivants qui s'étaient eux aussi mis à courir. Ils s'engouffrèrent dans le véhicule et Richard démarra aussitôt. Dans son rétroviseur, il vit les policiers qui lui montraient le poing et il prit de la vitesse.

— Beau coup! apprécia-t-il quand ils furent certains d'être hors de portée.

— En effet, Yvon sera content.

— Tu ne peux pas retourner à l'hôtel maintenant. Ce serait imprudent.

— ...

— Je pense que le mieux serait de se faire oublier pour la journée.

Elle acquiesça et il continua sa route vers East-Broughton.

Ce furent les neveux de Richard qui leur ouvrirent la porte, deux petits garçons blonds et vifs parfaitement semblables qui ne devaient guère avoir plus de cinq ou six ans. Ils restèrent d'abord bouche bée, puis repartirent à l'intérieur de la maison en criant d'une voix stridente *Mononcle Richard est avec une dame!* Puis ils revinrent avec leurs trois sœurs, suivies de près par la mère qui s'écria *Entrez vite qu'on laisse le froid dehors!* avant d'ordonner à la troupe bruyante de se calmer.

Lorsque son frère lui apprit que l'invitée-surprise était son amie Lucie, Éloïse lui prit les mains qu'elle serra avec chaleur.

— Je suis si contente de vous connaître enfin! Vos lettres ont tellement aidé Richard quand il était dans les vieux pays.

Puis elle se tourna vers l'intérieur de la maison et cria d'une voix joyeuse:

— Albert, viens voir qui Richard nous a amené!

L'homme la reçut lui aussi avec le sourire et quelques mots de bienvenue, puis gronda les enfants qui empêchaient les arrivants d'ôter claques et manteaux.

— Éloignez-vous, bande de fatigants! On ne va pas les garder toute la journée dans le tambour.

Ils obéirent, plus impressionnés par la dame inconnue que par les admonestations faussement bourrues de leur père. Lorsque les visiteurs furent débarrassés, tous s'écartèrent pour les laisser passer et Lucie surprit le sourire encourageant qu'Éloïse adressait à Richard. Celui-ci la prit par le coude et la conduisit vers une vieille femme emmitouflée de châles qui se berçait près du poêle, les mains croisées sur un rosaire qu'elle égrenait en marmonnant. Il se pencha vers elle, l'embrassa sur la joue et dit d'une voix très douce :

— *Sa mère*, c'est Lucie.

Elle leva les yeux, posa sur la nouvelle venue un regard flou, puis retourna à ses prières.

— De temps en temps, elle nous revient, expliqua Éloïse.

Puis elle ajouta tristement :

— De moins en moins souvent, il est vrai.

Elle leur dit qu'elle avait mangé avant, parce qu'il fallait la nourrir à la cuillère, et qu'elle resterait sur sa chaise, car c'était l'heure où elle sommeillait. Ensuite, d'un ton redevenu joyeux, elle demanda à l'aînée, une fillette d'une douzaine d'années, d'ajouter une assiette. À voir les enfants s'installer sans hésitation autour de la grande table de la cuisine, Lucie comprit que chacun avait sa place attitrée. Elle-même fut placée à côté de Richard, face aux petites filles qui la regardaient avec une intense curiosité.

Leur mère s'en aperçut et les réprimanda :

— Cessez de dévisager la visite comme si vous observiez une bête curieuse. Elle va se sentir mal à l'aise et penser que vous n'avez pas de manières.

Lucie aurait voulu dire quelque chose ; rien ne lui venait à l'esprit. N'ayant pas de cousins, c'était la première fois qu'elle se trouvait à la table d'une famille nombreuse. Par chance, ils perdirent vite leur retenue et il y eut bientôt trop d'agitation pour que l'on attende beaucoup de sa part. Jacinthe lui avait raconté les tablées de ses Noëls à Sainte-Catherine et elle imagina que cela devait être ainsi : un groupe d'enfants qui se faisaient des agaceries, des parents qui s'interposaient. Des rires, des fâcheries, de la vie. Elle devina que les jumeaux s'y entendaient à faire enrager leurs sœurs. Elles étaient plus âgées qu'eux et auraient voulu les régenter, mais elles n'y parvenaient pas. Tous les neveux de Richard étaient grands et minces ; les jumeaux étaient blonds, comme leur mère et leur oncle, et les filles de diverses nuances de roux qu'elles tenaient de leur père.

Sa présence dans cette famille lui paraissait d'autant plus incongrue qu'on lui avait immédiatement fait une place. Ils avaient entendu parler d'elle, savaient qui elle était et n'étaient pas surpris de la voir chez eux alors qu'elle-même en était très étonnée. Quand le repas fut terminé, que les enfants furent emmitouflés dans leurs manteaux et leurs écharpes et envoyés dehors avec une luge de fabrication domestique qui fut confiée à l'aînée avec les recommandations d'usage, Éloïse se rassit à la table où son mari avait déposé une bouteille de digestif et des verres et soupira :

— Un peu de calme va nous faire du bien. On pourra enfin parler tranquillement. Elle accepta une larme d'alcool *Pour vous accompagner* et s'adressa à Lucie :

— Richard m'a dit que vous étudiez le droit. Racontez-nous comment ça se passe à l'université. Ça ne doit pas être facile avec tous ces hommes.

Ainsi, Richard n'avait pas seulement parlé d'elle à l'époque où elle était sa marraine de guerre, mais récemment. Elle était agacée qu'il se comporte comme si elle faisait partie de sa vie. Cependant, elle ne pouvait pas se montrer impolie envers des gens qui la recevaient avec tant de chaleur. Comme Éloïse le souhaitait, elle fit une description rapide des conditions faites aux étudiantes.

— Il vous a fallu du courage et de la volonté pour ne pas lâcher.

— Au début surtout, après on s'habitue.

Pour les amuser, elle résuma qu'en se concentrant sur le travail, en ne s'arrêtant pas aux remarques désobligeantes des professeurs et en oubliant l'existence des autres étudiants, ce n'était pas si terrible.

Albert voulut savoir si elle serait bientôt avocate.

— Mes dernières épreuves auront lieu au début du mois de juillet.

— Après, vous vous installerez ?

— C'est là, je crois, que les vrais problèmes vont commencer. J'espérais m'associer à une amie qui exerce depuis quelques années, mais elle m'a appris qu'elle survit à peine : les clients masculins ne veulent pas avoir affaire à une avocate et souvent, les femmes ne peuvent pas payer.

Avant qu'ils ne lui demandent ce qu'elle comptait faire, question à laquelle elle n'avait pas de réponse, elle s'informa de la situation à la mine d'East-Broughton. Albert y était employé et ce fut lui qui répondit :

— Nous sommes les seuls de la région à ne pas être en grève. C'est ironique quand on pense à l'article de Burton LeDoux : ce qu'il a dit est vrai pour toutes les mines d'amiante, mais c'est juste nous qu'il a nommés.

Éloïse se leva.

— Je vais faire la vaisselle.

Lucie la suivit pour l'aider et coupa court à ses protestations.

— À deux, ce sera plus rapide.

Tandis qu'elle lui tendait les assiettes pour qu'elle les essuie, Éloïse lui confia :

— Richard est un bon gars : toujours prêt à aider. Albert ne gagne pas beaucoup à la mine et sans lui, on aurait du mal à joindre les deux bouts avec les enfants et la mère. Il a toujours été quelqu'un sur qui on peut compter. Quand on était petites, avec ma sœur, il nous accompagnait à l'école. Il n'a jamais laissé les autres garçons nous faire des misères. Et il n'a pas changé. Je suis heureuse de vous voir avec lui. Il a été très malheureux lorsque vous avez rompu.

Lucie voulut rectifier, dire qu'ils n'étaient ensemble que de manière fortuite. La jeune femme, croyant peut-être qu'elle souhaitait se justifier, l'interrompit :

— J'ignore ce qui s'est passé entre vous et ça ne me regarde pas. C'est juste pour que vous sachiez que ça me fait plaisir que vous soyez de nouveau dans la vie de mon frère et que vous êtes la bienvenue dans la famille.

Lucie renonça à l'attrister en lui disant la vérité. Elle s'en rendrait bien compte toute seule.

Richard donna le signal du départ: s'ils voulaient faire le tour de la ville avant la nuit, il ne fallait plus tarder. Comme ils sortaient, les enfants revenaient. Excités, les joues rougies par le froid, ils parlaient tous en même temps. Les jumeaux, qui avaient tenu à glisser ensemble et avaient versé chaque fois avant d'atteindre le bas de la pente, prétendaient que c'était la faute des filles qui ne les poussaient pas correctement. Albert couvrit le brouhaha d'une voix forte pour leur ordonner de dire au revoir à la visite et de rentrer se déshabiller. Lucie eut droit aux mêmes embrassades que Richard, et la plus grande des filles lui susurra *Vous êtes belle matante Lucie*. Elle lui sourit et lui chuchota en retour *Toi aussi*. Radieuse, la fillette rassembla la troupe piaillarde et la poussa vers l'intérieur. Lucie remercia ses hôtes pour leur accueil et se contenta de sourire à l'invitation d'Éloïse qui la priait de revenir bientôt.

Dès que la porte fut refermée, Lucie perdit le sourire et arbora une mine peu amène. Richard, embarrassé, se lança dans des excuses:

— Je suis désolé pour le malentendu. Je n'y suis pour rien. Ma sœur savait que nous avions interrompu toute relation, mais quand elle nous a vus ensemble, elle a imaginé une histoire. J'ai pensé qu'il serait plus gênant de rectifier que de laisser dire.

Elle lui lança un regard noir.

— Tu n'as qu'à oublier cette journée, ajouta-t-il sèchement. Ça n'a aucune importance puisque tu ne les reverras jamais.

East-Broughton ressemblait à Asbestos: une ville sans beauté, construite à la hâte, que la vulgarité des néons enlaidissait encore. La différence, c'était la poussière qui uniformisait le tout sous une couche grisâtre. Pensant que cela pourrait être utile à Gadbois, Lucie fit quelques photos, même si les sujets inanimés l'intéressaient peu.

Ce qu'elle aimait, c'était photographier les gens, capter la mimique ou le jeu de physionomie révélant leur vraie nature.

D'une voix maîtrisée ne portant aucune trace de l'émotion qu'elle avait ressentie en quittant la famille si chaleureuse de sa sœur, elle lui demanda :

— Sais-tu où les enfants sont allés glisser ?

— Là, probablement.

Au flanc d'une colline de déchets miniers recouverts de neige sale, on voyait effectivement des traces de luge. Elle regretta de ne pas avoir eu l'occasion de les photographier tandis qu'ils jouaient : le contraste entre le paysage désolé et les enfants joyeux qui se l'appropriaient le temps d'un dimanche après-midi aurait pu donner lieu à des clichés intéressants.

Le tour de ville terminé, ils se dirigèrent vers la voiture sans se concerter. Peu avant d'arriver à Asbestos, ils furent stoppés par un policier provincial qui leur fit signe de se mettre sur le bas-côté, derrière le véhicule arrêté avant le leur. Sans plus s'occuper d'eux, il rejoignit son collègue qui discutait vivement avec le conducteur sorti de l'auto pour mieux s'expliquer.

— Je vais voir ce qui se passe, dit Richard. Il vaudrait mieux que tu restes dans la voiture pour qu'ils ne se rendent pas compte immédiatement que nous sommes journalistes.

Lucie se glissa à la place du chauffeur et baissa la vitre. De là, elle pouvait voir la scène et suivre l'échange verbal. Son appareil était prêt à servir, mais il était invisible de l'extérieur.

Le policier réclamait au conducteur son permis de conduire. Apparemment, cela faisait plusieurs fois qu'il lui répétait la même chose et son interlocuteur également.

— Puisque je vous dis que je l'ai oublié à la maison ! J'habite tout près, je peux aller le chercher et vous le rapporter.

— Non. C'est impossible. Et puis, cette voiture n'est pas à vous.

Il poussa un soupir excédé.

— On me l'a prêtée pour conduire ma femme auprès de son père qui est très malade, ça fait quatre fois que je vous le dis.

— Oui, vous le dites, mais il faut le prouver.

— Rien de plus simple : allons-y ensemble.

— On ne peut pas : on nous a affectés ici et on ne doit pas bouger. Si vous aviez eu le permis, il n'y aurait pas eu de problème, mais là…

— Je vous le répète, je l'ai laissé dans le manteau de tous les jours.

— Il fallait y penser. Nous, on a reçu des ordres. Si vous n'avez pas de permis, on doit vous emmener à Sherbrooke où vous paierez une amende de trente dollars pour pouvoir rentrer chez vous.

— Ça n'a pas de sens ! D'où voulez-vous que je sorte trente dollars ?

— C'est votre affaire. La loi, c'est la loi. À moins que…

— Quoi ? Qu'est-ce que je peux faire ?

— Si vous vous engagez à retourner au travail, on ferme les yeux sur l'oubli et on vous laisse partir.

Sa femme se mit à glapir :

— Dis oui, Joseph !

— C'est du chantage, protesta son mari.

— Tu sais qu'on ne les a pas, les trente dollars. Bientôt, on n'aura même plus de quoi manger.

Richard, qui s'était tenu à l'écart, s'approcha et intervint.

— Pouvez-vous nous expliquer pourquoi il vous est impossible de quitter votre poste pour l'accompagner chez lui, mais que pour aller à Sherbrooke, cela ne pose pas de problème ?

Les policiers, qui jusque-là n'avaient pas fait attention à lui, se retournèrent comme un seul homme.

— Vous, mêlez-vous de vos affaires !

Puis, s'avisant qu'il n'avait pas l'air d'un mineur, ils lui demandèrent ses papiers. Richard sortit de son portefeuille son permis de conduire et sa carte de presse.

— Journaliste, hein ? Qu'est-ce que vous allez encore raconter comme mensonges ?

— Je n'écrirai rien de plus que ce qui mérite d'être connu du public. Si cet homme a simplement commis une infraction au code de la route, ça n'intéresse pas les lecteurs.

La femme surgit de la voiture comme un diable de sa boîte.

— Ils sont en train de lui faire du chantage ! Ils veulent l'emmener en prison à Sherbrooke et lui faire payer trente dollars s'il ne retourne pas au travail.

Le policier le plus proche d'elle leva une main menaçante :

— Vous, la femme, taisez-vous ! Vous dites n'importe quoi ! C'est juste parce qu'il n'a pas son permis qu'il a des ennuis.

Son collègue lui posa la main sur le bras pour le calmer et parla à son tour.

— Pour cette fois, on va vous laisser partir, dit-il à l'homme, mais n'oubliez plus vos papiers.

Puis il se tourna vers Richard.

— Et vous, le journaliste, circulez ! Il n'y a rien à voir.

Lucie réintégra son siège.

— Tu l'as eu ? lui demanda Richard en se mettant au volant.

— Oui. Quand il a levé la main comme s'il allait la battre. Il avait un visage furieux, et la femme était terrifiée. Le cliché devrait être bon.

— Tu as pu suivre la scène ?

Elle acquiesça.

— J'avais baissé la vitre, j'ai tout entendu.

— Je savais qu'ils patrouillaient les rues et les chemins pour intimider les gens, mais je n'espérais pas avoir la chance d'y assister.

La complicité du travail accompli ensemble avait allégé l'atmosphère entre eux, et ce fut plus détendus qu'au départ qu'ils continuèrent leur route.

La porte de sa chambre refermée, Lucie ressentit vivement la solitude. En la déposant à l'hôtel, Richard lui avait dit qu'il soupait chez son vieil ami, le frère aîné d'Yvon, et qu'ils se reverraient le lendemain. Bien qu'elle n'ait eu aucune envie de rester avec lui, cela lui pesait de se retrouver seule. Elle en avait pourtant l'habitude, mais les quelques heures passées dans la famille d'Éloïse lui avaient fait mesurer la vacuité de son existence. Elle s'assit à la minuscule table que l'hôtelière lui avait fournie et ouvrit ses livres : son refuge depuis des années. Elle n'en sortit que lorsque Irma frappa à sa porte. Munie d'un plateau, la femme lui demanda de faire de la place pour qu'elle puisse le déposer.

— Comme vous ne descendiez pas, j'ai pensé que le travail vous avait fait oublier l'heure.

Elle désigna les livres que Lucie avait mis sur le lit.

— Je vois que j'avais raison.

⁂

Yvon Gadbois revint satisfait de sa journée à Montréal. Il avait conclu un accord avec Albertine : elle resterait chez ses parents jusqu'à la fin de la grève, ensuite il la rejoindrait et chercherait du travail en ville. En attendant, elle se mettrait en quête d'un logement, un projet qui la réjouissait assez pour qu'elle cesse de récriminer.

— Je dois une fière chandelle à mon beau-père, dit-il à Lucie et Richard en s'asseyant à leur table. Il lui avait fait la leçon avant mon arrivée et elle était prête à admettre que je ne pouvais pas laisser mon travail en plan. Comme je n'insistais pas pour qu'elle revienne, tout s'est bien passé.

Il s'enquit ensuite de leur dimanche. L'anecdote de l'oubli du permis de conduire l'indigna, mais il se réjouit que Lucie ait pu photographier le geste menaçant du policier envers la femme du mineur. Apprenant que Richard avait soupé chez son frère, il s'étonna qu'il n'ait pas emmené Lucie avec lui. Comme Richard ne donnait pas d'explication, Lucie inventa une migraine.

⁂

Chez Madeleine, Lucie trouva les femmes qui l'attendaient installées autour de la table de la cuisine. Elles avaient fait garder leurs jeunes enfants par des grands-mères, des voisines ou des sœurs aînées, et il n'y avait là que la petite Rosa, qui passait de mains en mains et souriait à chacune, essayant de saisir leurs chapeaux qu'elles protégeaient en l'éloignant à bout de bras avec de grands rires. À l'arrivée de Lucie, elles se turent. Pendant que Madeleine faisait les présentations, elle devina, à la façon dont elles s'étaient endimanchées et se tenaient sur le bord de leur siège, que ces ouvrières étaient intimidées par la dame de Montréal qui étudiait à l'université pour être avocate et chez qui leur amie avait servi. Elle allait devoir les apprivoiser.

Elle s'installa sur la chaise libre et Rosa, découvrant l'appareil photographique qu'elle avait posé sur la table, voulut s'en emparer. Avec le serrement de cœur qu'elle ressentait chaque fois qu'elle était en contact avec un enfant, Lucie la prit dans ses bras et la laissa jouer avec la courroie du Rolleiflex. L'atmosphère se détendit. Madeleine servit le café et s'assit à son tour après avoir récupéré Rosa malgré ses protestations. Lucie mit hors de vue l'appareil qui excitait la convoitise de la petite et commença par expliquer ce qu'était la Ligue en choisissant ses mots pour ne pas effaroucher ses auditrices. Elle décrivit les membres du groupe, issus de tous les milieux et aux occupations les plus diverses : des femmes au foyer, des ouvrières, des médecins, des avocates, qui se réunissaient chaque semaine pour parler ensemble de leurs problèmes, se soutenir, s'encourager.

— Vous vous souvenez peut-être qu'en 1945, quand le gouvernement fédéral a donné pour la première fois les allocations familiales, le chèque devait être envoyé aux maris ?

Quelques-unes hochèrent la tête, d'autres l'avaient oublié.

— Nous avons écrit des lettres au ministre fédéral du Bien-Être et de la Santé pour le faire changer d'avis et nous y sommes parvenues. La Ligue des droits de la femme, c'est également ça. Après mon premier séjour ici, je leur ai raconté comment se passait la grève et elles ont fait des collectes pour vous envoyer des secours. Elles aimeraient savoir en quoi consiste votre travail et dans quelles conditions vous le faites. Si vous acceptez de m'en parler, je pourrai le leur expliquer.

Elles se regardèrent, aucune n'étant prête à prendre l'initiative. Ce fut Madeleine qui s'en chargea.

— Annette t'a apporté des photos pour te montrer.

— C'est une excellente idée.

La femme sortit un album d'un cabas posé à côté de sa chaise, l'ouvrit à la bonne page et le poussa en direction de Lucie. C'était elle que l'on voyait sur le premier cliché.

— Qu'est-ce que vous êtes en train de faire ?

— Je travaille sur le métier à tisser. C'est l'atelier des textiles.

Elle en désigna un autre.

— Et là, c'est ma sœur Rita. Elle coupe et coud des habits d'amiante.

Lucie posa des questions sur les horaires, les contremaîtres, la qualité de l'air. Peu à peu, elles surmontèrent leur gêne et racontèrent les rythmes infernaux, l'insolence et la grossièreté des chefs, la poussière d'amiante en suspension dans les ateliers.

— On tousse toutes, précisa Annette. On y est tellement habituées qu'on n'y fait même plus attention. Depuis qu'on ne va plus à l'atelier, on voit la différence. On va mieux.

— Il faudra pourtant y retourner, dit entre deux quintes de toux Laurette, une femme plus âgée qui, visiblement, n'allait pas mieux. Qu'est-ce qu'on pourrait faire d'autre ?

Puis elles parlèrent de la grève, qui ne mènerait à rien de bon. Tout manquait, les dettes s'accumulaient et les patrons ne voulaient pas céder.

— C'est toujours le pauvre monde qui paye.

Madeleine resservit du café. Comme une de ses invitées s'étonnait de cette abondance, elle précisa que c'était un cadeau de Lucie. Celle-ci eut honte de sa prospérité face à ces femmes démunies. Son amie s'en aperçut et se porta à son secours en lui demandant de faire une photo du groupe en souvenir de cette rencontre.

— Bien sûr ! Et j'en tirerai pour chacune de vous.

Elle les plaça du même côté de la table, les unes assises, les autres debout, et attendit qu'elles se soient mutuellement arrangé les chapeaux en pouffant comme des gamines pour faire ses clichés.

Puis elle les remercia avec chaleur et s'en alla. En marchant vers son hôtel, elle se demandait ce qu'elles avaient pu penser d'elle, jeune femme nantie si étrangère à leur misère.

⁂

Trois jours après le dynamitage, il devint clair que, faute d'indices et de témoins, l'enquête n'aboutirait pas, et les gens cessèrent d'en parler. D'autant qu'ils eurent un autre sujet de conversation, plus réjouissant celui-là : le président de la Confédération des travailleurs catholiques du Canada leur annonça que les trois grandes centrales syndicales du pays avaient formé un cartel pancanadien dans le but de les secourir et d'étudier les moyens de conclure la grève. Cette bonne nouvelle prouvant qu'ils étaient soutenus leur insuffla un regain de courage, mais l'agitation perdura, à cause de la présence de briseurs de grève toujours plus nombreux et des policiers arrogants qui les protégeaient. Les incidents étaient quotidiens, certains assez graves pour qu'il y ait des blessés et des arrestations. Heureusement, ils restaient isolés.

Le premier arrivage de vivres avait été annoncé et les gens l'attendaient, les ménagères au premier rang, tenant fermement la main de leurs enfants. Lorsqu'il entra dans la ville, une ovation accueillit le gros camion bâché qui portait sur ses flancs un grand panneau sur lequel avait été peint :

VIVRES – GRÉVISTES
ASBESTOS
MINEURS DE L'AMIANTE

Les applaudissements l'escortèrent jusqu'à la salle où se déroulerait la distribution. Ce fut pour Lucie l'occasion de prendre ses uniques clichés festifs d'Asbestos.

Elle décida après cela de retourner à Montréal, et Gadbois ne tenta pas de la retenir. Non qu'il ne se passât plus rien, mais les incidents étaient répétitifs, et elle avait engrangé quantité de preuves que la police faisait systématiquement de la provocation. Richard aussi s'en allait, sous réserve de revenir plus tard. Il lui proposa de faire le trajet en voiture avec lui. Elle refusa. Pendant toute la durée de leur séjour, dont les dates avaient coïncidé, ils s'étaient côtoyés sans cesse, travaillant et mangeant ensemble, et une sorte de camaraderie s'était instaurée entre eux par la force des choses. Lucie ne voulait pas de l'intimité que le long trajet favoriserait. Toutefois, bien qu'elle eût préféré que leurs relations se terminent là, ils allaient se revoir à Montréal lorsque chacun aurait développé ses propres clichés, pour les mettre en commun et faire un choix en fonction de leurs objectifs professionnels, qui étaient différents.

Lucie ne prit pas le temps de savourer le plaisir de retrouver son appartement : aussitôt sa valise déposée, elle se rendit au *Studio Rossi* développer ses photos. Tout en travaillant, elle raconta à Giuseppe ce qui se passait dans la ville minière en grève.

— Tu aimes ça, hein, *bambina*, faire des reportages ?

— Oui, beaucoup. Tu sais que j'ai été forcée d'y renoncer ; si j'avais pu, j'aurais continué. L'exercice du droit m'intéresse, mais on y ressent plus rarement cet emballement, cette excitation – comment dire ? – cette urgence d'agir qui vient en assistant à un événement qu'il ne faut surtout pas manquer. Et puis, avant de découvrir le résultat, ce petit pincement au cœur en se demandant si le cliché sera aussi bon qu'on l'espère.

Elle entra dans la chambre noire et en ressortit en brandissant triomphalement une des dernières photos qu'elle avait prises.

— Cette fois-ci, il l'est !

On y voyait le policier la main levée menaçant la femme de l'automobiliste qui avait oublié son permis.

— Regarde comme elle est bonne ! Yvon va être content.

— En effet, admira Giuseppe, c'est une réussite. Dis-moi, ce n'est pas Richard Morin qui est là ?

— Si.

Il la regarda d'un air interrogatif et elle dut lui expliquer que le photographe était présent pour son propre compte, car il était devenu reporteur indépendant. Ils s'étaient côtoyés sans cesse, puisqu'ils fréquentaient les lieux où se produisaient les événements et en étaient venus à s'épauler. Le regard de Giuseppe était devenu dubitatif et Lucie se rendit compte qu'il se posait beaucoup de questions. Sachant que pendant la guerre, ils avaient correspondu toutes les semaines, il avait été très surpris que leurs relations s'interrompent. À l'époque, Lucie ne lui avait rien expliqué et elle n'était pas davantage prête à le faire maintenant. Il le comprit et ne demanda rien. Fidèle à son attitude de grand-père compréhensif qui se contentait de ce qu'on voulait bien lui donner, il la laissa changer de sujet sans insister. Elle lui montra les photos prises dans la cuisine de Madeleine et lui raconta la vie de ces femmes dans les ateliers et leur détresse matérielle après toutes ces semaines de grève.

En quittant le *Studio Rossi*, Lucie se rendit chez sa mère. Celle-ci, qui ne l'attendait pas, l'accueillit joyeusement. La liquidation de sa vie passée avait beaucoup avancé et elle confia à sa fille qu'elle se sentait chaque jour plus légère. Elle était sur le point de se mettre à la recherche d'un appartement.

— Si tu ne veux pas occuper la maison, suggéra-t-elle, on pourrait la proposer à Jacques et Irène.

Lucie trouva que c'était une bonne idée et promit de leur en glisser un mot. Elle ne s'attarda pas, étant désireuse de revoir ses photos avant de rencontrer Richard le lendemain.

Même après qu'elle eut éliminé les clichés flous et mal cadrés, il en restait beaucoup. Elle avait fait du bon travail. Il était dommage qu'elle ne puisse pas être reportrice : elle avait du talent pour exercer ce métier et il lui plaisait. Et puis, pensa-t-elle amèrement, je n'aurais pas le problème des autres femmes qui doivent rester chez elles pour s'occuper de leurs enfants.

Les choses avaient un peu changé depuis 1945. Quatre ans plus tard, même si elles n'étaient pas encore très nombreuses, il y avait davantage de femmes dans des professions qu'on aurait cru pour toujours réservées aux hommes. Pas dans le notariat, qui résistait des quatre fers, mais dans le domaine de l'information, certainement. Peut-être pourrait-elle réessayer de se faire engager par une agence ? À temps partiel ou sur appel, pour commencer, puisqu'elle n'avait pas à se soucier de gagner sa vie grâce à son héritage. C'était la première fois qu'elle se posait la question, même si elle se rendait compte que celle-ci avait été latente depuis la mise au point de Denise. Si l'avocate avait pu l'associer à son cabinet, elle n'y aurait pas pensé un instant, mais là, tout était différent. Cette grève qui avait entraîné la proposition de Gadbois était peut-être un signe du destin. Aussitôt qu'elle eut cette pensée, elle se traita de sotte. Le destin n'avait rien à voir avec cela : le signe dont il s'agissait était le désir d'ingérence de Richard dans sa vie, rien de plus.

Il lui avait proposé qu'ils se retrouvent à son bureau et elle avait accepté, croyant se trouver dans un lieu neutre. En réalité, c'était un appartement dans lequel il travaillait et vivait.

— Comme je viens de quitter l'agence, expliqua-t-il, je ne voulais pas engager les frais que supposeraient deux adresses avant d'avoir une assise solide. De toute façon, vu que je fais beaucoup de déplacements, ce n'est pas grave de vivre dans ce qui est, il faut bien le dire, essentiellement un lieu de travail.

Il le lui fit visiter et elle put constater qu'en effet, ce n'était guère autre chose. La salle de bains était colonisée par les produits et les bacs de développement et la grande pièce était traversée de cordes à linge où séchaient des photos et le salon meublé d'un vaste bureau sur lequel trônait une machine à écrire entourée de piles de journaux, de revues et de feuilles dactylographiées ainsi que d'un canapé fatigué et de deux chaises guère engageants. Quant à la cuisine, elle semblait aussi peu utilisée que celle qu'il avait eue dans son logement précédent. La seule porte fermée, qu'il n'ouvrit pas, devait être sa chambre à coucher.

Ils étalèrent leurs photos sur la table de la cuisine pour en discuter. Certaines n'intéressaient que l'un ou l'autre, d'autres leur convenaient à tous les deux. Dans ces cas-là, il y avait toujours plusieurs versions proches, ce qui leur permettait d'avoir la même scène avec des tirages différents. Quand ils se furent mis d'accord, Richard constata qu'il était midi.

— Allons dans le restaurant d'à côté, je t'invite.

Elle devina qu'il avait choisi l'heure de leur rendez-vous en fonction de cela et non pour avoir le temps de développer ses photos comme il l'avait prétendu. Elle accepta quand même. Ils avaient mangé ensemble les jours précédents, un repas de plus ne changerait pas grand-chose.

Pourtant, elle s'en aperçut vite, ce n'était pas pareil. À Asbestos, ils étaient dans un cadre de travail. Depuis la vitrine du restaurant, ils voyaient passer des grévistes et des policiers, et il leur était arrivé de quitter précipitamment la table pour prendre une photo. À Montréal, en dehors de ce contexte, ils se sentaient un peu contraints. Ils s'essayèrent à une conversation anodine, mais tous les sujets tombaient rapidement. Alors Richard reparla de travail.

— On a fait une vraie bonne équipe.

Elle le concéda et il émit le regret qu'ils ne puissent pas continuer.

— Ça se reproduira peut-être vu que la grève paraît loin d'être finie.

— Je pensais plutôt sur une base régulière.

— Je ne comprends pas.

— On pourrait s'associer.

— Tu oublies que je suis en train de terminer des études de droit. Ça n'a rien à voir avec le journalisme.

— Je n'en suis pas si sûr. Il y a souvent des reportages à faire sur des sujets pour lesquels des connaissances juridiques seraient très utiles et feraient la différence par rapport aux articles de gens qui n'y connaissent rien.

Elle se ferma.

— J'ai travaillé dur pour être avocate, ce n'est pas pour abandonner maintenant.

— Il est évident que tu dois passer tes derniers examens. Je te parle d'après. Tu as dit chez ma sœur qu'il ne te serait pas facile d'exercer la profession. Je te suggère une autre possibilité.

— C'est inutile. Je ne veux être associée avec toi d'aucune manière.

S'apercevant que sa voix devenait aiguë et tremblée et que leurs voisins se retournaient, elle se força à respirer profondément pour se calmer. Puis, quand elle se sentit plus assurée, elle prit son sac dans l'intention évidente de s'en aller. Richard lui saisit le poignet pour la retenir.

— Lucie, écoute…

— Lâche-moi.

Il obtempéra et elle quitta le restaurant en proie à une agitation qui n'avait d'égale que sa contrariété. Alors qu'elle-même avait caressé l'idée de reprendre le journalisme - sans toutefois penser que sa formation juridique pourrait être un atout -, cette éventualité devenait impossible parce que Richard la lui avait proposée. Elle n'envisagerait jamais de s'associer à lui, mais il lui avait fait réaliser que si elle était reportrice, ils n'auraient pas besoin d'un lien professionnel pour se croiser puisqu'ils seraient souvent aux mêmes endroits à couvrir les mêmes événements. Or elle ne voulait pas que la fréquentation de Richard devienne normale et familière, car lorsqu'elle était avec lui, elle avait trop tendance à oublier de le haïr.

Irène, qui continuait de suivre les événements et espérait que les mineurs obtiendraient ce qu'ils réclamaient, essentiellement pour l'élimination des poussières, s'arrêta chez Lucie en rentrant de l'hôpital sous prétexte de s'informer des derniers développements auprès d'un témoin qui venait d'Asbestos. En réalité, elle voulait savoir comment cela s'était passé avec Richard. Lucie, ne dérogeant pas à l'attitude adoptée trois ans auparavant, déclara que tout allait bien, qu'il ne s'était rien produit et que Richard la laissait parfaitement indifférente.

— En avez-vous parlé ? insista Irène.

— Non, répliqua-t-elle sèchement avant de changer de sujet.

Elle se mit à évoquer sa mère, sa métamorphose, cette énergie et cette volonté de vivre qu'elle ne lui aurait pas soupçonnée.

⁂

Lucie reprit sa routine montréalaise, consacrant chaque jour la moitié de son temps à l'étude et l'autre moitié à assister Denise. L'avocate lui permettait d'en faire beaucoup plus que ce que l'on attend généralement de stagiaires, souvent cantonnés dans de fastidieux travaux de copie ou de classement, et elles se passionnaient ensemble pour certaines causes. Elle avait mis de côté toute velléité de retourner au journalisme, se réservant toutefois de faire une exception pour Gadbois s'il l'appelait de nouveau. Le soir, elle s'occupait de la dernière étape de la tâche confiée par l'avocat asbestrien : la préparation d'un album de photos commentées. Comme elle ignorait si son rôle était terminé, elle ne le lui enverrait pas tout de suite de manière à pouvoir le compléter le cas échéant, mais elle préférait s'y mettre pendant que le déroulement des événements était frais dans son esprit.

D'abord, elle fit le tri des documents parce qu'elle en avait beaucoup trop et qu'ils ne présentaient pas tous le même intérêt pour le syndicat. Lorsqu'il y avait deux photos qui se ressemblaient, il lui arrivait de se demander laquelle Richard choisirait, lui qui avait tellement plus d'expérience qu'elle. Chaque fois, elle l'éloignait de sa pensée avec irritation : elle ne voulait plus avoir affaire à lui. Le journal de travail qu'elle avait pris soin d'écrire, notant au quotidien les événements et les clichés qu'elle avait pris, lui permit de les dater. Elle passa ensuite aux légendes, ce qui lui demanda plus de temps à cause d'une double contrainte : la clarté et la brièveté. Lorsqu'elle l'eut terminé, elle le parcourut une dernière fois pour vérifier que tout était à son goût puis elle le montra à Denise. Celle-ci, qui ne lui ménagea pas les compliments, lui suggéra d'utiliser les photos restantes pour composer un panneau qui serait affiché au local de la Ligue. C'était une autre façon de présenter les événements et Lucie eut du plaisir à le réaliser.

Elle suivait le déroulement de la grève par la lecture du journal *Le Devoir* qui soutenait le mouvement depuis le début. L'édition du 23 mars 1949 ne mâchait pas ses mots. L'article débutait ainsi:

La matraque, instrument contondant servant à établir la justice sociale dans la catholique province de Québec, a commencé à faire des siennes à Asbestos.

Le ton étant donné, le journaliste relatait un incident impliquant une trentaine de policiers provinciaux. Ceux-ci avaient attaqué de paisibles citoyens qui jouaient aux cartes chez eux, les battant, traînant dans la rue une femme enceinte et procédant au club de la Canadian Johns-Manville à un interrogatoire *à la russe.* Il parlait de provocations de la part de ces policiers, qualifiés de voyous, et dirigés par celui qui, à Asbestos, n'était plus désigné que par le sobriquet évocateur de Hilaire *Potato Chips* Beauregard. Pour avoir vu la police à l'œuvre, Lucie savait que le journaliste n'exagérait pas. Elle possédait d'ailleurs un certain nombre de photos qui le prouvaient et auraient pu servir de base à un reportage. Si elle n'avait pas été évincée du journalisme… Si la société était plus juste envers les femmes…

L'auteur de l'article rappelait que les premiers jours de grève s'étaient déroulés dans le calme et que la violence avait débuté avec l'arrivée du corps de police. Il dénonçait également le parti pris de Duplessis pour la compagnie et sa volonté de *casser la grève de l'amiante coûte que coûte. La police provinciale, agissant sous ses instructions,* ajoutait-il, *ne se cache pas pour affirmer qu'elle a été expédiée à Asbestos avec mission précise de renvoyer les mineurs au travail à coups de matraque.* Il les accusait d'employer la technique des communistes dans les pays qu'ils occupaient: *la police pousse la population à bout par toute une série de provocations calculées, pour ensuite intervenir brutalement, pratiquer une épuration des cadres sociaux et faire régner la terreur. Asbestos est une ville occupée, terrorisée.* Là aussi le journaliste disait vrai. Lucie n'avait pas pu se rendre chez Madeleine sans être accompagnée par Richard parce que les rues étaient trop dangereuses pour s'y aventurer seule. Le souvenir de ces hommes violents et avinés qui abusaient de l'autorité conférée par le port de l'uniforme l'emplissait de dégoût.

Le journaliste s'indignait ensuite que la compagnie verse à ces policiers une prime d'environ cinquante dollars par semaine en plus de leur salaire payé par la province, ce qu'il qualifiait de *prêt-bail de la police provinciale à la Johns-Manville.* Tout l'article était de la même teneur et propre à susciter l'indignation des lecteurs et leur solidarité envers les mineurs. Lucie espérait qu'effectivement ils réagiraient ainsi et le feraient savoir afin que le gouvernement finisse par se rendre compte que l'opinion populaire était en faveur des grévistes.

Jusqu'au 29 avril, date à laquelle les négociations furent rompues, ce qui motiva un appel de Gadbois auquel elle répondit positivement, Lucie travailla fort, mais passa aussi beaucoup de temps avec sa mère. Après avoir visité le logement que celle-ci avait trouvé, dans une partie d'Outremont éloignée de la maison familiale qu'elle avait choisie parce que cela lui permettrait de changer de paroisse, elle l'accompagna dans un magasin d'ameublement où Julienne prit ce qu'il y avait de plus moderne et de plus différent à la fois des meubles de sa propre mère et de ceux de sa vie d'épouse. Lucie qui était censée donner son avis ne fut pas vraiment consultée. Elle comprit qu'elle avait été emmenée pour approuver et elle approuva. Elle redoutait un peu les suites de toute cette agitation : quand l'installation de l'appartement serait terminée, la dernière tenture accrochée et qu'il n'y aurait plus rien à faire, est-ce que sa mère ne ressentirait pas un sentiment de vide et de solitude ? Elle n'avait jamais vécu seule. Or, dès qu'elle aurait déménagé, elle le serait. Simone quittait son service pour se marier, ce qui faisait leur affaire à toutes les deux puisque Julienne n'aurait plus besoin d'une bonne à demeure. Elle se contenterait d'une femme de ménage, qui viendrait tous les matins et qu'elle avait d'ailleurs déjà trouvée, se montrant en cela, comme dans tout le reste, d'une grande efficacité. En lui disant qu'elle avait changé de médicament pour ses insomnies et que le nouveau était beaucoup mieux, elle apprit incidemment à sa fille que son médecin était maintenant l'amie d'Irène qui avait été appelée au chevet de son mari agonisant. Elle avait également changé de notaire. Julienne recommençait à neuf dans tous les domaines, et Lucie la regardait aller, admirative mais un peu inquiète.

Durant cette période, elle aida aussi Denise à monter le dossier destiné à donner des arguments aux quelques élus qui étaient en faveur d'un réaménagement du Code civil afin que les femmes soient traitées de manière équitable. À voir ce qui se passait dans le milieu universitaire, ce n'était pas gagné. Alors que la première femme canadienne-française à avoir été médecin, Irma Levasseur, avait été admise à pratiquer en 1903, il y en avait encore, et d'influents, qui se demandaient, plus de quarante-cinq ans plus tard, si on ne devrait pas interdire aux femmes d'étudier la médecine. Le prétexte avancé pour soutenir cette position était que plusieurs d'entre elles abandonnaient avant la fin de leurs études et que parmi celles qui recevaient leur diplôme, seul un très petit nombre exerçait. Dans le domaine du droit, ce n'était pas mieux. Les raisons invoquées pour refuser aux femmes l'accès à la profession étaient leur soi-disant nature et psychologie féminines inconciliables avec le caractère logique du système légal. En vérité, les hommes craignaient la concurrence.

Après l'appel de Gadbois, qui survint en fin de journée, Lucie téléphona à ses proches pour les avertir qu'elle retournait à Asbestos. Ils lui recommandèrent unanimement d'être prudente, car la prolongation du conflit et le durcissement de la position de la compagnie, soutenue par le gouvernement, laissaient présager des suites dont personne ne serait surpris qu'elles fussent violentes. Même Denise, toujours prête à partir au combat, lui conseilla de ne jamais s'isoler et de rester avec Yvon Gadbois ou Richard Morin.

Elle fit sa valise et la déposa près de la porte avec la mallette de matériel photographique. Elle n'avait plus qu'à se coucher et dormir pour être en forme le lendemain. Malheureusement, le sommeil ne vint pas. Dès qu'elle fermait les yeux, elle voyait la lettre dans le tiroir où elle l'avait jetée en reconnaissant l'écriture de Richard sur l'enveloppe. Il la lui avait écrite après qu'elle eut quitté abruptement le restaurant le jour où ils avaient choisi les photos. Quand la missive était arrivée, six semaines auparavant, elle n'avait été capable ni de la mettre au panier ni de la retourner à son expéditeur. Elle avait réagi de la même façon qu'à Rome lorsqu'elle avait découvert, dans un pli de Jacinthe, un feuillet qui lui décrivait la situation de ses parents à Montréal. De même que la lettre de Jacinthe était restée camouflée et intacte dans son bagage, celle de Richard était dans son bureau, invisible mais très présente, telle une bombe à retardement. Elle évitait de toucher au tiroir, qu'elle avait condamné comme si l'ouvrir présentait un grave danger, allant même jusqu'à racheter des crayons, car c'était là qu'elle les rangeait. À Asbestos, il y aurait Richard qui penserait qu'elle avait lu sa lettre et s'attendrait à ce qu'elle réagisse en conséquence.

Elle se demandait quel avait été le but de cette missive. Se justifier ? S'excuser ? Elle ne l'avait pas ouverte parce qu'elle s'entêtait à refuser toute explication, mais maintenant, avant de se retrouver en sa présence, alors qu'elle avait considéré comme inconcevable d'en prendre connaissance, elle était tourmentée par le désir de découvrir ce qu'il avait souhaité lui faire savoir. Elle se raisonna, se dit qu'elle n'avait pas tenu sa position pendant trois ans pour finalement céder. Tandis qu'elle se tournait et se retournait dans son lit, elle ne pensait qu'à cette lettre, jusqu'à ce que cela devînt une obsession et qu'elle ressentît l'urgence de l'ouvrir. De guerre lasse, elle se leva et la sortit de son tiroir. En la décachetant, elle comprit qu'elle avait toujours su qu'elle la lirait un jour, sans quoi elle s'en serait débarrassée.

Avant de s'y résoudre, cependant, elle alla se servir un verre de gin pour se donner du courage et l'avala d'un coup. Quand la brûlure de l'alcool lui eut mis des larmes aux yeux et réchauffé le corps, elle s'assit à son bureau les jambes tremblantes et commença de lire.

Chère Lucie,

Je peux bien me permettre de t'appeler « Chère Lucie » et aussi de te dire en toute sincérité ce qui s'est passé et ce que je ressens puisque tu jetteras vraisemblablement cette lettre en reconnaissant mon écriture. Il s'agit donc d'une bouteille à la mer, et on peut tout confier à la mer qui la portera jusqu'à des rivages lointains où des Chinois étonnés considéreront ces pattes de mouche sans rien comprendre de ce qui est écrit.

Depuis le début, tu t'es érigée en victime. Je sais que tu l'es, mais j'en suis une également, même si tu as choisi de l'ignorer. Au lieu de se haïr, on aurait pu s'entraider. Tu ne l'as pas voulu. Alors, je t'ai effacée de ma vie comme tu l'avais fait pour moi. J'y suis assez bien parvenu tant que j'étais en Europe. J'ai fréquenté des femmes charmantes, j'ai eu des aventures, mais je ne me suis jamais engagé, bien qu'ayant une fois ou deux été tenté de le faire, parce que moi aussi je suis probablement devenu stérile des suites de la blennorragie et je ne voulais pas entraîner une femme dans ce malheur. Car tu n'es pas la seule à le vivre ainsi. J'aime les enfants et j'aurais souhaité en avoir. En avoir avec toi. Notre correspondance pendant la guerre avait pris un tour si confiant, si intime, que je l'avais interprété comme un désir de ta part que nous ayons un avenir commun. On avait tellement eu de plaisir ensemble à Montréal alors que je te montrais quelques ficelles du métier de photographe, on avait eu une si belle nuit quand tu t'es jetée dans mon lit le soir de ton anniversaire. Alors, lorsque j'ai appris que tu m'avais menti tout le temps, que tu avais été fiancée sans me le dire, j'ai été pris d'une telle colère, je t'ai tellement haïe, que je me suis soûlé à mort. Je ne me souviens pas de la suite, sauf que je me suis retrouvé le lendemain dans le lit d'une pauvre fille qui couchait avec le premier venu pouvant lui donner quelque chose à manger ou à troquer. Car c'était ainsi, Berlin, en ce temps-là. J'avais probablement des cigarettes plein les poches et elle devait avoir faim. J'étais tellement ivre qu'elle aurait sans doute pu les avoir sans les payer de son corps, mais elle l'a fait, avec les conséquences que l'on sait. Elle doit être morte, à l'heure qu'il est, des suites de cette blennorragie que, contrairement à nous, elle n'aura pas pu soigner et qu'elle m'a donnée en échange de mon tabac, une nuit où j'avais bu jusqu'à l'inconscience pour oublier que tu existais. Et puis, à Montréal, il y a eu ce dernier soir. Cette fois-là aussi, c'est toi qui as voulu ce qui s'est passé. Tu as tout fait pendant mon séjour pour que cela se produise, et j'ai cédé, malgré ma rancune si vive encore. Je ne savais pas que j'étais malade. Je ne t'ai pas contaminée par vengeance, comme tu dois le croire, mais par ignorance. Tu ne m'as pas permis de te l'expliquer. C'est dommage. Autant pour toi que pour moi. Cela nous aurait sans doute apporté un peu de paix. Peut-être aurais-tu pu te libérer de ta haine en te rendant compte que ce n'était pas juste de ma faute, mais aussi de la tienne, de la guerre et du destin.

Après t'avoir bannie de mon esprit pendant plusieurs années, de retour au pays, il m'est revenu le désir de t'apprendre comment c'était arrivé et pourquoi. Tu le sais sans doute, c'est moi qui ai suggéré à Yvon de t'engager. J'espérais qu'en travaillant ensemble, il s'établirait entre nous un climat qui nous permettrait de parler enfin de ce qui a gâché notre vie, mais tu t'es braquée, drapée dans tes certitudes et prête à me blesser chaque fois que tu en aurais l'occasion. Mettre dans mes bras la petite Rosa en fut une de choix. Je t'ai haïe de nouveau. Sauf quand toi-même tu oubliais de me haïr dans ces situations où nous avons été complices et presque heureux, par hasard et pour de brefs moments. C'est alors la tristesse qui a pris le dessus, une immense tristesse pour tout ce gâchis.

Si tu ne me donnes pas signe de vie après cette lettre, et je n'espère pas que tu le fasses, persuadé que tu ne la liras pas, je ne tenterai plus rien pour t'amener à m'écouter. Tu pourras continuer de me haïr pendant toute ton existence, si c'est cela que tu souhaites.

Montréal, le 20 mars 1949

Richard

⁂

Dans le train pour Asbestos, Lucie sommeillait, effet de la nuit qu'elle avait passée dans l'agitation, en proie à des sentiments divers et violents qui l'avaient empêchée de dormir. Elle avait lu et relu la lettre de Richard, au point de la savoir par cœur, et ce n'était que peu à peu qu'elle en avait vraiment pris la mesure. À sa première lecture, elle avait achoppé sur la phrase où il lui imputait une part de responsabilité : *ce n'était pas juste de ma faute, mais aussi de la tienne, de la guerre et du destin.*

— C'est trop facile, avait-elle fulminé – car elle s'était mise à parler à voix haute, tout en déambulant dans l'appartement. Ce n'est pas moi qui suis allée coucher avec n'importe qui.

Elle était indignée qu'il ose l'accuser. Elle n'avait rien fait de mal. Rien d'autre que se fiancer alors qu'ils n'étaient pas engagés l'un envers l'autre. Lorsque Richard lui avait proposé de l'épouser, elle avait refusé. Elle ne lui devait donc aucune fidélité. Quant aux confidences… À titre d'ami, et c'était ainsi qu'elle se le représentait à l'époque, elle aurait normalement dû lui faire part d'un événement qui engageait son avenir. Or elle avait atermoyé jusqu'à ne lui apprendre l'existence de cet épisode – ce long épisode – qu'à la toute fin, avant son retour, alors qu'elle avait pensé des mois durant qu'il était plus que temps de le faire. Pourquoi le lui avait-elle caché ? Elle s'était déjà posé la question quand elle s'était résolue à l'en informer et la réponse, elle s'en souvenait, n'était pas à son honneur : elle avait voulu garder Richard en réserve. Le soutien qu'il lui apportait dans les périodes difficiles, avec sa gentillesse et son empathie, lui était trop précieux pour qu'elle coure le risque de le perdre. Mais si elle pensait risquer de le perdre en lui disant la vérité, c'était qu'elle le soupçonnait d'avoir pour elle des sentiments plus forts que l'amitié. Elle s'était donc jouée de lui.

Si elle lui avait parlé d'Edmond aussitôt après l'avoir rencontré et si elle lui avait fait part de l'évolution de leur relation – en d'autres termes, si elle avait été honnête –, rien ne serait arrivé. Dès qu'elle eut formulé dans son esprit *Rien ne serait arrivé*, elle fut prise d'une stupeur qui se transforma vite en accablement. Elle qui, trois années durant, s'était acharnée à déclarer Richard coupable sans s'interroger le moindrement sur ses propres responsabilités, ne considérant que le résultat, qui était sa vie gâchée, était enfin frappée par l'évidence : son mensonge par omission avait tout déclenché. Richard avait été furieux en apprenant la vérité et sa colère l'avait conduit à se soûler jusqu'à échouer dans les bras d'une femme, à la recherche d'un peu de compassion. Elle était malade, mais il ne le savait pas. Lucie était obligée de remettre en question son confortable statut de victime sans tache.

Sa mémoire avait aussi soigneusement occulté le fait que c'était elle qui était à l'origine des relations intimes qu'elle avait eues avec Richard. Il le lui disait crûment en rappelant *on avait eu une si belle nuit quand tu t'es jetée dans mon lit le soir de ton anniversaire.* Et en ajoutant : *Et puis, à Montréal, il y a eu ce dernier soir. Cette fois-là aussi, c'est toi qui as voulu ce qui s'est passé. Tu as tout fait pendant mon séjour pour que cela se produise, et j'ai cédé, malgré ma rancune si vive encore.* Et surtout, il y avait cet aveu, tellement triste : *J'aime les enfants et j'aurais souhaité en avoir. En avoir avec toi.* Jamais elle n'avait pensé qu'il pût en souffrir. En réalité, après le diagnostic, elle n'avait plus considéré Richard que comme un monstre. L'être humain sensible qu'elle avait si bien connu avait disparu pour elle comme s'il n'avait jamais existé. Et là, elle découvrait que lui aussi avait été malheureux et qu'il l'était encore. *Tu t'es braquée,* lui reprochait-il, *drapée dans tes certitudes et prête à me blesser chaque fois que tu en aurais l'occasion. Mettre dans mes bras la petite Rosa en fut une de choix.*

Tout au long de sa lettre, il parlait de haine, de celle qu'elle lui vouait et de celle qu'il éprouvait pour elle. Pourtant, elle ne le haïssait plus, même si elle s'était appliquée à le cacher. Elle s'en était aperçue à Asbestos en redécouvrant ses qualités humaines qu'elle avait pu souvent apprécier et dont elle avait décidé d'oublier l'existence. Pour continuer de refuser la paix, elle avait dû s'accrocher à sa vieille rancune, sans réfléchir à son bien-fondé pour ne pas avoir à la remettre en question. Par contre, elle n'avait pas eu de scrupules à accepter sa protection et son aide sans lesquelles il lui aurait été impossible de se déplacer librement dans la ville en grève où il ne faisait pas bon être femme et journaliste. Son examen de conscience la laissa écœurée. Elle était égoïste, manipulatrice, injuste. Elle l'avait été avec sa mère, à qui elle avait reproché de lui avoir pris un amour auquel elle n'avait jamais pu prétendre, et elle l'avait été avec Richard qu'elle avait refusé d'écouter parce que, pour survivre, elle avait besoin de le croire coupable du gâchis de sa vie.

Elle devait faire amende honorable, l'informer qu'elle avait enfin admis ne pas être juste une victime. Voudrait-il l'entendre ? Il avait écrit sa lettre un mois et demi auparavant et, quoiqu'il dise ne pas espérer de réponse, il avait dû en attendre une pendant quelques jours. Si longtemps après, il devait supposer qu'elle ne l'avait pas ouverte, à moins qu'il croie qu'après l'avoir lue, elle était restée sur ses positions. Maintenant elle avait reconnu ses torts et penser cela lui était insupportable. Elle devait lui dire qu'elle avait enfin compris. Elle ne lui en voulait plus. Elle était seulement malheureuse d'être privée d'une vie normale, de ne pas avoir un compagnon à retrouver tous les soirs et une petite Rosa à aimer. Elle était malheureuse pour elle-même et elle l'était aussi pour lui.

⁂

Cette fois, Gadbois était venu l'attendre.

— Ça va mal, dit-il d'emblée. Je t'accompagne à l'hôtel. Ne sors jamais seule.

Même si la ville était moins laide sous le soleil de mai, l'euphorie du printemps, qui avait déjà gagné Montréal, n'avait pas de prise ici. L'atmosphère était lourde de menaces et d'inquiétudes.

— Richard Morin est arrivé ? demanda-t-elle.

— Oui. Il est là depuis hier soir. Cette fois, vous êtes tous les deux à l'hôtel. Reste avec lui. Il y a des incidents continuels. Pour essayer de limiter le vandalisme, le Conseil municipal a instauré un couvre-feu d'une heure à cinq heures du matin. Il ne faut surtout pas se faire prendre dehors sous peine d'être arrêté. On fait attention de finir les réunions assez tôt pour que chacun puisse rentrer chez soi à temps.

— Je suppose que le climat est tendu.

— En effet. Je serais très surpris qu'il n'y ait pas de graves affrontements. Ça dure depuis trop longtemps. Les grévistes sont excédés. Malgré les secours, ils ont du mal à joindre les deux bouts. Ils en veulent à la compagnie, qui emploie des briseurs de grève et qui augmente les salaires pour en attirer davantage, ils en veulent à ces derniers de prendre leurs jobs et ils en veulent au gouvernement de soutenir la compagnie. Le détail qui les a fait bondir a été la menace d'expulsion des grévistes locataires de maisons appartenant à la Canadian Johns-Manville.

— Mais la compagnie a reculé, si j'ai bien compris ce que j'ai lu dans le journal.

— Oui. Il y a eu, entre autres, un appel de l'abbé Lionel Groulx en faveur des grévistes qui a fait impression. D'ailleurs, plusieurs membres importants du clergé les soutiennent. Ça ne suffit pas. La compagnie n'a aucune raison de céder sur les revendications puisqu'elle bénéficie du soutien inconditionnel de Duplessis.

— Qu'est-ce qui s'est passé pour en arriver à la rupture des négociations ?

— D'abord, les deux avocats qui discutaient en vue de former un tribunal d'arbitrage ayant le mandat de régler le conflit, Lespérance pour le syndicat et Sabourin pour le patronat, n'ont pas réussi à s'entendre sur le choix du président du tribunal. Mais surtout, le représentant du syndicat s'est rendu compte que la compagnie tenait à assurer la priorité des emplois aux briseurs de grève, contrairement à ce qu'avait laissé entendre le ministre du Travail. Tu comprends, ça détruirait les droits d'ancienneté. Autant dire que ces droits, résultat d'années de luttes syndicales, partiraient en fumée.

Gadbois laissa sa photographe aux bons soins d'Irma Callier qui lui proposa de descendre se sustenter dès qu'elle aurait déposé sa valise. Lucie jeta un coup d'œil dans la salle à manger de l'hôtel et, ne voyant pas Richard, elle alla s'installer à la cuisine pour manger à l'abri des clients comme elle l'avait fait lors de son précédent séjour. En venant préparer les assiettes, l'hôtelière échangeait quelques mots avec elle. Gadbois n'avait pas exagéré en disant que les gens étaient à bout. Irma le lui confirma. Elle aussi l'était. Elle ne pouvait plus supporter l'arrogance des policiers qui traitaient son établissement comme l'aurait fait une troupe d'occupation.

— Ils dépensent leur argent, ça, je ne peux pas dire le contraire. Je gagne beaucoup plus qu'avant. Mais je ne peux pas les sentir. Le jour où ils partiront, j'offrirai une tournée générale à mes anciens clients tellement je serai contente de les revoir. Il n'y en a plus un seul qui vient. J'ai juste des policiers et les quelques journalistes que ça intéresse.

Lucie en profita pour l'aiguiller sur Richard. La femme ne put rien lui dire : il avait quitté les lieux après le petit-déjeuner et elle ne l'avait pas revu. Lucie avait espéré qu'il viendrait prendre son repas du midi, mais il ne se présenta pas. Malgré l'avertissement de Gadbois, elle décida de se rendre chez Madeleine. Cela n'aurait pas eu de sens de passer la journée enfermée dans sa chambre. Elle fit part de son projet à Irma qui l'avertit, comme Gadbois l'avait fait, du danger de sortir seule. La journaliste semblant prête à passer outre, elle lui proposa :

— Attendez que le coup de feu de midi soit terminé : je demanderai à Jean, mon homme de peine, de vous accompagner.

Les rues étaient pleines de monde, parcourues par des individus aux visages sombres et aux attitudes querelleuses. On voyait très peu de femmes, et aucune n'était seule. L'agressivité était montée d'un cran depuis le mois de mars. À l'époque, l'insécurité était déjà palpable ; là, c'était pire. On avait le sentiment que quelque chose de grave était sur le point de se produire entre les policiers armés jusqu'aux dents et les grévistes à l'expression farouche. Lucie apprécia la présence de Jean, un homme plutôt âgé, que les policiers connaissaient et qu'ils laissaient passer avec indifférence.

Madeleine ne sourit que le temps de l'accueillir et de recevoir le sac de provisions que son amie lui avait apporté de Montréal. Il y avait du café, du sucre, de la farine, quelques conserves.

— C'est comme pendant la guerre, commenta-t-elle avec un brin d'ironie. On a même le couvre-feu pour que l'illusion soit complète. Avec tous ces policiers armés… Vous savez, je ne sors plus promener Rosa: j'ai peur.

Elle était trop soucieuse pour feindre une tranquillité d'esprit qu'elle avait perdue depuis longtemps. Tout de suite, elle évoqua son souci majeur: la menace d'expulsion proférée par la compagnie.

— Ils veulent mettre les *scabs* à notre place. On va se retrouver à la rue puisqu'on n'a pas d'argent pour se loger ailleurs.

— Ils n'oseront pas. Quand la nouvelle a été connue, ça a fait un scandale. Ils ne peuvent pas jeter des familles dehors alors que tous les yeux sont braqués sur eux.

— C'est aussi ce que dit Basile. Il prétend que le syndicat ne les laissera pas faire. Moi, je n'y crois plus: depuis deux mois et demi que la grève a commencé, qu'est-ce qu'il a obtenu, le syndicat? Rien du tout.

— Il ne cède pas, c'est ce qui est important. Et il a fait connaître votre situation. On vous soutient dans tout le pays, les gens font des dons pour vous aider à tenir.

— C'est vrai, il y a les vivres qu'on nous envoie, et la Confédération nous a donné vingt-cinq dollars. Mais combien de temps on va continuer comme ça? Je vous l'avais dit qu'on économisait pour acheter une terre? Eh bien, on n'a plus rien de cet argent-là. Je voulais que la petite ne manque de rien, et ça coûte tellement cher.

Pour changer de sujet et essayer de chasser sa morosité, Lucie lui donna les photos des ouvrières venues l'entretenir de leur travail. Elle lui en avait également apporté une de sa sœur et de son fiancé prise un samedi matin au *Studio Rossi*. Elles parlèrent de Simone, qui allait vivre avec son mari à Saint-Donat sur la ferme de sa famille à lui. En attendant le mariage, prévu pour l'été, elle était retournée chez ses parents.

— Ils se connaissent depuis la petite école. Bertrand est un bon garçon, mais vivre avec une belle-mère… Moi, je n'aurais pas aimé.

Elles parlèrent aussi de Julienne Bélanger. Pour avoir passé plusieurs années dans sa maison et l'avoir vue se plier à la volonté de son mari, Madeleine était curieuse de la métamorphose de son ancienne patronne. Lucie lui décrivit son nouvel appartement et lui apprit que sous l'influence d'Irène, elle s'impliquait bénévolement auprès des malades pulmonaires de la clinique Bruchési.

Basile, qui avait mal évalué la température, vint chercher une veste avant d'aller à l'église réciter le chapelet avec les autres grévistes. Lucie en profita pour repartir avec lui et il la conduisit jusqu'au groupe de journalistes qu'elle avait manifesté l'intention de rejoindre. En chemin, elle le sonda sur ses sentiments vis-à-vis de la grève, ce qui lui permit de se rendre compte que sous la colère affichée envers la compagnie et la police, se cachait beaucoup de crainte. Devant Madeleine, il n'en disait rien, pour ne pas l'inquiéter davantage, mais il redoutait que les grévistes ne perdent tout dans ce conflit qui s'éternisait : leurs emplois, leurs maisons, leur liberté même, s'ils se faisaient arrêter sous prétexte de troubler l'ordre public. Et ceux qui se retrouvaient au Club Iroquois, où la police faisait ses interrogatoires, en ressortaient sinon blessés, du moins amochés.

— On est dans cette grève depuis trop longtemps pour arrêter, lui dit-il, mais je ne sais pas comment ça va finir.

Lucie eut l'impression que Basile, avec sa rage, ses doutes et ses inquiétudes, était représentatif d'un grand nombre de ses compagnons.

Les membres de la presse étaient plus nombreux qu'au début du conflit. Lucie salua ceux qu'elle connaissait et se présenta aux autres. Richard lui répondit froidement, mais elle ne s'était pas attendue à autre chose. Si elle en fut affectée, elle admit qu'elle l'avait amplement mérité. Elle se réconforta en se disant que cela changerait lorsqu'elle lui aurait parlé en particulier et manœuvra pour rester à ses côtés de manière à créer une occasion. Seulement, il s'éloignait quand elle se rapprochait, l'ignorant ostensiblement, conversant avec ses confrères ; ne s'adressant jamais à elle. Elle avait le sentiment d'être devenue transparente, se sentant d'autant plus isolée que les autres journalistes, s'ils étaient corrects avec elle, ne l'incluaient pas vraiment dans leur groupe à cause de son travail pour le syndicat.

Le reste de la journée se traîna, de rumeurs en rumeurs. Chaque fois qu'on leur signalait un incident, les journalistes se déplaçaient pour assister toujours aux mêmes scènes : des insultes et des poings levés, de l'arrogance policière et, en retour, la hargne des grévistes. Quand les coups succédaient aux insultes, si les mineurs étaient les plus nombreux, cela finissait par une cavalcade les mettant hors d'atteinte des renforts policiers qui n'étaient jamais loin ; si par contre les forces de police étaient supérieures, les grévistes étaient conduits au quartier général pour un interrogatoire au sujet duquel personne ne se faisait d'illusions.

Les journalistes prirent le repas du soir tous à la même table et mangèrent en discutant avec passion des événements, puis ils se rendirent de conserve à la salle paroissiale où ils apprirent que la Commission sacerdotale d'études sociales avait fait une déclaration publique pour déplorer que le différend ne fût pas réglé et pour demander aux chrétiens de participer aux collectes organisées tous les dimanches aux portes des églises afin d'aider les familles éprouvées. Ce soutien donnait un regain d'espoir aux mineurs, car ils savaient à quel point le premier ministre était attaché à la religion et à ses représentants. *Il les écoutera*, affirmaient-ils, pour dire, le lendemain, en apprenant le contenu du sermon dominical de l'archevêque de Montréal, Monseigneur Charbonneau, *Il l'écoutera.*

Le prélat avait fait sensation en prononçant des paroles fortes, que le téléphone avait aussitôt transmises à Asbestos, et qui passaient de bouche en bouche. Du haut de la chaire de Notre-Dame, il avait déclaré que la classe ouvrière était victime d'une conspiration qui voulait son écrasement et que c'était le devoir de l'Église d'intervenir.

Richard disparut en fin de matinée et Lucie, qui n'avait pas eu une seule fois l'occasion de lui adresser la parole, supposa qu'il était allé partager le repas dominical de sa famille. Elle songea avec une pointe de nostalgie à cette tablée bruyante et joyeuse et se demanda à quoi jouaient les enfants maintenant qu'il n'y avait plus de neige pour faire de la luge sur les flancs des montagnes de déchets miniers. Tout l'après-midi, elle tourna en rond dans sa chambre, incapable de se concentrer sur ses cours qui, d'ordinaire, lui permettaient d'oublier les disgrâces de l'existence. Elle finit par décider de prendre exemple sur Richard: puisqu'elle ne parvenait pas à se faire écouter, elle allait lui écrire. Elle craignit que ce ne fût difficile, mais les mots coulèrent sans peine dès qu'elle eut commencé.

Cher Richard,

Tu ne veux pas me donner la possibilité de te parler, et je le conçois bien. J'aurais dû lire ta lettre tout de suite. Je ne l'ai pas fait. J'aurais dû, surtout, accepter de t'écouter voilà trois ans, quand cette chose horrible nous est arrivée. Mais je ne le pouvais pas. Je me suis accrochée à l'idée que tu étais coupable, entièrement et seul coupable, pour pouvoir survivre. Puisque maintenant j'ai lu ta lettre – il y a à peine deux jours, quand j'ai réalisé que j'allais te revoir et que je ne pouvais plus continuer d'ignorer ce que tu avais à me dire –, puisque je suis maintenant consciente de l'enchaînement des faits et, je l'admets enfin, de ma propre part de responsabilité, à mon tour, je te propose la paix et j'espère que tu l'accepteras.

Lucie

Elle l'écrivit d'une traite, ne la relut pas, ne la mit pas sous enveloppe pour accroître les chances qu'il en prenne connaissance, la glissa sous sa porte et se coucha, épuisée.

Quand elle se joignit aux autres journalistes à la table du petit-déjeuner, elle chercha le regard de Richard. Il ne se déroba pas. Cependant, son expression ne lui donna aucune indication sur le fait qu'il ait ou non lu la lettre et qu'il accepte ou refuse l'offre de paix. Ils partirent tous ensemble à la salle paroissiale où ils trouvèrent les grévistes fort remontés. Ils venaient de prendre connaissance d'un communiqué de la Canadian Johns-Manville annonçant que la production avait repris depuis deux semaines dans les mines et le moulin qui fonctionnaient avec plus de sept cents ouvriers. Le texte précisait qu'à mesure que le nombre d'hommes au travail augmentait, il devenait de plus en plus difficile d'assurer les postes et les droits d'ancienneté aux grévistes. S'ils voulaient garder leurs privilèges, ils devaient retourner à la mine sans attendre davantage. Selon le syndicat, seulement soixante-quinze grévistes avaient cédé, tous les autres ouvriers étant des cultivateurs ou des manœuvres des villages voisins. La colère des mineurs se cristallisa sur ces briseurs de grève qui, en prenant leurs emplois, risquaient de rendre leur mouvement de revendication inutile. Ils voulaient que le syndicat agisse pour les empêcher de rentrer au travail et le conseil municipal d'Asbestos, inquiet de voir tous ces étrangers envahir la ville pour y gagner leur vie au détriment de ses habitants, diffusa une résolution, adoptée à l'unanimité, qui demandait à la Canadian Johns-Manville d'engager ses anciens employés de préférence aux personnes venues de l'extérieur. Les tensions étaient fortes et les dirigeants syndicaux discutèrent des moyens à employer pour faire céder la compagnie et l'amener à se défaire des briseurs de grève. Les réunions se multiplièrent au cours des deux jours qui suivirent jusqu'à la décision de faire une nouvelle manifestation, le 5 mai au matin, afin d'inciter les *voleurs de job* à retourner chez eux.

À six heures, les journalistes étaient là avec les syndiqués qui se réunissaient en face de l'église pour organiser le cortège. Lucie et Richard avaient convenu de travailler ensemble, de la même façon qu'en mars. Leurs relations étaient maintenant détendues, mais exemptes d'intimité. Lorsque Lucie avait voulu savoir s'il avait lu sa lettre, il lui avait répondu que oui. Comme il n'ajoutait rien, elle lui avait demandé s'ils pouvaient redevenir amis. Il l'avait regardée gravement avant de dire qu'elle se décidait bien tard. Il avait eu un mois et demi, après avoir écrit sa propre lettre, pour renoncer à toute amitié avec elle. Après tout cela – il fit un geste vague de la main –, il n'aspirait qu'à oublier. Elle ouvrit la bouche pour plaider sa cause, mais il l'arrêta:

— N'en parlons plus, veux-tu?

Elle se tut, blessée et malheureuse, et depuis, elle repensait souvent, alors qu'elle le côtoyait en permanence, à tout ce qui les avait unis et désunis. Ils étaient faits pour s'entendre, pour être de bons compagnons de travail et de vie, et elle s'était acharnée à tout gâcher. La nuit, tandis qu'elle ruminait ses fautes et ses erreurs, elle frottait du bout des doigts la cicatrice qui la démangeait lorsqu'elle était perturbée. Cette blessure, faite par une arme allemande sur le front d'Italie, et qui avait sonné le glas de sa carrière de correspondante de guerre, Richard était le seul à qui elle eut permis de la voir. Il avait caressé du bout des lèvres cette horreur qui barrait sa cuisse en disant avec tendresse *C'est donc là ta blessure de guerre.* En frottant la cicatrice, elle évoquait Scarlett. Comme elle, elle s'était trompée et comme pour elle, l'histoire finissait mal.

Il y avait de plus en plus de monde devant l'église et les nouvelles circulaient sans que l'on sût d'où elles émanaient ni si elles étaient vraies. La police aurait arrêté un camion chargé de grévistes de Thetford Mines qui venaient manifester avec leurs confrères d'Asbestos. Ils auraient obligé les hommes à quitter le véhicule, mais ceux-ci auraient continué à pied avant de trouver un autre camion qui les aurait conduits à destination. On parlait aussi de coups de feu tirés par les policiers sur un automobiliste refusant de s'arrêter. Ces informations surexcitèrent tout le monde et, quand quelqu'un cria, dans le cortège qui se formait, *Allons sur les routes!* ce fut repris par de nombreuses voix. Les rangs se disloquèrent et des groupes se dirigèrent qui vers les routes d'accès à la ville qui vers les entrées des terrains de la compagnie. Ils bloquèrent les routes de Saint-Georges, Wotton, Danville et du Petit Nicolet et contraignirent les briseurs de grève à s'en retourner chez eux. Des voitures flambèrent.

Malgré le désordre ambiant et la foule nombreuse, les journalistes étaient tenus à l'œil par les policiers qui, à défaut de pouvoir les empêcher de faire leur métier, les gênaient le plus possible dans leur travail. Ils les obligeaient à circuler en prétextant le danger qu'ils couraient – réel, au demeurant – ou les bousculaient comme par inadvertance au moment où ils prenaient un cliché qui aurait pu les incriminer. Malgré cela, Lucie et ses confrères firent de nombreuses photos de policiers munis de mitraillettes, de revolvers et de lance-grenades destinés à tenir en respect les grévistes qui grondaient, massés aux abords des entrées des moulins.

Quand les femmes se mirent de la partie, elles le firent à leur manière : organisées en une longue procession, elles défilèrent devant les barrières armées de leurs seuls chapelets, récitant les prières d'une voix forte et monocorde. Avec en arrière-fond les policiers armés jusqu'aux dents, Lucie se préparait à prendre une photo qu'elle prévoyait intéressante lorsque soudain tout dérapa. Un quelconque événement déclencha la réaction des policiers qui lancèrent des bombes lacrymogènes, et ce fut le début de franches hostilités. Des barricades s'improvisèrent. Lucie et Richard s'en approchèrent après avoir photographié un blessé que l'on transportait à l'hôtel de ville. À tour de rôle chacun surveillait les alentours pendant que l'autre prenait des photos.

L'une des barricades était constituée de camions placés en travers de la route. Pour soutenir leurs hommes, les femmes avaient troqué les chapelets contre des munitions : pierres, branches d'arbres, pieds de table… Toute la ville était en proie à la violence, ce qui n'empêchait tout de même pas l'humour, un humour que les personnes visées auraient sans nul doute qualifié de mauvais goût. Campés devant deux camions, quatre hommes posaient pour la postérité, visiblement fiers du tableau qu'ils avaient créé. Ayant tué quatre porcs, ils les avaient installés sur les pare-chocs des véhicules et avaient placé une pancarte au-dessous de chacun d'eux pour l'identifier. Le premier cochon s'appelait Yvan, comme maître Sabourin, l'avocat de la compagnie ; son voisin, Tommy, prénom que portait également monsieur Manville, le patron ; le troisième était prénommé Hilaire, comme Beauregard, le chef de la police provinciale et le dernier avait l'honneur de partager celui du premier ministre Duplessis : Maurice. Les farceurs eurent un beau succès.

Dans d'autres parties de la ville, on s'amusait moins. Les grévistes arrêtèrent une voiture de policiers vêtus en civil qui venait sur la route de Danville. Le véhicule fut poussé dans un ravin tandis que ses occupants étaient conduits à la salle Saint-Aimé, quartier général de la grève. Les chefs syndicaux, comprenant que cela pourrait mettre les grévistes dans une situation difficile, prévinrent le chef de police qui vint chercher les prisonniers. Après cet incident, qui aurait pu tourner au drame si les plus excités, qui ne voulaient pas libérer leurs otages, avaient été écoutés, un calme inusité tomba sur la ville qui parut vide. Les policiers avaient cessé de patrouiller, se cantonnant aux terrains de la compagnie ou au Club Iroquois. Cela dura ainsi jusqu'à minuit, heure à laquelle les chefs syndicaux convoquèrent une assemblée générale. Les grévistes, qui s'étaient organisés pour passer la nuit sur les routes afin d'empêcher toute approche des briseurs de grève le lendemain matin, répondirent à l'appel de mauvais gré. Leurs chefs, qui avaient été avertis qu'au moins trois cents policiers armés seraient envoyés à Asbestos avec ordre de tirer s'ils rencontraient de la résistance, leur conseillèrent de rentrer chez eux. Les grévistes ne voulurent rien entendre et retournèrent à leur piquetage.

Lorsque parvint la nouvelle que vingt-cinq voitures et un camion remorque de la police provinciale venaient de quitter Sherbrooke, les chefs syndicaux, très inquiets, demandèrent au curé Camirand d'essayer de convaincre les grévistes de revenir à la salle paroissiale. Le prêtre fit le tour des lignes de piquetage et obtint que les hommes aillent assister à cette nouvelle réunion, ce qu'ils firent sans lâcher les bâtons et les pierres dont ils s'étaient munis en guise d'armes. Heureusement, ils crurent à l'arrivée des renforts policiers et admirent qu'ils n'étaient pas de force à leur résister. Alors qu'ils avaient passé la journée dans la fièvre, avec l'impression qu'ils étaient les plus forts, ils s'en retournèrent chez eux déçus, le pas soudainement las et pesant, accablés par le sentiment d'avoir perdu la bataille.

Les journalistes étaient maintenant nombreux, venus de partout au Québec et même d'autres provinces. Les femmes n'étaient pas nombreuses, mais il y en avait quelques-unes, ce qui permit à Lucie de se sentir moins incongrue dans le groupe. Toute la nuit, ils restèrent sur la brèche en consommant force cafés pour demeurer éveillés. Leur patience fut récompensée lorsqu'ils virent arriver les premières voitures de police vers quatre heures du matin. Les arrivants se déployèrent dans la ville à la recherche des grévistes de Thetford venus soutenir ceux d'Asbestos, sachant que tous n'avaient pas pu repartir. Certains étaient logés par des mineurs; d'autres, qui s'étaient réfugiés dans l'église, furent appréhendés lorsqu'ils en sortirent. Les policiers les frappèrent sans se soucier de la présence des journalistes qui manifestaient leur indignation.

Au matin, la police patrouillait dans toutes les rues de la ville. La messe eut lieu comme d'ordinaire et Lucie, qui avait dormi deux ou trois heures, s'y rendit avec Yvon et Richard qui étaient venus la chercher après avoir pris eux aussi un peu de repos. Les autres journalistes étaient également présents, curieux de voir s'il se passerait quelque chose. Les Asbestriens purent entrer à l'église et assister à l'office sans être inquiétés. Lorsqu'ils sortirent, ils eurent la surprise de trouver un personnage officiel qui leur ordonna d'écouter ce qu'il avait à leur dire. Il s'agissait d'un juge de paix venu de Sherbrooke, monsieur Hartley O'Brady. Juché en haut des marches de manière à dominer la cinquantaine de personnes qui étaient sur la place, il ôta son chapeau et annonça qu'il allait lire l'acte d'émeute décrété à l'encontre des habitants d'Asbestos. Alors que les journalistes notaient ses paroles à toute vitesse, les fidèles écoutaient, un peu ahuris, sa déclaration qui disait:

Notre Souverain Seigneur le Roi enjoint et commande à tous ceux qui sont ici présents de se disperser immédiatement et de retourner paisiblement à leurs domiciles ou à leurs occupations légitimes, sous peine d'être déclarés coupables d'une infraction qui peut être punie de l'emprisonnement à perpétuité. Dieu sauve le Roi.

Les policiers ne perdirent pas de temps. Ils arrêtèrent tous les hommes qui, étant encore en train de digérer l'information, n'avaient pas été assez prompts pour s'en aller. Voyant cela et sachant qu'ils ne bénéficieraient d'aucun régime de faveur, les journalistes détalèrent en direction de leur hôtel. Lucie, encadrée par Yvon et Richard, qui l'avaient prise chacun par un bras, se réjouit d'avoir des chaussures plates. Ils attendirent pour ressortir que les policiers se soient égaillés dans la ville. Munis de leur matériel photographique le moins volumineux et le moins voyant, ils partirent sur leurs traces. Il y eut des arrestations dans les rues, les restaurants, les salles de billard, les magasins et jusque dans les maisons particulières. Les policiers conduisaient leurs prises au Club Iroquois où s'effectuait un tri : certains hommes furent relâchés, d'autres emmenés à la prison de Sherbrooke. Le lendemain, cela continua ainsi, et les journalistes virent leur tâche devenir de plus en plus difficile. Les forces de police allèrent jusqu'à arrêter la reportrice du *Montreal Star*, Jacqueline Sirois, coupable d'avoir parlé au curé Camirand par la vitre baissée de son automobile et d'avoir refusé de circuler parce qu'elle n'avait pas terminé sa conversation. Cependant, n'ayant rien de tangible à lui reprocher, ils ne purent la garder.

N'ayant pas aperçu Basile parmi les manifestants, Lucie voulut savoir ce qu'il en était de Madeleine et de son mari. Richard l'accompagna au domicile de la jeune femme qu'ils trouvèrent bouleversée : un camarade de Basile venait de l'avertir que son mari, qu'elle avait attendu dans l'angoisse toute la nuit, avait été envoyé à la prison de Sherbrooke. Ils avaient été arrêtés ensemble, mais alors que Fernand avait été relâché, ils avaient gardé Basile. Fernand étant sorti de son interrogatoire avec un œil au beurre noir et une pommette éclatée, Madeleine imaginait son mari, qui n'était pas revenu, dans un état bien pire.

— Je lui avais pourtant répété de ne pas s'en mêler, gémissait-elle.

— Sais-tu ce qu'ils lui reprochent ?

Elle haussa les épaules.

— Ils n'ont rien dit.

— Où pouvons-nous trouver Fernand ? demanda Richard.

— Il habite la maison d'à côté.

— Je vais lui parler.

Lucie resta avec Madeleine qu'elle essaya de réconforter en lui disant qu'ils avaient arrêté beaucoup trop d'hommes pour pouvoir les garder. C'était juste une manœuvre pour les effrayer et les faire céder.

— Mais ils l'ont envoyé à Sherbrooke, répétait-elle.

Quand Richard fut de retour, il promit à Madeleine qu'il allait se tenir informé de l'évolution des événements. Dès qu'il y aurait du nouveau, il reviendrait lui en faire part. La femme de Fernand, occupée à allaiter son dernier né, faisait dire à Madeleine qu'elle l'attendait avec Rosa.

— Non. Je reste ici. S'il y a des nouvelles…

Richard lui promit de les lui porter chez les voisins et Lucie insista pour qu'elle accepte leur invitation.

— Tu ne peux pas rester seule à te morfondre. On va faire tout notre possible pour suivre l'affaire.

Madeleine se laissa finalement convaincre et quitta sa maison avec dans ses bras l'enfant qui, sentant l'angoisse de sa mère, pleurnichait.

Richard apprit à Lucie la cause de l'emprisonnement de Basile. Il la tenait de Fernand qui n'avait pas voulu la révéler à Madeleine. Quelques jours auparavant, Basile avait eu des mots avec un policier qui l'avait averti qu'il le retrouverait. Cet homme se trouvait malencontreusement dans le groupe effectuant le tri des prisonniers. En le reconnaissant, Basile avait chuchoté à Fernand que ça allait être sa fête. Et en effet, le policier, en le découvrant parmi les grévistes arrêtés l'avait bourré de coups de poing en claironnant : *Je t'avais dit que je te retrouverais.* Fernand ne connaissait pas la suite parce qu'ils avaient été séparés.

Un appel à son contact de Sherbrooke apprit à Richard que personne ne savait rien. Même l'avocat engagé par le syndicat pour les défendre n'était pas parvenu à voir les prisonniers malgré ses efforts et ses protestations officielles. Les deux journalistes ne pouvaient pas le cacher à Madeleine, même si elle allait s'inquiéter plus encore, parce qu'elle finirait par l'apprendre de quelqu'un d'autre. Ils la laissèrent éplorée en promettant de revenir dès qu'ils en sauraient davantage.

Pendant les deux jours qui suivirent la proclamation de l'acte d'émeute, des rumeurs circulèrent au sujet des hommes arrêtés dont on ignorait s'ils étaient détenus à Sherbrooke ou s'ils avaient été transférés à Montréal. Les gens restaient chez eux ou se déplaçaient avec prudence en respectant l'interdiction d'être plus de deux. Il y eut des réunions en petits comités aux domiciles des chefs syndicaux, mais les journalistes n'étaient pas conviés et Lucie, qui n'avait rien d'autre à faire, demeura dans sa chambre à étudier. Sans Madeleine, qu'elle ne voulait pas laisser tant que son mari ne serait pas libéré, elle serait retournée à Montréal. Même si sa présence ne changeait rien, elle savait que Madeleine se sentirait abandonnée si elle partait. Richard s'en tenait à l'attitude neutre qu'il avait adoptée avec elle : lorsqu'ils n'étaient pas ensemble pour leur travail, il disparaissait et elle ignorait à quoi il s'occupait.

Le calme étant revenu, l'interdiction de se réunir fut levée le dimanche en début d'après-midi et une assemblée syndicale fut convoquée pour le soir même. Les grévistes apprirent que certains de leurs camarades arrêtés seraient jugés le lendemain alors que les autres étaient relâchés. Basile faisait partie de ces derniers et Lucie put envisager de rentrer chez elle. Les négociations étaient toujours bloquées et on n'entrevoyait pas de dénouement proche, mais il ne lui restait qu'un mois et demi avant son examen et elle ne voulait plus se consacrer qu'à cela. Elle partit sur la promesse d'envoyer l'album de photos complété à Gadbois et Richard, qu'elle espérait revoir à Montréal pour les choisir, comme ils l'avaient fait la fois précédente, ne lui proposa rien de tel et elle n'osa pas en prendre l'initiative. Il restait à Asbestos et ne manifesta rien d'autre qu'une cordialité polie lorsqu'elle s'en alla.

⁂

Lucie lisait tous les jours *Le Devoir* pour se tenir au courant des suites de la grève. Ce faisant, elle était consciente de n'écouter qu'un son de cloche, car le journal était du bord des grévistes. Son cœur à elle aussi penchait de ce côté-là. Une attitude fort peu journalistique, se disait-elle, mais après tout, elle n'était pas journaliste et elle avait été engagée par le syndicat, ce qui lui faisait presque une obligation de soutenir les mineurs. Quant à Richard – elle revenait toujours à lui –, il ne pouvait pas être objectif lui non plus vu que son père avait été tué par l'amiantose.

L'édition du 15 mai était particulièrement critique à l'égard du gouvernement. Sous le titre *A-t-on perdu la tête à Québec?* elle dénonçait les violences d'Asbestos et rappelait qu'à Thetford, dans des conditions semblables, rien ne s'était produit. L'explication avancée était qu'à Thetford, la police provinciale n'était pas présente. Trois agents de la sécurité avaient suffi à maintenir l'ordre dans la ville et les désordres n'avaient pas été plus nombreux que lorsqu'il n'y avait pas de grève. Lucie savait que l'hypothèse était juste: elle était présente à Asbestos avant l'arrivée des policiers, et tout était calme. Dès qu'ils avaient investi la ville, ils avaient instauré un régime de non-droit et de terreur. *La rage de détruire le syndicalisme catholique a-t-elle saisi à ce point M. Duplessis?* se demandait le journaliste qui accusait le premier ministre de *mettre tout l'appareil de l'État au service des abus capitalistes et faire de sa police une machine de guerre contre les syndicats.*

Même si elle était loin d'Asbestos et ne prévoyait pas d'y retourner, elle continuait de se sentir concernée par cette grève. Elle pensait avec inquiétude aux femmes qui la vivaient et dont la précarité s'accroissait de jour en jour: Madeleine et ses amies, dont les difficultés étaient déjà sévères des semaines auparavant lorsqu'elle les avait rencontrées, Irma l'hôtelière, qui ne pouvait pas souffrir les policiers ayant envahi son commerce et chassé sa clientèle habituelle, et toutes ces autres femmes qu'elle ne connaissait pas, des mères de famille ayant de plus en plus de mal à préparer un repas pour leurs enfants. Leur sort l'inquiétait, mais que pouvait-elle faire à part donner à Gadbois, qui venait tous les dimanches à Montréal voir Albertine et le petit Justin, un sac de provisions pour Madeleine ? En passant prendre la nourriture, il l'informait du déroulement des négociations.

Jusqu'à la mi-juin, date à laquelle l'archevêque de Québec, Monseigneur Roy, devint médiateur, rien n'avança. Il y eut la condamnation de cinq grévistes accusés d'intimidation contre les briseurs de grève à un et deux mois de prison, l'arrestation des chefs syndicaux qui furent libérés deux jours plus tard, des tentatives de négociations menées par le curé de Bromptonville, dont les propositions furent refusées et surtout, les menaces de la Canadian Johns-Manville de déménager en Ontario. Lucie imaginait la détresse de Madeleine et de tous les autres à la perspective de perdre le seul gagne-pain qu'Asbestos pouvait proposer. Le rêve de son amie de s'établir sur une terre semblait désormais hors d'atteinte, leurs économies étant épuisées, mais au moins, elle espérait que Basile retrouverait son emploi à la mine. Si ce n'était pas le cas…

De propositions en refus, la compagnie et les grévistes parvinrent finalement à un accord le premier juillet, une semaine après Thetford Mines, et le travail reprit quatre jours plus tard, le jour même où Lucie passait l'examen du barreau. Malgré son appréhension, avant l'épreuve, elle pensa aux mineurs d'Asbestos, se demandant comment ils se sentaient après tant de jours de grève. Ils devaient être soulagés de retrouver un moyen d'existence autre que les secours des syndicats et des gens solidaires, également déçus, sans doute, parce que les gains étaient maigres. Lorsqu'elle avait lu dans *Le Devoir* les conditions du règlement du conflit, elle avait été indignée : l'augmentation de salaire correspondait à ce que la compagnie avait proposé depuis le début, ils obtenaient deux à quatre journées chômées au lieu des neuf qu'ils réclamaient et il n'y avait rien du tout sur l'élimination des poussières. De plus, alors que les négociations avaient toujours achoppé sur ce point, le retour au travail de tous les grévistes n'était pas garanti. Il était précisé que ceux qui auraient commis des gestes de violence pendant la grève ne seraient pas repris, ce qui donnait une certaine marge à la compagnie vu le grand nombre d'échauffourées ayant eu lieu en presque cinq mois. Ce dernier point l'inquiéta particulièrement à cause de Basile. Comme celui-ci avait été arrêté, elle craignait qu'il ne fût considéré comme un fauteur de troubles. Ce fut la première question qu'elle posa à Gadbois lorsqu'elle le revit et il put la rassurer. Quel soulagement d'apprendre que le mari de Madeleine avait été réintégré à son poste !

⁂

Lucie, reçue fort honorablement à son examen du barreau, se retrouva du jour au lendemain sans rien avoir à faire. Elle avait passé quatre ans à étudier intensivement, elle avait assisté Denise et elle avait de nouveau goûté au journalisme de reportage qui était, elle devait se l'avouer, ce qui lui plaisait le mieux. Il lui fallait maintenant songer à l'avenir. Il ne semblait pas offrir beaucoup de perspectives. Elle pourrait ouvrir un bureau d'avocate, comme son amie, puisque le legs de son père lui permettrait de se contenter de revenus médiocres, mais elle n'avait pas envie de s'installer seule. Elle ne pouvait pas non plus le faire avec Denise, car les causes payantes ne seraient pas plus nombreuses si elles étaient deux, et ce serait enlever des clients à son amie.

Dans les premiers temps de la grève, il y avait eu la proposition d'association de Richard. Elle n'avait pas voulu en entendre parler et lui avait répondu qu'elle refusait d'être associée à lui de quelque manière que ce fût. Après lui avoir pardonné et avoir reconnu ses propres torts, elle avait souvent regretté sa réaction. Depuis leur séparation à Asbestos, deux mois auparavant, il n'avait pas cherché à la revoir et elle n'avait pas osé le contacter. *Là*, elle avait un prétexte : la remise des diplômes. Elle allait lui envoyer une invitation. Comme on lance une bouteille à la mer, se dit-elle, reprenant l'expression que lui-même avait employée dans cette lettre qu'il lui avait écrite et qui avait tout changé.

Ce fut une cérémonie empreinte de décorum. Cette année-là, Lucie Bélanger était la seule femme : Henriette Courchesne, qui avait brillamment réussi sa première année, avait été obligée d'abandonner ses études pour élever ses frères et sœurs en raison du décès de sa mère. Lucie n'était pas peu fière, en toge, sur l'estrade, au milieu des fils à papa qui ne l'estimaient pas davantage qu'au début et qu'elle méprisait tout autant. Les professeurs étaient là, en tenue d'apparat, et parmi eux maître Dumont qui la regardait avec circonspection depuis qu'ils s'étaient croisés à la porte de son ancienne étudiante. Elle remarqua que ce jour-là, il n'avait pas son expression habituelle. Elle ne put la déchiffrer et l'oublia aussitôt.

Tous ceux qu'elle aimait étaient venus : sa mère, Jacques et Irène, Giuseppe, Denise, les compagnes de la Ligue, Richard. En découvrant sa présence, elle avait espéré qu'il ferait des photos, car il aurait fallu ensuite qu'il les lui donne, ce qui aurait été l'occasion de renouer des liens. Mais il n'avait pas apporté son appareil, et elle ressentit une bouffée de chagrin en comprenant que c'était à dessein.

Ce fut Giuseppe qui se chargea d'immortaliser l'événement et il le fit avec une joie si manifeste qu'il redonna le sourire à Lucie. Elle devait savourer son jour de gloire sans arrière-pensées. Elle aurait tout le temps d'être malheureuse plus tard.

Lorsque la cérémonie fut terminée, que chaque nouvel avocat tenant son précieux parchemin roulé eut quitté l'estrade, Lucie se dirigea vers ses proches pendant que ses confrères masculins échangeaient des plaisanteries et se confiaient leurs projets d'avenir en ignorant leur consœur jusqu'au bout. Elle vit de loin que Jacques et Richard parlaient ensemble. Irène avait dû les présenter. Accueillie en héroïne, Lucie fut comblée de félicitations et d'embrassades.

Quand tout le monde se fut un peu calmé, elle se dirigea vers Richard pour le remercier d'être venu.

— Je tenais à te féliciter. Tu le mérites. Que vas-tu faire maintenant ? T'installer comme avocate ?

C'était la question qu'elle espérait.

— Finalement, répondit-elle, je préférerais faire du journalisme. Mon diplôme en droit me donnerait une spécialisation. Mais une agence de presse ne voudra jamais m'engager, il me faudrait un associé indépendant.

Avant que Richard ne puisse réagir, Jacques lança une invitation à la cantonade pour une petite réception qu'Irène et lui avaient préparée avec l'aide de Julienne. Richard s'excusa, prétextant une obligation, et partit sans rien dire de plus. En le regardant s'en aller, Lucie comprit à quel point elle avait espéré.

La réception eut lieu dans le jardin de la demeure familiale où Jacques et Irène venaient d'emménager. Ils avaient placé une grande table sous l'érable, à l'endroit où Julienne avait installé le notaire Bélanger dans sa chaise roulante été après été. S'il voyait sa femme maintenant, pensa Lucie, il serait effaré. Et furieux, bien entendu. Sa mère semblait rajeunie : vive et souriante, elle passait d'un groupe à l'autre, heureuse que sa fille soit allée jusqu'au bout de ses ambitions. Lucie admirait la détermination avec laquelle elle avait pris sa vie en mains et elle éprouvait pour elle une grande tendresse. Sans son soutien, elle n'en serait pas là. Elle s'imagina un instant dans le rôle d'épouse de François Ménard et eut un frisson d'horreur. Confit dans ses rancunes, il avait refusé de venir, même ses parents étaient présents. Les yeux brillants de larmes retenues, Louise avait serré Lucie dans ses bras en lui disant que Jacinthe aurait été heureuse pour elle. Simone était revenue de Saint-Donat pour l'occasion et elle virevoltait parmi les convives, veillant à ce que chacun ait son verre plein. En servant Lucie, elle lui apprit que Madeleine était enceinte. *Heureusement que la grève est finie*, dit-elle, *sinon, ça n'aurait pas été une bonne nouvelle*. En effet, mais maintenant que tout était revenu à la normale et qu'ils avaient retrouvé leurs emplois et leurs salaires, ils pouvaient se réjouir de la venue d'un bébé. Tout le monde autour d'elle avait des enfants. Simone en aurait à son tour et puis, lorsqu'elle aurait fini sa spécialisation, ce serait Irène. Lucie resterait la *matante* vieille fille à qui on demande d'être marraine pour la consoler.

Denise l'entraîna à l'écart et lui fit une annonce percutante qui la tira de son accès de morosité: elle avait rompu avec maître Dumont.

— Finalement, se moqua l'avocate, ton expression favorite, c'est la bouche ouverte et les yeux ronds. Mais cette fois, fais attention: c'est la saison des maringouins.

— Enfin, pourquoi? Questionna Lucie quand elle eut retrouvé la voix. Il me semblait que la situation te convenait.

— Sa femme est enceinte. Il m'avait juré qu'il ne couchait plus avec elle. Comme j'avais été assez bête pour le croire, je n'ai pas supporté le choc. Je suis heureuse d'avoir pris cette décision et je n'y reviendrai pas.

Lucie n'avait aucun doute sur la dernière partie de son affirmation: les décisions de Denise étaient mûrement réfléchies et sans appel. Elle comprenait maintenant pour quelle raison maître Dumont lui avait paru étrange: lui aussi le savait. De là à penser que son amie était heureuse, c'était autre chose. Elle n'eut pas la possibilité d'approfondir la question, car elles furent interrompues par des camarades de la Ligue ayant prié Giuseppe de réaliser une photo de groupe autour de Lucie. Le vieil homme, ravi, entreprit de les placer pour qu'elle soit réussie. Il la photographia ensuite avec sa mère et tous ceux qui le lui demandèrent. Lucie finit par lui dire que cela suffisait. Elle l'installa sur une chaise et alla leur chercher des rafraîchissements.

— Alors, s'informa-t-elle, ce voyage en Italie, c'est pour bientôt?

— À l'automne. J'irai en automne parce que l'été, il fait trop chaud.

— Vous avez raison, c'est plus sage. Je me souviens à quel point la chaleur était forte quand nous sommes entrés à Rome en juin 1944.

Comme c'était ce qu'il attendait, elle lui raconta l'accueil de la population en liesse, son arrivée *via Tor di Nona*, sa rencontre avec

Angela, la fillette de Carla qui lui écrivait une fois l'an depuis la fin de la guerre. Puis elle fit le récit de la visite à *Nonna Eleonora,* sa vieille mère maintenant décédée. Il l'écoutait toujours avec autant de plaisir que si c'était la première fois, et elle s'y prêtait volontiers, sachant que cela lui tiendrait lieu de voyage. Car il n'irait pas, pas plus qu'il ne l'avait fait les années précédentes, même s'il avait commencé d'en parler dès la fin du règne des fascistes. Avec ses amis immigrés, il entretenait ce vieux rêve d'un retour au pays. Cependant, aucun ne ferait la traversée : trop de mauvais souvenirs les attendaient là-bas et trop de tombes.

Quand les invités furent partis, après les dernières félicitations et les dernières embrassades, les Bélanger s'assirent sous l'érable pour se reposer un peu avant de ramasser les reliefs de la réception. Ils étaient contents, cela avait été une belle fête. Au milieu des propos détendus des uns et des autres, qui revivaient les bons moments de l'après-midi, Lucie se surprit à penser à Richard. Il n'avait décidément manqué que lui pour que la fête fût parfaite. Mais elle sut donner le change jusqu'au bout, et nul ne devina le chagrin sous le sourire.

⁂

Au retour de Saint-Donat où, lasse d'attendre en vain que Richard lui donne signe de vie, elle avait passé quelques jours avec Jacques et Irène, Lucie trouva une invitation à pendre la crémaillère chez les Gadbois qui venaient de s'installer dans un appartement d'Outremont. Au chalet, sur les instances de son frère et de sa belle-sœur, qui avaient réussi à la convaincre que Jacinthe était dans son cœur et nulle part ailleurs, elle avait nagé et pris le soleil, ce qui lui donnait bonne mine. Elle alla chez le coiffeur, soigna son maquillage, mit une robe du même bleu que ses yeux et des souliers à talons vertigineux, déterminée à afficher l'image d'une jeune femme épanouie alors qu'elle était sans avenir, ni professionnel ni personnel.

Albertine, radieuse, fit visiter l'appartement qu'elle avait aménagé pendant que son mari finissait de remplir ses engagements auprès du syndicat. Ils avaient réuni beaucoup d'amis qui se regroupaient par affinités, les Montréalais autour d'Albertine, les Asbestriens autour d'Yvon. Lucie était dans le groupe qui faisait le bilan de la grève, Richard aussi. La discussion était vive entre ceux qui pensaient qu'elle avait été un succès et ceux qui la considéraient comme un demi-échec. *On a prouvé aux patrons qu'on pouvait tenir longtemps*, disaient les uns. Les autres répliquaient que les compagnies aussi avaient prouvé qu'elles pouvaient tenir, et plus facilement que les ouvriers. *Et puis, il y a eu cette solidarité à l'échelle du pays.* Là, tous convenaient que c'était la grande réussite de la grève de l'amiante. Quelqu'un parla de l'engagement de l'Église envers les ouvriers, nommant le curé Camirand et Monseigneur Charbonneau. Mais pour l'archevêque de Montréal, des rumeurs de disgrâce couraient. *Croyez-moi*, lança une voix, *l'Église est toujours du côté de Duplessis.* Un silence approbateur lui répondit. *Et la poussière?* répétait Richard, *la poussière… Ils ne feront rien pour éliminer la poussière.*

C'est alors qu'arrivèrent des retardataires, un couple un peu plus âgé que les Gadbois. La femme tenait dans ses bras une fillette aux yeux craintifs qu'elle portait comme si c'était le plus grand trésor du monde. Ceux qui les connaissaient s'empressèrent autour d'eux et la mère dit avec émotion:

— Nous vous présentons notre fille Élisabeth. Elle fait partie de la famille depuis une semaine.

Lucie ne saisit pas immédiatement la situation. Quand elle comprit que ces gens avaient adopté l'enfant, elle en fut bouleversée. Elle n'avait jamais pensé à cela. Elle chercha Richard du regard et découvrit qu'il posait sur la petite Élisabeth des yeux tristes. Alors, elle n'entendit plus rien, ne vit plus rien, ne fit plus qu'attendre la fin de cette soirée qui lui parut interminable. Quand enfin les gens s'en allèrent, elle s'approcha de Richard et lui demanda s'il pouvait la reconduire chez elle.

Gadbois, qui l'avait entendue, l'arrêta :

— Lucie, ne pars pas tout de suite, j'ai quelque chose à te proposer.

Richard fit un pas pour s'éloigner. Il le retint.

— Ce n'est pas un secret, glissa-t-il avec un sourire. Allez vous installer au salon, je vous rejoins.

Lorsqu'il eut refermé la porte sur le dernier invité, Yvon s'assit et soupira :

— C'est épuisant les mondanités.

— Pas plus que les négociations syndicales, quand même ? persifla Richard.

L'avocat les fit rire en leur confiant :

— Je ne le dirai pas à ma femme, mais ça m'excite beaucoup moins.

Un ange passa tandis qu'ils pensaient tous les trois à Asbestos et aux mois de lutte auxquels ils avaient participé, chacun à sa manière.

Mais Yvon ne voulait pas se laisser aller aux regrets.

— C'est du passé, trancha-t-il. J'ai promis d'ouvrir un bureau d'avocat et de me tenir tranquille et je vais le faire. Et toi, Lucie, tu as des projets ?

— Rien encore de précis.

— Que dirais-tu d'une association avec moi ?

Elle ne s'y attendait pas le moins du monde.

— Tu n'es pas sérieux ? Ce n'est pas en t'associant avec une femme que tu vas attirer des clients. Denise a toute la misère du monde à gagner sa vie.

— Denise est seule. Ce sera différent. Au début, certains préféreront sans doute avoir affaire à moi, ce qui ne nous empêchera pas de travailler tous les deux sur leurs dossiers ; je me chargerai du contact avec eux. Et peu à peu, les gens s'habitueront à voir une femme les défendre. Puis, après toi, d'autres s'engouffreront dans la brèche. Les choses changent, et c'est dans cette direction que nous allons.

— Cela n'explique quand même pas pour quelle raison tu choisis la difficulté alors qu'avec un homme, tout serait plus simple.

— Le travail que tu as fait pour le syndicat est remarquable : il est structuré et informé. Tes photos montrent vraiment ce qui s'est passé et les commentaires qui les accompagnent sont précis : lieux, dates, identification des personnages, rappel des circonstances. C'est pour ça que j'aimerais que tu travailles avec moi. Je sais que je te prends de court, mais penses-y, j'attendrai.

Albertine surgit à cet instant.

— Je suis allée vérifier si Justin dormait, dit-elle avec cette complicité féminine que Lucie trouvait si difficile à supporter.

Elle prit place avec eux sur le beau sofa tout neuf et proposa :

— J'ai besoin d'un dernier verre. Pas vous ? Je n'ai pas eu une minute de la soirée.

Yvon leur servit un whisky. La jeune femme se mit à papoter sur les uns et les autres. Lucie ne l'écoutait pas vraiment ; troublée par cette offre inattendue, elle était consciente de son caractère presque miraculeux. Quelques mois plus tôt, lorsque Denise lui avait appris qu'elles ne pourraient pas travailler ensemble faute de clientèle capable de payer leurs honoraires, elle aurait été ravie de se joindre à Yvon, mais entre-temps, il y avait eu la proposition de Richard, qu'elle avait refusée avec des mots blessants, et qui correspondait en réalité à ce qu'elle voulait. Si elle l'avait prié de la ramener chez elle, c'était pour tenter de nouveau sa chance. Elle se demandait en quoi la demande d'Yvon changeait la donne. Ce serait peut-être un argument ? La preuve qu'elle avait le choix et qu'elle préférait faire du reportage photographique avec lui. Seulement, la question n'était pas là, et elle le savait.

— Pardon ?

Albertine venait de l'interpeller. N'ayant pas suivi la conversation, elle ignorait de quoi elle parlait.

— Nos amis qui ont adopté la petite Élisabeth, tu as vu comme ils étaient heureux ?

Il fallait saisir la perche, une occasion inespérée. Elle répondit en regardant Richard :

— Oui. Ils sont une publicité vivante sur le bonheur d'adopter un enfant. Ils donnent envie d'en faire autant.

Il baissa les yeux et elle ne put déchiffrer son expression. Albertine était déjà passée à autre chose.

— Yvon m'a dit que tu allais t'associer avec lui.

Son mari intervint.

— Je t'ai dit que j'allais le lui proposer, Albertine. Elle n'a même pas eu le temps d'y réfléchir.

— Mais tu vas accepter, n'est-ce pas ? Ce sera formidable.

— Laisse-la donc tranquille.

Richard se leva et dit abruptement :

— Il est tard, vous devez être fatigués.

Après avoir embrassé leurs hôtes, Lucie et Richard se retrouvèrent seuls sur le trottoir devant la maison. Lucie, qui tournait et retournait dans sa tête ce qu'elle voulait lui dire, se demandait quand le faire. Certainement pas juste en sortant. D'ailleurs, il parlait en lui montrant le ciel.

— Il y a beaucoup d'étoiles filantes à ce moment de l'année. Ce sont les Perséides. Sais-tu qu'on les appelle aussi les larmes de saint Laurent ?

Non, elle ne le savait pas. Elle savait seulement que l'on fait un vœu lorsqu'on voit une étoile filante et elle avait un vœu à faire.

Elle eut soudain une inspiration.

— Ce serait beau depuis le chalet du mont Royal.

— Pourquoi pas ?

La voiture était garée tout près. Richard lui ouvrit la portière puis s'installa au volant. Il ne disait plus rien. Elle non plus. Sur le chemin de la montagne, elle se souvint des dimanches qu'il avait consacrés à lui donner des leçons de photographie des années auparavant. Première leçon : les écureuils du mont Royal. Peut-être y pensait-il aussi ? Elle n'osa pas le lui demander par crainte d'obtenir en retour une remarque amère ou blessante. Ils s'entendaient si bien alors. La complicité qui les unissait aurait dû les conduire à vivre ensemble. Si elle avait été moins aveugle et moins sotte.

Une fois là-haut, toujours silencieux, ils quittèrent la voiture pour se diriger vers l'esplanade. Juchée sur ses hauts talons, Lucie ne pouvait pas marcher vite ; il s'en avisa et accorda son pas à celui de sa compagne. Lorsqu'ils parvinrent à l'emplacement dégagé, ils s'arrêtèrent pour contempler le ciel et eurent la chance de voir une pluie d'étoiles filantes. Richard voulut savoir si elle avait fait un vœu. Elle répondit que oui.

— Et toi ?

— Moi aussi.

Ils ne se demandèrent pas lequel, cela porte malheur, et continuèrent jusqu'au parapet auquel ils s'accoudèrent, regardant en bas les lumières de la ville. Lucie pensa que c'était le moment, qu'elle devait absolument parler, mais elle n'y parvenait pas, paralysée par l'appréhension. C'était trop important, trop grave. Sa dernière chance. Tant qu'elle ne disait rien, tout restait possible.

Ce fut Richard qui rompit le silence. Toujours appuyé à la rambarde, les yeux fixés sur l'horizon invisible, il lui demanda :

— Tu vas accepter la proposition de Gadbois ?

— Non. Je préfère le journalisme.

Il ne commenta pas, ne bougea pas. Alors, elle rassembla son courage et se lança :

— J'aimerais aussi adopter un enfant…

Après un instant où le temps parut suspendu, elle termina, presque à voix basse :

— … si tu veux bien être son père.

Quand il se tourna vers elle, il souriait.

L'impression de cet ouvrage sur papier recyclé a permis de sauvegarder l'équivalent de 60 arbres de 15 à 20 cm de diamètre et de 12 m de hauteur.